SIÓDMY DZIEŃ

JENS HØVSGAARD
SIÓDMY DZIEŃ

Przełożył: Frank Jaszuński

Wydawnictwo Czarna Owca
Warszawa 2011

Tytuł oryginału
DEN SYVENDE DAG

Redakcja
Dorota Szatańska

Korekta
Małgorzata Denys
Ewa Kaniowska

Skład i łamanie
Dariusz Piskulak

Projekt okładki i zdjęcie na pierwszej stronie okładki
Magda Kuc

Zdjęcie autora na czwartej stronie okładki
Copyright © Ine Boldsen

Copyright © Jens Høvsgaard 2010
Published by agreement with Salomonsson Agency
Copyright © for the Polish edition by Wydawnictwo Czarna Owca,
2011

Wydanie I
Wydawnictwo Czarna Owca Sp. z o.o.
(dawniej Jacek Santorski & Co Agencja Wydawnicza)
ul. Alzacka 15a, 03-972 Warszawa
e-mail: wydawnictwo@czarnaowca.pl
Dział handlowy: tel. (22) 616 29 36
faks (22) 433 51 51

Zapraszamy do naszego sklepu internetowego:
www.czarnaowca.pl

Druk i oprawa
DRUKARNIA OPOLGRAF S.A.
Książka została wydrukowana na papierze Creamy 70g/m², vol. 2,0
dystrybuowanym przez
MERCATOR
P A P I E R

ISBN 978-83-7554-275-2

Dla Royi, Viggi i Bertila

BYŁA WCIELENIEM EROTYCZNEGO SNU Hitlera o idealnej aryjskiej piękności. Drobne słoneczne piegi na nosie, wysokie kości policzkowe, gęsta blond grzywa opadająca na plecy. Spodnie do jazdy konnej i obcisła bordowa bluzka doskonale podkreślały nieskazitelne kształty, uwypuklając je zarazem.

Mimo że przyszedłem po to, by ją przesłuchać, i podejrzewałem, iż za nadobną fasadą kryje się ktoś zimny i podstępny – być może osoba, mająca więcej niż trochę wspólnego ze śmiercią swojego męża – jej wygląd i atrakcyjność powaliły mnie.

– Hej, wcześnie przyszedłeś.

Odrzuciła do tyłu kosmyk opadający na oczy i oddała cugle stojącej obok dziewczynie.

– Pamiętaj, żeby za bardzo nie napinać lonży – upomniała ją.

Dziewczyna kiwnęła głową i przejęła lśniącego czarnego ogiera – najwyraźniej równie nieskazitelny egzemplarz anatomii co właścicielka.

– Właśnie kupiłam go w Niemczech. Nazywa się Szatan i muszę przyznać, że zrobił na mnie wrażenie.

Roześmiała się.

– Pewnie nie tego się spodziewałeś? – Z uśmiechem podała mi szczupłą wypielęgnowaną dłoń. – Jadłeś już lunch? Bo ja jeszcze nie.

1

WYGLĄDAŁ NA MIĘDZYNARODOWEGO biznesmena. Elegancki garnitur, co najmniej za osiem tysięcy koron. Podwójne mankiety koszuli i kosztowny krawat z jedwabiu. Jedyny dysonans stanowiły czarne tenisówki firmy Ecco, z gumową podeszwą, no i oczywiście fakt, że na ostatniej pozycji w planie zajęć miał odnotowaną śmierć.

Niczym pojedynczy wieszak w pustej szafie wisiał na końcu zadzierzgniętej liny. Drugi koniec przymocowany był do drewnianego krzyża. Tuż powyżej kołnierzyka i modnego krawata wrzynał się w szyję solidny sznur, dokładnie w kolorze jego włosów. Mężczyzna ponad wszelką wątpliwość był martwy, a jego kariera eleganta definitywnie dobiegła końca.

– Zdejmujemy go?

Policjant oblizał usta ze smakiem, ssąc z upodobaniem lukrecjową pastylkę. Jeszcze jeden nieciekawy dzień na służbie. Sięgnął po pudełeczko z ulubionymi pastylkami Gajol i objął rękami wiszące ciało.

– Dobra, możesz go odwiązać – zakomunikował.

Spojrzał w górę na stojącego na drabinie kolegę, policjanta jak on, także po sześćdziesiątce, ubranego w marynarkę z tweedu. Ramiona miał podniesione, by sięgnąć do poziomej poprzeczki krzyża.

– OK, opuszczam go powolutku.

– Śmiało, szefie, dawaj nieboszczyka!

Policjant stojący na podłodze uśmiechnął się do kolegi na drabinie, który – zachęcony – zaczął ostrożnie zwalniać linę, jednak waga wisielca od razu stała się wyczuwalna.

– Spokojnie, nie tak prędko!

Zwolennik pastylek lukrecjowych odchylił się do tyłu i zacisnął zęby.

– Muszę go mocniej uchwycić!

Nieboszczyk najwyraźniej nie uznawał taryfy ulgowej i dał mu odczuć cały swój ciężar. Policjant zwolnił chwyt, by złagodzić nieco własny upadek na plecy. Zmarły podążył jego śladem i tym razem to policjant znalazł się w jego objęciach. Gdy głowa denata oparła się na jego ramieniu, a usta zbliżyły się na odległość zachęcającą do pocałunku, strażnik porządku gwałtownie zrezygnował z przysługującej mu zgodnie ze stażem i stopniem godności i zawył:

– Pomocy! Czy nikt mi tu nie pomoże?

Jego okrzyk odbił się echem w całym pomieszczeniu, potęgując wrażenie alarmu, wywołanego przez kogoś, kto, jeśli jeszcze nie narobił w gacie ze strachu, to w każdym razie był tego bliski.

– Niech ktoś mi pomoże, do cholery!

Z odsieczą ruszył Jan Bramming. Energicznie chwycił ciało, zwlókł je z leżącego policjanta i ułożył na podłodze. Poprawił jeszcze jego ramiona, układając je wzdłuż boków. W tej pozycji mimowolny sprawca zamieszania wyglądał, jakby wyzionął ducha podczas spokojnej drzemki na posadzce. Bramming wyprostował się i obdarzył oszołomionego kolegę, który już zdążył się podnieść, przyjaznym klepnięciem w plecy. Ten nadal oddychał ciężko, ocierając zroszone czoło chusteczką wyciągniętą z kieszeni.

– Dzięki – rzucił – denat okazał się cięższy, niż to się mogło wydawać, kiedy wisiał.

Odchrząknął, spojrzał na leżące ciało i, odzyskując służbową postawę, dodał:

– Na oko sto osiemdziesiąt pięć centymetrów wzrostu i sto dziesięć kilogramów wagi, duży mężczyzna.

Podkreślił szacowany wzrost i inne rozmiary, rysując linię na podłodze czubkiem buta, poczynając od głowy, a na stopach kończąc.

– Duży format pod każdym względem. Jest, a raczej był, właścicielem połowy Varde – poinformował schodzący z drabiny policjant, dołączając do pozostałych. – To nie musiało być takie trudne, zważywszy, że nasze miasteczko zamieszkuje banda idiotów, gotowych dobrowolnie oddać wszystko, co posiadają. – Palcem zakreślił znacząco kółko na swoim czole.

– Przewodził Słowu Ewangelii. To nazwa niezależnego Kościoła. Ma wielu zwolenników w tej okolicy. – Jan Bramming odwrócił się do mnie, żeby opowiedzieć o ziemskich dokonaniach powieszonego. Stałem jakieś trzy metry za policjantami, trzymając się na dystans, dopóki nie uporali się z nieboszczykiem. – Podobno był wart niezłą sumkę, coś tam z siedmioma zerami. Takie zajęcie trzeba było wybrać!

Bramming uśmiechnął się przy tym. Zbliżyłem się do funkcjonariuszy.

– Był kimś w rodzaju miejscowego guru?

Jan już otwierał usta, żeby udzielić mi odpowiedzi, ale uprzedził go ten, który odwiązywał wisielca.

– Był zwykłym naciągaczem, ot co!

Podszedł do mnie tak blisko, że czułem ciepło jego oddechu, spojrzał z góry z nieskrywaną pogardą i rzucił:

– A ty, kim jesteś? Jeśli wolno spytać?

– Nazywam się John Hilling, podwiozłem tutaj Jana.

Wyciągnąłem do niego rękę, dyskretnie przemilczając mój zawód, gdyż wiem z doświadczenia, że hasło „dziennikarz" działa na niektórych policjantów jak czerwona płachta na byka, zwłaszcza jeśli chodzi o dziennikarza z „Ekstra Bladet". Udał, że nie widzi wyciągniętej ręki, i zwrócił się do Bramminga:

– To by oznaczało, że sierżant Bramming powinien poprosić pana Hillinga, by ten łaskawie zaczekał za drzwiami. Znajdujemy się w miejscu popełnienia przestępstwa i nie chcemy, by jakiś prywatny szofer zadeptywał nam tu ślady. Czy to jasne?

Od trzech dni byliśmy gośćmi Jana Bramminga i jego żony, Heleny Outzen, w domku letnim rodziców Jana w Vejers Strand. Moja kochana Maria i ja. Helena pracuje w policji, podobnie jak Jan i Maria. Poznaliśmy się osiem miesięcy temu, kiedy brat Marii, Poul, bez winy znalazł się w sferze zainteresowania policji. Od tego czasu Helena i Maria utrzymywały stosunki towarzyskie, które z czasem zaczęły się przeradzać w coś na kształt przyjaźni. W każdym razie były na tyle bliskie, że bez wahania przyjęliśmy zaproszenie na wspólne spędzenie długiego weekendu. Helena i Jan mieszkają w Haderslev, gdzie Maria dorastała. Helena pracuje w miejscowej komendzie, natomiast Jan został po reformie przeniesiony do komendy okręgowej w Esbjerg, zgodnie z nowym podziałem terytorialnym. Odtąd musi codziennie dojeżdżać z miasta do miasta, chociaż nie jest to daleko.

Byliśmy właśnie na tarasie przy grillu, kiedy Jan otrzymał wezwanie do wisielca w Varde. Oboje z Heleną wypili już po parę kieliszków wina, podczas gdy ja, na znak solidarności z moją ukochaną, będącą w zaawansowanej ciąży, poprzestałem na jednym kieliszku i wodzie mineralnej. Dlatego, kiedy Jana wezwano, zaoferowałem się jako kierowca.

Na ogół nie należę do abstynentów, zwłaszcza gdy idzie o dobre czerwone wino, ale w miarę jak u Marii zbliżał się termin rozwiązania, zacząłem ograniczać spożycie. Po prostu nie chciałem ryzykować sytuacji, w której promile stanęłyby na przeszkodzie odwiezienia Marii do szpitala, gdyby zaczęły się bóle porodowe. Do przybliżonego terminu brakowało wprawdzie jeszcze trzech tygodni, ale zawsze. Miałem dwadzieścia osiem lat, po raz pierwszy miałem zostać ojcem i nie chciałem tego sfuszerować.

Kiedy poznałem Marię, butelki z nalepką Amarone, zajmujące w lodówce zaszczytne miejsce, stanowiły nasze nieodłączne towarzystwo. Niejednokrotnie raczyliśmy się tym trunkiem we dwoje i utopiliśmy w nim razem niemało smutków, lecz teraz nastał okres względnej wstrzemięźliwości.

*

Jan pokpiwał sobie, wsiadając do samochodu:
– No to poznałeś inspektora Frosta na luzie. Nie tylko nazwisko się zgadza, charakter również, jak najbardziej.
– Nazywa się Frost, jak mróz?
– Helmer Frost Olsen, komendant policji kryminalnej, mój szef na dobre i na złe.
– Robi wrażenie choleryka.
– Owszem, ale nie lekceważ jego umiejętności. Jest na swój sposób dosyć bystry, chociaż potrafi też być prawdziwym wrzodem na dupie, łagodnie mówiąc.
Jan zapiął pas, a ja przekręciłem kluczyk w stacyjce. Silnik zaskoczył za drugim razem.
– A co z tym wisielcem? Co to za jeden? – zapytałem, zwracając się do Jana, który szukał czegoś w kieszeniach.
– Pastor Bingo, Jørgen Jezus albo zwyczajnie Jørgen Nikolajsen. Miłość niejedno ma imię. Kaznodzieja nawracający grzeszników. Twierdził, że miał moc uzdrawiania chorych i nawracania pedałów na hetero. Z czasem stworzył sobie małe imperium w zachodniej części Jutlandii.
– A dlaczego pastor Bingo?
– Zaczynał w lokalnej telewizji jako zapowiadacz gry bingo, ale najwyraźniej sekta okazała się bardziej intratna.
Otworzył schowek na rękawiczki, zajrzał do środka, ale najwidoczniej nie znalazł tego, czego szukał.

Spokojnie przejechaliśmy przez puste pod wieczór centrum miasta. Jak w większości małych i średnich miasteczek na prowincji, ulice już opustoszały, a tym samym sprzed sklepów zniknęły ruchome wystawy z trzema parami skarpetek frotté za trzydzieści koron. Poza nami w śródmieściu Varde znajdowali się tylko nastolatek na motorowerze oraz zabłąkany narkoman w trakcie utarczki z własnym psem.

– Skręć w tym miejscu, a potem w dół ulicą Ribevej około stu metrów.

Jan zaczął ponownie przeszukiwać kieszenie. Tym razem udało mu się coś znaleźć. Z jego ust wydobyło się westchnienie ulgi i, opuszczając okno po swojej stronie, z lubością zapalił papierosa z pogniecionej paczki Prince Light, którą wreszcie udało mu się odnaleźć.

– Myślałem, że nie palisz – powiedziałem, sięgając do kieszeni po własną paczkę.

– No, bo właściwie to nie palę, przynajmniej w domu.

Uśmiechnął się, podsuwając mi zapalniczkę.

– Wiesz, Helena bardzo tego nie lubi, jest fanatyczną przeciwniczką palenia.

– A więc palisz ukradkiem?

– Ukradkiem? Nie, nie ująłbym tego w ten sposób, bo się nie ukrywam.

Zaciągnął się głęboko, ale popielniczkę wcisnął na miejsce.

– Popiół trzeba strząsać za okno – wyjaśnił.

– Dom Rebeki, klinika pastora Bingo. – Jan wskazał dużą willę z czerwonej cegły po drugiej stronie ulicy i jednocześnie pstryknął palcami, posyłając peta za okno. Drugiego w ciągu ostatnich dziesięciu minut, którego odpalił bezpośrednio od poprzedniego papierosa.

– Co masz na myśli, mówiąc „klinika"?

– Cyrkowe sztuczki, leczenie przykładaniem dłoni i inne takie numery. Niedawno pisali o tym w gazecie. Trafiła im się chora psychicznie, która po tych zabiegach popełniła samobójstwo.

Wyciągnął kolejnego papierosa, włożył go do ust, ale nie zapalił. Przesuwał go tylko językiem tam i z powrotem.

– Zareagowaliście jakoś?

– Nie, nie było podstaw. Barany przychodzą tam przecież z własnej woli.

Wyjął papierosa z ust, przyjrzał mu się uważnie, a po zastanowieniu włożył z powrotem i zapalił, zaciągając się z lubością.

W przeciwieństwie do bliźniaczej willi naprzeciwko, z szerokim podjazdem i ogrodem, otwartym od strony drogi, Dom Rebeki robił wrażenie zamkniętego i nieprzystępnego. Teren prywatny, nie dla postronnych. Jedynym elementem zapraszającym była tablica, informująca, że wejście znajduje się z tyłu. Drzwi wejściowe od frontu zostały zamurowane. Widać to było po jaśniejszym kolorze cegieł w kształcie prostokąta na poziomie ogrodu.

– Tamten lumpeks też należy do niego. – Jan wyciągnął rękę z zapalniczką, żeby pokazać, o co mu chodzi. – Willa jest chyba kwaterą główną. Do tego ma jeszcze dom przy Lundvej, który już widziałeś.

Rękę z papierosem trzymał za oknem i regularnie strząsał go palcem, gdy tylko żar zamieniał się w szary popiół.

– A ten, jakie ma przeznaczenie, to przecież olbrzymi budynek?

– Nazywają go Dom Jugend, przedtem było tam jakieś muzeum, ale Jørgen Jezus odkupił go i przebudowywał na ośrodek kultury i szkołę biblijną.

– Aha, to stąd ten krzyż.

– Tak, tam już się odbywały zajęcia.

– Imponujące, nie ma co!

*

Maria i Helena już się położyły. Jan wyjął z lodówki dwa piwa w puszce.

– Browarek na dobranoc?

Kiwnąłem głową na zgodę.

– A kanapkę z salami? Wędliny kupiliśmy u Vollstedta w Haderslev, najlepszego masarza w Danii. – Otworzył plastikowy pojemnik i uważnie przestudiował zawartość. – Mamy też ekstra-wątrobiankę. Próbowałeś?

Potrząsnąłem głową.

– Nie możesz mieszkać pod jednym dachem z facetem z południowej Jutlandii i nie spróbować wątrobianki, z majonezem i prażoną cebulką.

Zrobiliśmy sobie kanapki i usiedliśmy przy stole z laminatu. Wystrój wnętrza, meble i styl architektury odbiegały w jaskrawy sposób od mojego wyobrażenia przytulnego domku na lato. Kiedy nas zaprosili, oboje z Marią zawołaliśmy nieszczerze „Ach, jak miło!" i wyraziliśmy podziw dla lokalizacji, ale, prawdę mówiąc, jedyne, co wyróżniało domek Jana rodziców od typowej zabudowy średnio zamożnego działkowicza, to jego wielkość. Osiemdziesiąt metrów kwadratowych w ścianach z brudnożółtej cegły, przykryte dachem z eternitu, rzucone w środek pięknej jutlandzkiej przyrody. Starałem się nie patrzeć na bohomaz wiszący nad lodówką. Obraz był olejny i przedstawiał czerwone serce na czarnym tle w wianuszku dwudziestu pięciu złotych gwiazdek. Niemal identyczne dzieło sztuki, tylko z nieco mniejszą liczbą gwiazdek, stało na sztalugach kupionych w sieci Grene, w sąsiednim pokoju. Obok na małym stoliku dostrzegłem obrazek, przedstawiający zestaw tubek z farbami akrylowymi i kilkoma pędzlami różnej wielkości, w towarzystwie okazałego kufla z niemieckim napisem: „Pozdrowienia z pięknego Harcu".

– Jak myślisz, dlaczego on się powiesił, przecież wszystko tak pomyślnie się układało?

Jan zastanowił się przez chwilę.

– Trudno powiedzieć, ale – jak wiadomo – niezbadane są drogi Opatrzności. Tak to się chyba mówi...

– Nie dotarło do was nic o jego trudnościach? Jakieś problemy, coś, co poszło nie tak, jak oczekiwał?

15

– Nic z tych rzeczy, chcesz jeszcze jedno piwko? – Mówiąc to, zebrał ze stołu puste puszki i wstał, żeby podejść do lodówki. – A może coś na przekąskę? – zapytał, wskazując na pojemnik na stole.

– Nie, dziękuję, wystarczy piwo, jedzenie możesz już sprzątnąć.

– Nie tak prędko – zabrzmiało od strony drzwi, gdzie pojawiła się Maria, z jedną ręką na biodrze, drugą zaś podpierając brzuch. – Ja muszę jeść za dwoje.

Wyjęła plastikowe pudełko z rąk Jana i podeszła do kuchennego stołu. Wyglądała na zaspaną. Podszedłem i pocałowałem ją w policzek.

– Obudziliśmy cię, kochanie?

– Nie, to nie wy, tylko junior. Chyba zdecydował, że urządzi sobie ucztę. – Poklepała się po wydatnym brzuchu i spytała: – Macie sałatkę po włosku?

– Czy to znaczy, że idziesz jutro do pracy? – Helena także już wstała i parzyła właśnie herbatę. Jan tłumaczył mętnie, że jeszcze nie wie na pewno. Żona spojrzała na niego gniewnie. Widać było, że irytuje ją zarówno jego dodatkowa praca, jak i niejasna odpowiedź.

– Jeżeli to samobójstwo, to powinni sobie poradzić bez stawiania na nogi całego komisariatu. Nazbierało ci się już dwa miesiące nadgodzin do odebrania i w dodatku mamy w domu gości!

Odkroiła dwa grube plastry salami i zrobiła kanapkę z krojonego razowca. Jan próbował unikać jej wzroku, wpatrując się w arcydzieło z gwiazdami, które uprzednio zwróciło moją uwagę. Po namyśle zdecydował się na taktykę odpowiadania pytaniem na pytanie.

– A kto mówi, że to było samobójstwo? Denat miał na sobie wyjściowe ubranie!

Oderwał wzrok od malowidła i ośmielił się spojrzeć w oczy żonie, pracowicie przeżuwającej kanapkę. Widać było, że nie dała się przekonać.

– A gdzie jest powiedziane, że nie można się porządnie ubrać na własną śmierć? Czy do twoich wyobrażeń o świecie pasowałoby lepiej, gdyby miał na sobie dres do joggingu? – dodała Helena ze złośliwym uśmiechem.

– No właśnie, kto mówi, że nie można się porządnie ubrać, kiedy człowiek postanawia zakończyć życie? Co ty na to, John? Chciałbyś umierać w byle łachach? – dorzuciła Maria.

Uśmiechnęła się, nieświadoma resztki majonezu w kąciku ust. Dyskretnie zwróciłem jej na to uwagę, wskazując na swoje usta.

– Nie, zdecydowanie nie, ale z drugiej strony ten kaznodzieja nie był znowu aż taki elegancki. Owszem, garnitur z górnej półki, ale buty na gumowych podeszwach.

Jan i Helena spojrzeli na mnie zaskoczeni, a Maria już pękała ze śmiechu. Wytarła usta, choć z niewłaściwej strony. Spróbowałem dać jej znać ponownie, tym razem drugą ręką, uwzględniając efekt lustra, który jednak najwyraźniej ją zmylił. Zignorowała moje wysiłki i drążyła dalej kwestię odpowiedniego stroju.

– Gumowe podeszwy to oczywiście najgorsza zbrodnia, przynajmniej zdaniem Johna. Nie dociera do niego, że faceci w tym kraju potrafią zainwestować sporą kasę w modny garnitur, zapominając jednocześnie o nabyciu przyzwoitego obuwia. Prawda, John?

Kiwnąłem potakująco głową, budząc zdumienie Jana.

– Co jest nie tak z butami na gumowej podeszwie? – zapytał.

Spojrzał na swoje żeglarskie obuwie i zauważył: – Ja także mam gumowe podeszwy.

– Nic, nic absolutnie! Tenisówki czy buty od Ecco są w porządku, pod warunkiem że nie zakłada się ich do garnituru. – Podniosłem się od stołu, żeby uniknąć dalszej dyskusji na temat modnego stroju, zdając sobie doskonale sprawę, że nie jestem w stanie wygrać.

Mężczyźni w Danii są z reguły beznadziejnymi ignorantami w sprawach mody męskiej. Maria miała całkowitą rację, że większość panów w tym kraju nie ma bladego pojęcia o kupowaniu obuwia. W przeciwieństwie do kobiet, które przeważnie mają pokaźny wybór butów na różne okazje, panowie uważają, że wystarczy mieć dwie pary adidasów – jedne na co dzień i drugie od święta. Ja osobiście noszę ręcznie szyte włoskie buty, brązowe w ciągu dnia i czarne na skórzanej podeszwie, jeśli mamy gdzieś wyjść.

– Chyba wyjdę na chwilę na papierosa – powiedziałem, wyciągając paczkę z kieszeni dla podkreślenia, że rezygnuję z udziału w tej dyskusji. – Obejdziecie się beze mnie?

– Jasne, John, idź sobie na papieroska – zgodziła się Helena z uśmiechem.

Nalała Marii herbaty do kubka i spojrzała na męża:

– A ty, Jamie, nie masz ochoty zapalić?

– Ja, to znaczy... mhm... – wyglądał na zmieszanego – no dobra, dotrzymam mu towarzystwa.

Żona skwitowała to uśmiechem.

– Chyba nie rzuciłeś palenia?

Próbował uniknąć jej wzroku.

– Przecież wiesz...

– Bo jeśli tak, to po prostu oddaj Johnowi paczkę prince'ów, którą zadekowałeś w szopie. – Rozczochrała mu czuprynę. – Naprawdę myślałeś, że nic o tym nie wiem?

2

– CZARNA?

Młoda kobieta zadała to pytanie, nie podnosząc wzroku. Oczy miała skierowane na biały, plastikowy kubek, który stopniowo, w miarę napełniania, zmieniał kolor na ciemnobrązowy.

Poprosiłem o mleko.

– Cukier?

– Nie, dziękuję, tylko mleko!

– Proszę uważać, jest gorąca – uprzedziła, manewrując kubkiem trzymanym ostrożnie dwoma palcami tuż przy krawędzi.

Ku niezadowoleniu Heleny Jan został jednak wezwany do stawienia się w pracy. Pojechałem także, za powód podając fakt, że chciałbym lepiej poznać Varde. Maria i Helena zostały same i miały okazję spokojnie porozmawiać o swoich sprawach i dziecku. W rzeczywistości nie miałem najmniejszego zamiaru oglądać atrakcji turystycznych zachodniojutlandzkiego miasteczka, bardzo mi natomiast zależało na tym, by dowiedzieć się czegoś więcej o Jørgenie Jezusie i jego sekcie – Słowie Ewangelii.

Z tematem ekstremistycznych i fanatycznych sekt religijnych miałem już kiedyś do czynienia. Pisałem wówczas o Kościele scjentystycznym, ruchu Moon, Dzieciach Boga, wreszcie o sekcie Tvind. Jeżeli tylko można sięgnąć głębiej, na ogół pojawia się ciekawy materiał. Przeważnie jest to opowieść o ludziach słabych i naiwnych, wykorzystywanych przez sprytnych guru, którzy mają do zaoferowania przystępną i dobrze sprzedającą się wiarę lub szytą na miarę filozofię. W tle pojawiają się zazwyczaj osobiste tragedie, duże pieniądze i seks. Czyli dokładnie te składniki, które mój szanowny redaktor naczelny, stary Juhler, uwielbia, zwłaszcza jeśli może je podać w jednej potrawie, serwowanej w jadłospisie „Ekstra Bladet".

– Znasz może kogoś stamtąd? – zapytałem dziewczynę, wskazując na Dom Rebeki. – Przychodzą tutaj?

Przyjrzała mi się uważniej, zanim zdecydowała się na odpowiedź.

– Tutaj raczej nie przychodzą, ale paru znam. W Varde znają ich wszyscy, dlaczego pytasz?

Uznałem, że najlepiej będzie grać w otwarte karty, i powiedziałem, że jestem dziennikarzem i chciałbym dowiedzieć się czegoś więcej o sekcie Słowo Ewangelii – czym się zajmują i tak dalej.

Czyżby coś wiedziała? W każdym razie pospiesznie chwyciła ścierkę i skrzętnie usunęła z lady niewidoczne okruchy, a kiedy się z tym uporała, zaczęła z wielkim samozaparciem trzeć plamę, która z pewnością miała już swoje lata i nie takim próbom się oparła.

– Lepiej uważaj! Oni się nie znają na żartach, jeżeli ktoś im się nie spodoba!

Wzrok miała uparcie skierowany na trzymaną w dłoni ścierkę.

– Co masz na myśli?

– To, co mówię. Potrafią być nieprzyjemni! – wreszcie odłożyła ścierkę do pustego pojemnika po sałatce.

– Musisz mi to wyjaśnić. Jak to nieprzyjemni?

– Nie wiem jak, tylko słyszałam od ludzi. Chcesz jeszcze kawy? – sięgnęła po duży, czarny termos.

– A co takiego słyszałaś? – nalegałem.

Przez chwilę się wahała, po czym powiedziała:

– Daj mi swój numer telefonu, znam chyba kogoś, kto mógłby coś więcej powiedzieć, ale nie daję żadnej gwarancji, że w ogóle zadzwoni.

Zapisałem numer swojej komórki na serwetce i zapytałem:

– A kto to taki?

– Ktoś, kogo znam. Porozmawiam z nią i może do ciebie zadzwoni.

Pożegnałem się z młodą kelnerką z baru grillowego, przeszedłem na drugą stronę ulicy i zatrzymałem się przed Domem Rebeki, żeby przypalić sobie papierosa i przy okazji przyjrzeć się dyskretnie willi. Wydawała się opuszczona. Żywej duszy w ogrodzie, ani z przodu, ani z tyłu, nie widać też było śladu aktywności w oknach.

Dom Rebeki dzieliło od lumpeksu zaledwie kilkaset metrów. Jednak o ile wokół czerwonego domu panowała martwa cisza, to przy sklepie aż wrzało.

– Cholera, ja tylko pytałem, czy nie moglibyście znaleźć dla mnie jakiejś pary butów, nic więcej mnie nie interesuje.

Narkoman, którego Jan i ja widzieliśmy poprzedniego wieczoru na ulicy, walił pięścią w ladę. Jego czekający na dworze pies nastawił uszu, słysząc głos swego pana. Zajrzał do sklepiku i próbował zorientować się w sytuacji. Doszedł jednak do wniosku, że nie dzieje się tam nic takiego, w co warto by się mieszać, i położył się z powrotem przy drzwiach.

– Chyba zostało wystarczająco jasno powiedziane, że nie chcemy tutaj ani ciebie, ani twojego kundla. Płoszycie nam tylko klientów! – Starsza kobieta za ladą cofnęła się o krok, kryjąc się między dwa rzędy wieszaków z używanymi ubraniami. – Poza tym, gdybyś nie wydawał wszystkiego na narkotyki i alkohol, stać by cię było na kupienie obuwia, to tylko kwestia właściwych priorytetów.

– Pierdol się! – Chwycił parę butów stojących na ladzie i cisnął nimi w ekspedientkę, po czym odwrócił się i ruszył w stronę wyjścia. W drzwiach zatrzymał się na chwilę, pokazał środkowy palec i dla jasności dodał: – Pieprzyć ciebie i wszystkie pozostałe święte świnie!

Pies spojrzał z niepokojem na rozgniewanego pana, podniósł się, gdy ten go mijał, i powlókł się z podkulonym ogonem jego

21

śladem. Kobieta w sklepie poprawiła włosy i sznur pereł na szyi, nim zdecydowała się opuścić swoje schronienie.

– Proszę wybaczyć. To awanturnik. Czym mogę panu służyć? – ciągle trzymała się bezpiecznej strony lady.

Powiedziałem, że na razie chciałem tylko popatrzeć, i zacząłem przeglądać kraciaste koszule na wieszaku. Nie zamierzałem wprawdzie inwestować w non-ironowe koszule, nawet gdyby były w paski, natomiast interesowały mnie obrazki umieszczone nad wieszakami.

Dwie fotografie przedstawiały sceny ze szkolnej klasy. Afrykańskie dzieciaki w ławkach szczerzyły zęby i ubytki w swoich szerokich uśmiechach. Na trzeciej fotografii gromadka była ustawiona na dworze. Dzieci trzymały w rękach duńskie flagi i tworzyły wianuszek wokół dwóch dorosłych postaci. Obie rozpoznałem bez trudu.

Jedną z nich był szeroko uśmiechnięty Jørgen Jezus, jedną ręką wsparty na ramieniu czarnego chłopaka, podczas gdy druga spoczywała na głowie jednej z dziewczynek, ubranej w zdecydowanie zbyt obszerną, kraciastą sukienkę, w tenisówkach nie do pary. Sam kaznodzieja miał na sobie nieskazitelny strój w stylu safari.

Drugą była stojąca obok niego podobnie ubrana kobieta. Gdyby nie jej przeraźliwie różowa torebka, można by pomyśleć, że to młoda Karen Blixen, a nie nasza pani minister rozwoju regionalnego. Ekspedientka ze sznurem pereł podążyła za moim wzrokiem. Najwyraźniej zdecydowała, że nie zaliczam się do kategorii niebezpiecznych klientów, opuściła swoje stanowisko za ladą i podeszła bliżej.

– Została wybrana do parlamentu z naszego okręgu, więc bardzo byliśmy zadowoleni, że zdecydowała się w ramach naszego projektu złożyć wizytę w Ugandzie. – Wspięła się na palce, zdjęła fotografię ze ściany i podała mi ją.

– To między innymi pieniądze z tego sklepiku dają nam możliwość udzielania pomocy tak daleko. Tam jest to bardzo potrzebne, bo ludzie nie mają prawie nic.

– Czy to szkoła? – zapytałem, wskazując budowlę w tle za zgromadzonymi dziećmi.

– To nasza misja ze szkołą i internatem.

W jej głosie słychać było wyraźnie poczucie dumy.

– Misja? Czy to znaczy, że chcecie je nawracać?

– To konieczne. Są poganami, w dodatku wiele z nich jest opętanych przez szatana i jego podwładnych.

Jej oczy wyrażały teraz najwyższe przerażenie. Położyła rękę na piersi tuż poniżej sznura pereł.

– Proszę mi to wytłumaczyć.

– One nie znają prawdziwego Boga. Są we władzy demonów!

– Nadal nie bardzo rozumiem. O jakich demonach pani mówi?

Spojrzała na mnie jak na osobę słabego umysłu i wyjaśniła pouczającym tonem:

– Bóg nie może wstąpić w osobę, jeżeli miejsce w niej jest już zajęte przez szatana.

Pospiesznie zabrała z moich rąk obrazek, by umieścić go na wolnym haczyku, na ścianie nad koszulami, po czym podeszła do lady po kolorowy folder reklamowy z fotografią Jørgena Jezusa na okładce.

– Najpierw musimy jednak wypędzić z nich demony. Więcej dowie się pan z tej broszurki. Można znaleźć tu informacje o podstawowych zasadach naszej wiary i pełnionej przez nas misji. Zapraszamy również do naszego centrum kultury przy Lundvej. Wie pan, gdzie to jest? – zapytała, wręczając mi egzemplarz.

– Owszem, przechodziłem tamtędy. W jakich godzinach mają otwarte?

– Drzwi Pana są zawsze otwarte dla tego, kto szuka zbawienia. Powinien pan się nad tym zastanowić.

Włożyłem broszurkę do wewnętrznej kieszeni i obiecałem, że do niej zajrzę.

– A jaka jest rola pani minister w tym dziele? – zapytałem.

Rozpromieniła się w szerokim uśmiechu.

– To anioł zesłany nam przez Boga! Kiedy zobaczyła, co nam się udało zdziałać, wystarała się dla nas o wsparcie fundacji DANIDA.

*

Drugi tego dnia plastikowy kubek kawy udało mi się wypić w redakcji miejscowego tygodnika. Z dziennikarzy nie zastałem nikogo, tak więc poza wspomnianą kawą musiałem się zadowolić darmowym wydaniem przeznaczonym do skrzynek pocztowych.

– Najlepiej byłoby, żebyś porozmawiał z Ejnerem – poradziła mi sekretarka. – On jest teraz co prawda w miasteczku Mini, ale potem wybiera się do sklepu Rema 1000, co do którego istnieją jakieś plany rozwojowe.

Zdjęła czerwony żakiet i powiesiła go na oparciu krzesła, nim zajęła miejsce za biurkiem. Przyglądała mi się z zaciekawieniem, niepozbawionym pewnej dozy podejrzliwości.

– Mówiłeś, że pracujesz dla „Ekstra Bladet"?

Kiwnąłem potakująco głową, chcąc zadać jeszcze jakieś pytanie, ale ona mnie uprzedziła.

– To chyba muszę uważać, co do ciebie mówię. Słyszy się przecież o was różne rzeczy. A czego właściwie chciałbyś się dowiedzieć?

Zamiast złapać jakiś autobus czy taksówkę i wrócić do letniego domku do mojej Marii, pokręciłem się trochę po Varde. Obiecałem, że biorę urlop i odkładam „Ekstra Bladet" oraz pisanie na półkę do czasu porodu. Jednak powieszony kaznodzieja, znający w dodatku panią minister rozwoju regionalnego, niejasne ostrzeżenia kelnerki z baru grillowego, by nie wchodzić Słowu Ewangelii w paradę, plus samobójstwo niezrównoważonej psychicznie pacjentki stanowiły pewną całość, której niełatwo było się oprzeć. Zadzwoniłem do Marii, że chcę się przejść do miejscowego muzeum, a potem może zobaczyć miniaturę miasta, które stanowiło miejscową atrakcję turystyczną.

– Przyjemnego zwiedzania, kochanie! – brzmiała jej odpowiedź podana w tonie niezupełnie odpowiadającym treści. – A czy ten powieszony pastor także należy do miejscowych atrakcji turystycznych?

– No dobrze, wybieram się do miejscowej gazety, żeby pogadać. Podejrzewam, że za tym wszystkim może się kryć niezły temat, ale to nie będzie miało wpływu na nasz urlop. Chcę tylko coś sprawdzić.

Ejner Piil był już właściwie emerytem. Przez wiele lat redagował lokalną gazetę, ale teraz pozostawał już tylko wolnym strzelcem.

– Wiesz, jak to jest, kiedy stary rumak słyszy sygnał do boju. – Rzucił swoją sfatygowaną, skórzaną teczkę na biurko i zwrócił w moją stronę roześmiane oczy. – Choć możliwe, że władza sztabowa jest zdania, iż odsłużyłem już swoje.

Usiadł za biurkiem i wskazał mi ręką miejsce na krześle po przeciwnej stronie.

– To w jakiej sprawie potrzebujesz mojej pomocy?

Trzymał się prosto, miał mocną opaleniznę i nosił czerwony sweter z dużym logo gazety.

– Jørgen Nikolajsen... co możesz mi o nim powiedzieć?

– Nie żyje, powiesił się wczoraj wieczorem.

– Tyle to i ja wiem, a co poza tym?

– Zaraz, zaraz, teraz moja kolej! Skąd w „Ekstra Bladet" nagłe zainteresowanie samobójstwem w Varde? Co wiecie takiego, o czym my nie wiemy? – obdarzył mnie spojrzeniem prokuratora, który przesłuchuje podejrzanego.

– Nic takiego nie wiemy.

– Mam uwierzyć, że „Ekstra Bladet" wysyła reportera taki kawał drogi, żeby napisał artykuł o niczym? Wymyśl coś lepszego. Nie ukrywam, że całe moje życie upłynęło na pracy dla prasy prowincjonalnej, ale to nie znaczy, że jestem kompletnym

25

idiotą. Powiedz, czego tu szukacie? – wstał i zaczął nerwowo krążyć po niewielkim pomieszczeniu.

– Nikt mnie tu nie przysłał, przyjechałem na urlop do Vejers. Dowiedziałem się o sprawie zupełnie przypadkowo.

Zatrzymał się tuż przede mną i rzucił mi spojrzenie, które miało oznaczać, że za stary z niego wróbel, żeby jeść z ręki takiemu stołecznemu cwaniakowi z Kopenhagi jak ja.

– Nie udawaj, Hilling! Wiem, co z ciebie za jeden. Nagroda Cavlinga i cała seria dochodzeń zakończonych sukcesem. Wiem, że jeśli już bierzesz się za jakiś temat, to znaczy, że jest coś na rzeczy, więc przestań mi tu wciskać kit. Jeżeli mam ci pomóc, to gramy w otwarte karty i zastrzegam sobie udział w twoim śledztwie. W przeciwnym razie chyba będę musiał pogadać z twoim naczelnym.

– Znasz Juhlera?

– Obaj byliśmy praktykantami w piśmie „Demokraten", w Aarhus, w pierwszej połowie ubiegłego stulecia.

Roześmiał się z satysfakcją i przysiadł na brzegu biurka.

– To jak, umowa stoi?

Podjąłem pewien wysiłek, żeby wyjaśnić Piilowi, jak się sprawy mają naprawdę, to znaczy, że nie mam jeszcze żadnego tematu, a tylko próbowałem złożyć do kupy to, czego się dowiedziałem o Słowie Ewangelii, Jørgenie Jezusie i jego licznych przedsięwzięciach tu na miejscu i w Afryce. Chyba mi uwierzył, bo wrócił na swoje miejsce za biurkiem i zapytał, co mnie interesuje.

– Co z tą kobietą, która popełniła samobójstwo? Tą, która była na terapii w Domu Rebeki?

– Sporo się dowiedziałeś. Jestem pod wrażeniem. Inge Vamdrup miała problemy.

– Inge Vamdrup? Znałeś ją?

– Znałem jak znałem. Pracowała jako księgowa w wytwórni piecyków, dopóki nie zachorowała. Cierpiała na depresję.

– Doszły mnie słuchy, że pisaliście coś o jej samobójstwie.

– To źle słyszałeś. Nie pisujemy o samobójstwach, zamieściliśmy jednak list od czytelnika. – Pochylił się nad klawiaturą komputera i wprowadził jakieś hasło. – Chyba mam to gdzieś tutaj. A, tak – jest! Ale to skrócona wersja, w tekście były oszczerstwa.

Dlaczego moja matka musiała umrzeć?
Moja matka od lat cierpiała na chorobę psychiczną, ale była dobrą matką, i kiedy zażywała leki, czuła się całkiem dobrze. Teraz nie żyje, bo ci ze Słowa Ewangelii kazali jej odstawić Efexor i Flunipam. Gdyby jej nie wmówili, że poczuje się lepiej, jeśli przestanie brać leki na uspokojenie, to żyłaby do dziś, ale stało się. Kiedy ostatni raz z nią rozmawiałem, była bardzo chora i cała się trzęsła. Powiedziałem im, że trzeba wezwać lekarza, a oni na to, że to sprawa między nią a jej Bogiem i mam się do tego nie mieszać. Następnego dnia, kiedy przyszedłem ją odwiedzić, okazało się, że podcięła sobie żyły.

Jim Vamdrup
Lerpøtparken 8D parter m 26800 Varde

Dom Rebeki dementuje
W poprzednim numerze pisma jeden z krewnych pewnej kobiety oskarżył nas o przyczynienie się do jej samobójczej śmierci. Zarzut ten musimy odrzucić z najwyższym oburzeniem. Osoba, o której mowa, przebywała przez jakiś czas w Domu Rebeki. Otoczono ją troskliwą opieką i poddano odpowiedniej kuracji. Niestety, postanowiła odebrać sobie życie, co w żadnym wypadku nie stało się za sprawą kuracji, lecz pod wpływem czynników zewnętrznych. Stosujemy uznane metody terapeutyczne, a nasze wyniki budzą zainteresowanie poza granicami kraju. Ubolewamy nad śmiercią tej kobiety, ale musimy z całą mocą podkreślić, że w żaden sposób nie przyczyniliśmy się do tej tragedii.

Charlotta Nikolajsen
Prezes zarządu,
samofinansująca się instytucja Dom Rebeki

– Nikolajsen – Charlotta Nikolajsen. Czy to rodzina Jørgena Nikolajsena?

Czytałem, zaglądając Ejnerowi przez ramię. Uruchomił drukarkę i pochylił się nad nią, żeby odebrać dokument.

– To jego żona, niezła laska. W każdym razie nie wygląda na jedną ze świętych, jeżeli wiesz, o czym mówię. – Uśmiechnął się łobuzersko i zarysował dłońmi w powietrzu odpowiednie kształty. – Ma czym oddychać i na czym siedzieć.

Sekretarka przyniosła kolejną kawę i spojrzała na niego znacząco. Na jej pytanie, czy potrzebujemy czegoś jeszcze, odpowiedział zdecydowanym „nie!". Odprowadził ją wzrokiem do drzwi, potrząsnął głową i poczekał, aż zamknie drzwi, zanim podjął rozmowę.

– Co jeszcze chciałbyś wiedzieć?

– Coś o synu, tym, który napisał list do redakcji.

Wyraz jego twarzy się zmienił.

– Nieciekawy typ. Narkoman. Miłośnik mocnego piwa z sieci Netto.

Piil koniecznie chciał zafundować mi piwo w Big Benie. Kiedy szliśmy z redakcji na rynek, próbowałem skontaktować się z Marią, ale nie odbierała. Nagrałem się na jej komórkę, informując, że wracam za godzinę, najwyżej dwie. Chciałem się również dowiedzieć, czy mam coś po drodze kupić. Wysłałem też SMS-a do Jana Bramminga, informując go, że nadal jestem w Varde, ale żeby na mnie nie czekał, bo sam wrócę do Vejers.

Pożegnałem przyjaciela z lat młodości mojego szefa parę minut po czwartej. Umówiliśmy się, że zrobi dla mnie krótki spis rzeczy, obejmujący sprawy Jørgena Jezusa i Słowa Ewangelii. Moim zadaniem było nawiązanie bliższego kontaktu z osobami z jego otoczenia.

Z tego, czego dowiedziałem się od Piila, wynikało, że Nikolajsen był raczej barwną postacią. Jan mówił prawdę – pastor zaczynał jako gospodarz gry w bingo w lokalnej telewizji, a jednocześnie prowadził firmę, wynajmującą orkiestry taneczne i solistów z duńskiej listy przebojów. Nazywała się West Coast

Booking. Udzielał się także na scenie jako konferansjer z okazji różnych imprez sportowych lub spotkań firmowych, tam gdzie była taka potrzeba. Urodził się w głęboko wierzącej rodzinie, oboje rodzice byli aktywnymi członkami Kościoła zielonoświątkowego, on jednak jako dwudziestolatek postanowił zrezygnować z tego wyznania. Co dziwne, wkrótce potem to samo zrobili jego rodzice, co nie oznaczało jednak, że rodzina zerwała więź z Bogiem. Wprost przeciwnie. Za pomocą popularnej muzyki, daru słowa i niewątpliwego talentu do przekonywania użytkowników wózków inwalidzkich, że wiara w Jezusa i jego miłość przywróci im władzę w nogach, Jørgen w krótkim czasie urósł do rangi lokalnej atrakcji. Ludzie walili tłumnie na jego występy, a kiedy uznał, że pora na powołanie do życia własnej sekty, ta wkrótce stała się największym, niezależnym Kościołem w regionie.

– To doskonały showman. Parę razy widziałem jego występy, ale za cholerę nie wierzę w jego boskie koneksje.

Piil zorganizował dla mnie taksówkę. Przytrzymał drzwi i powiedział kierowcy, żeby zawiózł mnie do Vejers Strand. Następnie trzasnął drzwiami, zasalutował na pożegnanie i postukał w szybę kierowcy na znak odjazdu.

– Na plantację czy w okolice hotelu Strand? – spytał kierowca.

– Vejers może poczekać, mógłbyś mnie najpierw zawieźć pod ten adres? – powiedziałem, podtykając kierowcy blok z notatką Piila.

– Do pastora Bingo? To niedaleko. Piil mówił, że chcesz jechać do Vejers.

– Daj mi numer na komórkę, to do ciebie zadzwonię, kiedy tam skończę.

Nadal miał rozczarowaną minę, ale podał mi swoją wizytówkę.

– Nie mogę zagwarantować, że akurat będę wolny. Jeśli będę miał pasażera, może to chwilę potrwać.

*

Budynek wyglądał jak lokalna wersja Southfork Ranch z telewizyjnego serialu *Dallas*. Trawniki po obu stronach alei topolowej, wiodącej do rancza, były ogrodzone białymi płotami. Galopujące właśnie z opuszczonymi głowami i podniesionymi ogonami dwa konie miały tam więcej przestrzeni, niż potrzebowały. Na oko każdy z nich kosztował więcej niż kabriolet klasy E i landrover, które zaparkowano na nieskazitelnie białym żwirze tuż koło wejścia. Po obu stronach schodów witały gości dwa lwy wyrzeźbione w piaskowcu, spoczywające na marmurowych postumentach. Trzykrotnie zastukałem mosiężną kołatką, wiszącą nad głównym wejściem. Żadnego odzewu. Spróbowałem ponownie, z tym samym wynikiem. Zacząłem żałować, że odesłałem taksówkę, nie upewniwszy się najpierw, czy zastałem kogoś w domu. Poirytowany wyciągnąłem komórkę z wewnętrznej kieszeni i zacząłem przeszukiwać pozostałe, próbując znaleźć wizytówkę, którą wręczył mi kierowca. Zacząłem już wstukiwać numer, kiedy posłyszałem w oddali dźwięki fortepianu. Melodia była mi skądś znana, ale nie mogłem sobie przypomnieć skąd. Ruszyłem w kierunku dźwięków i zatrzymałem się zaskoczony przy oknach półokrągłego salonu wielkości średniego jednorodzinnego domu. Muzyka dochodziła z otwartego okna, a nieopodal, za drzewami cytrusowymi w donicach, dostrzegłem kobietę wynurzającą się z basenu w kształcie nerki. Była kompletnie naga i zbudowana jak bogini. Zgodnie z opisem Piila ewidentnie miała czym oddychać i na czym usiąść. Pochyliła głowę na bok, żeby wycisnąć wodę z długich włosów. Mężczyzna, na oko pod czterdziestkę, podał jej duży kąpielowy ręcznik. Miał na sobie koszulę polo i dżinsy, ale był na bosaka. Kobieta uśmiechnęła się i stojąc przed nim, wytarła ciało ręcznikiem. On powiedział chyba coś dowcipnego, bo kobieta roześmiała się, rzuciła w niego ręcznikiem, podeszła do mebli ogrodowych – paru foteli i stołu – wzięła sobie papierosa i zapaliwszy, usiadła w jednym z foteli. Mężczyzna upadł przed nią

30

na kolana, objął ją za nogi, powoli podniósł ręce do wysokości jej kolan, rozchylił je i pochylił się do przodu, tak że jego głowa znalazła się między jej nogami. Ona strząsnęła popiół z papierosa, zostawiając go w popielniczce, i odchyliła głowę do tyłu.

Zadzwonił telefon, kobieta spojrzała niezadowolona w jego stronę, ale podniosła go ze stołu. Spojrzawszy na wyświetlacz, odepchnęła partnera, wstała i zaczęła się przechadzać wzdłuż basenu, tuż przy jego krawędzi, drobiąc kroczki, jakby szła, balansując po linie. Facet w koszulce polo patrzył na nią zdziwiony, on także wstał i czekał z rozłożonymi rękami, żeby wziąć ją w objęcia. Ona jednak zmierzyła go obojętnym wzrokiem i podniosła szlafrok kąpielowy, leżący na jednym z foteli. Facet wyciągnął ręce, ale ona zignorowała go ponownie, zawiązała pasek od szlafroka i podeszła do drzwi prowadzących do wnętrza domu. Mężczyzna bez słowa udał się jej śladem. Odczekałem, aż obydwoje weszli w głąb domu, i ostrożnie wróciłem do głównego wejścia.

Postarałem się, by moje ostatnie kroki na żwirze przed schodami wywołały odpowiednio dużo hałasu. Tym razem drzwi otworzyły się po jednym uderzeniu kołatką.

Nadal miała na sobie szlafrok, ale zdążyła zebrać włosy w koński ogon. Spojrzała na mnie pytająco.

– Przepraszam, szukam Charlotty Nikolajsen.

– To ja jestem Charlotta Nikolajsen, o co chodzi, jesteś z policji?

Mówiła z wyraźnym szwedzkim akcentem, swoje imię wymawiała jako Karlotta.

– Nazywam się John Hilling, jestem dziennikarzem. Dlaczego myślisz, że mógłbym być policjantem?

Zawiązała szlafrok ciaśniej i obdarzyła mnie spojrzeniem pełnym smutku.

– Wczoraj umarł mój mąż, myślałam, że o to chodzi.

– Przykro mi to słyszeć, nieszczęśliwy wypadek?

– Dla kogo pracujesz, gdzie jesteś dziennikarzem?

– W „Ekstra Bladet".

– „Ekstra Bladet"! Do czego to podobne? Dlaczego mnie nachodzisz? Wczoraj wieczorem umarł mój mąż, czemu się do tego mieszacie? Czy nie możecie zostawić mnie w spokoju? – zaniosła się płaczem.

– To nie z powodu śmierci twojego męża, chodzi o inną sprawę.

W normalnych okolicznościach wycofałbym się, gdybym trafił na osobę, która właśnie utraciła kogoś bliskiego. Nigdy nie należałem do tego typu hien prasowych, które warują przy drzwiach żałobników. Skoro jednak przed chwilą byłem świadkiem intymnej sceny między nieutuloną w żalu wdową a jej kochankiem, uznałem, że nie zaszkodzi trochę przycisnąć.

– Chodzi o Dom Rebeki.

Spojrzała na mnie, otarła łzę wierzchem dłoni i zapytała bardziej profesjonalnym tonem:

– A co takiego interesującego jest w Domu Rebeki?

– Mój szef słyszał o przypadku kobiety, która popełniła samobójstwo. Chce, żebym coś napisał na ten temat, ale znamy tylko wersję jej syna. Moim zdaniem nie byłoby w porządku, gdybym nie wysłuchał opinii również drugiej strony.

– Nie mam nic do dodania w tej sprawie.

Zrobiła ruch ręką, żeby zamknąć drzwi, ale byłem szybszy.

– Mam więc napisać „bez komentarza"? To by was postawiło w dość niekorzystnym świetle. Zastanów się, co pomyślą czytelnicy.

Przyjrzała mi się bez słowa, po czym otworzyła drzwi na oścież.

– Daję ci dziesięć minut, mam mnóstwo spraw do załatwienia w związku ze śmiercią męża, chyba to rozumiesz?

Zaprowadziła mnie do pokoju, który nazwała swoim gabinetem. Wystrój bardzo mi się podobał. Przed białym kominkiem stały naprzeciwko siebie dwie wygodne sofy, przedzielone niskim stolikiem z ciemnego drewna. Za jedną z sof ustawiono biurko z tego samego drewna co stolik. Na biurku znajdowały się przenośny komputer, ładna antyczna lampa i dwie oprawione fotografie. Na jednej z nich widniał szeroko uśmiechnięty Jørgen Jezus, na drugiej Charlotta Nikolajsen w objęciach Caroli Häggkvist.

– Czy to nie ta słynna śpiewaczka, Carola? – zapytałem, biorąc do ręki fotografię.

– Owszem, to właśnie Carola.

– To twoja znajoma?

– W Szwecji obie należałyśmy do tej samej gminy wyznaniowej Słowo Życia. Śpiewałam też w chórze, który jej towarzyszył. W ten sposób poznałam swojego męża, który organizował nasze występy w Danii.

– Ciągle jeszcze śpiewasz?

– Nie o tym mieliśmy mówić. Co chcesz wiedzieć na temat Domu Rebeki?

Podeszła do niskiego stolika zaaranżowanego jako barek, z dużym wyborem butelek i karafek.

– Niestety jestem sama w domu i jedyne, co mogę zaproponować, to coś do picia. Whisky? – zapytała, unosząc jedną z karafek.

– Dziękuję, whisky wystarczy. Chyba nie powinnaś być sama w sytuacji, kiedy właśnie straciłaś męża. Czy nie ma nikogo, kto mógłby się tobą zająć?

Podała mi moją whisky, upiła łyk ze swojej szklaneczki i dolała trochę, nim odstawiła karafkę na miejsce.

– Nie, nie mam nikogo, nie życzę sobie niczyjej opieki, przez jakiś czas chcę pozostać sama ze swoją żałobą.

Stanowczo zaprzeczyła, aby Dom Rebeki ponosił jakąkolwiek odpowiedzialność za nieszczęśliwy koniec Ingi Vamdrup. Nie widziała żadnego związku między jej śmiercią a odstawieniem leków antydepresyjnych, przepisanych przez lekarza. Zdaniem kobiety w puszystym, białym szlafroku po prostu wiara Ingi

Vamdrup nie była dostatecznie silna. Gdyby było inaczej, nie dopuściłaby do siebie demonów, które stanęły na jej drodze do Jezusa. To było dzieło szatana, a chora kobieta byłaby w stanie odpędzić demony, gdyby miała odwagę stawić im czoło.

– Czy to nie za duże wymagania, jak na możliwości osoby chorej psychicznie?
    – Ten, kto prosi Boga o pomoc, nigdy się nie zawiedzie.
Wstała z miejsca i przyniosła egzemplarz pisma „Wyzwanie".
    – Weź to ze sobą i przeczytaj, może zrozumiesz więcej.
Podała mi gazetkę, na pierwszy rzut oka zawierającą zwierzenia różnych osób, które uzyskały moc od Boga do zwalczenia różnych chorób i nieszczęść. Pewna kobieta całkowicie uporała się ze swoją sklerozą, inna wyleczyła dyskopatię, a uczestniczka telewizyjnego konkursu talentów szybko wspięła się na szczyty duńskiej listy przebojów. Mimo że była obdarzona głosem o trzyoktawowej skali, nie zdołała jakoś zwrócić na siebie uwagi, dopóki nie uzyskała odpowiedniego wsparcia, ale w końcu się udało: „Bóg mnie wysłuchał, odzyskałam wiarę i zdarzył się cud". Do artykułu dołączona była fotografia, na której córeczka śpiewaczki wpatruje się w mamusię z podziwem.

Gospodyni wstała z sofy, by dać mi do zrozumienia, że oferowane mi dziesięć minut właśnie mija. Chcąc nie chcąc, wstałem również. Znaleźliśmy się tak blisko, że poczułem zapach jej wilgotnych jeszcze włosów. Ona najwidoczniej nie czuła się wcale zażenowana tą bliskością i obdarzyła mnie martwym spojrzeniem, nie ustępując ani o centymetr. Nad jej ramieniem miałem widok na podjazd, gdzie znajomy z basenu właśnie uruchamiał landrovera.
    – Ktoś właśnie odjeżdża jednym z państwa samochodów – zauważyłem – czy to ktoś znajomy?
Gospodyni wyjrzała przez okno.
    – Nie, to nie nasz samochód. To przyjaciel mojego męża, który przyjechał tu rano, żeby zawieźć mnie na rozpoznanie

do kostnicy. Pojechaliśmy jednak moim samochodem. Teraz widocznie wrócił, żeby zabrać swój. Pora się pożegnać.

– Muszę się ubrać – dodała, rozwiązując pasek od szlafroka.

– To dziwne, że nawet nie przyszedł się przywitać, skoro to bliski przyjaciel.

– Był bliskim przyjacielem męża i w odróżnieniu od niektórych osób rozumie, że potrzebuję trochę spokoju.

Zmierzyła mnie surowym wzrokiem, ponownie zawiązała szlafrok i podeszła, żeby otworzyć przede mną drzwi do holu. Poszedłem jej śladem.

– Jak umarł twój mąż?

Przywołała na twarz głęboki smutek, przełknęła nerwowo, jakby coś jej utkwiło w gardle i słabym głosem poinformowała:

– Powiesił się. Nic na to nie wskazywało, kiedy wychodził z domu, a tu nagle przychodzi policja i mówi, że mój mąż nie żyje.

Samotna łza spłynęła po jej policzku. – Był taki radosny, kiedy wyjeżdżał!

– A dokąd się wybierał?

– Na kolację do Kirkeby Kro.

– Słyszałem, że to bardzo dobry lokal.

– Znakomity!

– Był z kimś umówiony?

– To miało być prywatne spotkanie z panią minister rozwoju regionalnego i jej mężem. Właściwie miałam mu towarzyszyć, ale tego dnia poczułam się słabo i postanowiłam, że zostanę w domu.

Zaczęła płakać. – Gdybym tylko z nim wtedy pojechała!

*

Do letniego domku wróciłem około godziny ósmej. Jan i Helena siedzieli w ogrodzie. Helena była cała owinięta kołdrą, z której wystawała jej jedynie głowa.

– Maria poszła już do łóżka – powiedziała z wyrzutem.

– Coś nie tak? Czyżby się poczuła gorzej?

35

– Sam możesz ją o to zapytać, jeśli jeszcze nie śpi. Jadłeś coś? Na obiad mieliśmy flądry, mogę ci podgrzać w kuchence mikrofalowej.

Jan się nie odezwał, pozdrowił mnie tylko, unosząc puszkę z piwem i wykrzywiając twarz w grymasie, który miał oznaczać, że atmosfera nie jest najlepsza.

– Dziękuję, nie trzeba, nie jestem specjalnie głodny.

Wszedłem do domu i ostrożnie uchyliłem drzwi do gościnnej sypialni. Maria tkwiła skulona na brzegu łóżka. Podobnie jak Helena, cała owinięta była kołdrą.

– Nareszcie! A może zapomniałeś, że masz rodzinę? – spytała, nie patrząc w moją stronę.

Usiadłem na łóżku i chciałem ją objąć, ale odsunęła się w sam róg.

– Nie dotykaj mnie. Mam tego dosyć! Nie można w ogóle na tobie polegać!

– Próbowałem się do ciebie dodzwonić, ale bez skutku. Nie odebrałaś mojej wiadomości?

– Miałeś przyjechać w ciągu godziny, dwóch, a minęły przeszło cztery!

– Bardzo przepraszam. Jest mi naprawdę przykro. Nie zdawałem sobie sprawy z upływu czasu.

Wyplątała jedno ramię spod kołdry, chwyciła poduszkę i rzuciła nią we mnie.

– Proszę, przyda ci się, bo będziesz spał w pokoju na kanapie.

Helena także udała się na spoczynek. Zostaliśmy więc z Janem na tarasie i wzięliśmy sobie po piwie. Jan powiedział, że lekarz sądowy przeprowadził oględziny ciała. Przyczyna śmierci została ustalona: jak można się było spodziewać, Jørgen Nikolajsen zmarł w wyniku uduszenia sznurem, na którym został powieszony. Charlotta Nikolajsen nie wyraziła sprzeciwu wobec przeprowadzenia sekcji, aczkolwiek policja nie miała żadnego uzasadnionego powodu podejrzewać, że doszło do popełnienia przestępstwa. Technicy nie znaleźli na miejscu zdarzenia nic, co by mogło je sugerować.

– Po prostu zdecydował się na bilet w jedną stronę – powiedział Jan po łyku piwa. – Dlaczego? Oto jest zagadka!

– Wiesz, że jego żona ma kochanka?

Opowiedziałem mu, co widziałem w ogrodzie, kiedy wybrałem się złożyć wdowie wizytę.

– Stałeś i podglądałeś, kiedy on się do niej dobierał? – podsumował Jan z obleśnym uśmiechem.

Wyjaśniłem mu, że stałem się świadkiem tej sceny przez czysty przypadek.

– Podjazd był wyłożony sypkim żwirem, po prostu bałem się ruszyć.

– Dobra, dobra – sypki żwir! Nie tłumacz się, ja też bym się nie ruszył. Ładna była? – Nie przestając się śmiać, ruszył w kierunku drzwi na taras. – Przyniosę jeszcze piwa, zanim dokończysz.

*

Obudziło mnie szarpanie za ramię. To była Maria.

– Chodź do łóżka! – powiedziała, uśmiechając się nieśmiało. – Przepraszam, jeśli zareagowałam zbyt gwałtownie.

Jakoś udało nam się ułożyć. Maria na plecach, ja na boku z jedną nogą przerzuconą nad jej nogami. Ujęła moją rękę i położyła ją sobie na brzuchu.

– Czujesz? Junior znowu rozrabia!

Przez jakiś czas śledziliśmy ruchy naszego nienarodzonego potomka, a potem rozmawialiśmy o tym, co jeszcze trzeba przygotować przed porodem. Uzgodniliśmy, że wpadniemy do sklepu dziecięcego w drodze powrotnej ze szpitala, bo nie kupiliśmy jeszcze kojca. Pokój dla dziecka został już przez Marię urządzony w pomieszczeniu, które przedtem uważałem za swój pokój do pracy. Maria odnajęła swoje mieszkanie koledze z policji i właśnie zaczęła wprowadzać własne porządki do mojego.

Wszystko stało się bardzo szybko. Znaliśmy się zaledwie dwa miesiące, gdy okazało się, że Maria jest w ciąży. Nie było żadnego planowania. Ucieszyłem się naturalnie, ale nie ukrywam, że przygotowując się do bycia ojcem dziecka, które rosło w brzuchu Marii, żywiłem też pewne obawy.

Powodem moich zmartwień nie była czekająca mnie rola ojca, lecz fakt, że byłem mężem innej kobiety. Moja żona Carla zniknęła bez śladu trzy lata wcześniej, i chociaż została uznana za zmarłą, ciągle jeszcze nie umiałem tego zaakceptować. Ciała nigdy nie znaleziono i nie było dnia, bym nie oczekiwał od niej znaku życia. Carla była Włoszką i przeżyliśmy razem dziewięć szczęśliwych lat. Poznaliśmy się podczas trzęsienia ziemi w Asyżu w 1997 roku, zakochaliśmy się w sobie, a w parę tygodni potem pożegnałem spokojną egzystencję w Danii i zamieszkałem z Carlą. Ona była fotografem, na stałe mieszkała przy Via Tomasso Salvini, w rzymskiej dzielnicy Parioli. Razem zwiedziliśmy pół świata, ona – fotografując, ja – pisząc reportaże. W 2006 roku planowaliśmy reportaż o irackich uciekinierach w Syrii, ale w związku z rysunkami Mahometa w duńskiej prasie i falą nienawiści do Duńczyków, jaka ogarnęła Bliski Wschód, zdecydowała, że pojedzie sama. Zgodziłem się na to i do dziś nie mogę sobie wybaczyć tej decyzji. Pojechała i od tamtego czasu jej nie widziałem. Nie odnotowano jej obecności na pokładzie samolotu, którym miała wrócić. Nie było żadnych e-maili ani telefonów. Żadnego znaku życia. Tylko pełne niepewności oczekiwanie. Policja w Damaszku uznała ją za zmarłą i zamknęła dochodzenie. Ja jednak tego nie zaakceptowałem. Dopóki nie zobaczę ciała i nie sprawię jej pochówku, będę nadal żywił nadzieję.

Chociaż Maria od początku zaakceptowała sytuację, czułem, że jej niepokój narasta w miarę zbliżania się terminu powiększenia rodziny. Doskonale ją rozumiałem. Oczekiwała dziecka poczętego z żonatym mężczyzną i nie mogła przewidzieć, co ten mężczyzna zrobi, jeśli zaginiona żona nagle się pojawi. Sytuacja bez wyjścia.

– O czym teraz myślisz? – spróbowała odwrócić się bokiem, żeby spojrzeć mi w oczy.

– O wszystkim i o niczym, takie tam rozproszone myśli – odpowiedziałem, nie mogąc się zdobyć na powiedzenie jej, że właśnie myślałem o Carli.

– Chodzi o tego pastora?

– Także.

Usiadła na łóżku.

– Wiesz co? Helena jedzie jutro do Haderslev, mogę się z nią zabrać i przy okazji odwiedzić brata. Zostawię ci samochód i będziesz miał parę dni do dyspozycji tu na miejscu. Czuję, że nie będziesz miał spokoju, dopóki się nie dowiesz, dlaczego ten pastor się powiesił. Jan zostaje.

Oparła głowę na moim ramieniu, pocałowała mnie w szyję i szepnęła:

– Obejmij mnie, John! Chcę cię poczuć bardzo blisko.

3

W OKNIE WISIAŁA, w charakterze firanki, amerykańska flaga, przez którą przeświecało słońce na tyle mocno, że z trudem rozpoznawałem rysy jego twarzy. Siedział przy oknie, na stole przed nim stał talerz owsianki na mleku. Suka położyła mu głowę na kolanie i czekała niecierpliwie na swoją kolej. Odłożył łyżkę, otarł usta, a resztę owsianki przelał do miseczki stojącej na podłodze. Suka zaczęła radośnie walić ogonem o podłogę. Pan rozkazał jej jednak siedzieć. Suka posłusznie usiadła i spoglądała tęsknie na miseczkę z żarciem, oddaloną od jej nosa zaledwie o metr. Ogon znowu poszedł w ruch dopiero po poleceniu: „No to wsuwaj!".

– Widziałem cię wczoraj w lumpeksie. Wyglądałeś, jakbyś nie był w najlepszym humorze.

Przysunąłem sobie krzesło i usiadłem naprzeciw niego. Zajął się czyszczeniem zębów, używając do tego celu nadłamanej zapałki. Nie patrząc na mnie, powiedział:

– Myrna to głupia pizda, zresztą pozostali także nie są lepsi. Cała ta banda świętoszków! Pełni miłości do Boga, ale ludzi robią w konia.

Wyciągnąłem jego list do redakcji i podsunąłem mu tak, żeby widział. Wpuścił mnie do mieszkania, o nic nie pytając. Zapytałem tylko, czy nazywa się Jim, a on kiwnął potakująco głową i szerzej otworzył drzwi. Powiedział, że najpierw musi coś zjeść. Wyjaśniłem mu, że jestem dziennikarzem i pracuję dla „Ekstra Bladet". To go ruszyło.

– No to pomyliłeś, koleś, adres! Mam tylko tyle, ile sam potrzebuję. Nie handluję! Możesz już spływać, nie masz tu nic do roboty.

– Nie przyszedłem tu kupować ani dociekać, czym się zajmujesz. Chodzi o historię z twoją matką.

Usiadł, uspokoiwszy się nieco.

– No dobra, i co?

– Napisałeś, że zabrali twojej matce leki. A dlaczego ona się na to zgodziła?

– Robiła wszystko, co jej kazali. To było pranie mózgu. Wiem wszystko o ich metodach.

– Jak to?

– Jestem ich odszczepieńcem.

Był rówieśnikiem Jørgena Jezusa. W dzieciństwie bawili się razem. Ich rodziny mieszkały w sąsiedztwie, a kiedy umarł ojciec Jima, rodzice Jørgena pomagali jego matce. Zaprosili ją do gminy zielonoświątkowców i z czasem zarówno ona, jak i Jim stali się aktywnymi jej członkami. Kiedy Jim miał trzynaście lat, matka po raz pierwszy trafiła do szpitala. Rodzina Nikolajsenów wzięła go pod opiekę, kiedy matce się pogorszyło. Poddano ją kuracji elektrowstrząsami, ale polepszyło jej się na krótko. Powoli znowu pogrążała się w chorobie, a kiedy zaczęła pić, musiała coraz częściej chodzić na zwolnienia. Mimo to firma zdecydowała się dać jej drugą szansę. Zaczęła brać antabus, zerwała z Kościołem zielonoświątkowym i rodzicami Jørgena. Przez kolejne lata zdołała zapewnić Jimowi coś w rodzaju normalnego wychowania oraz zachowała pracę.

– Dopóki brała leki, było OK, ale kiedy dała się namówić na to, by je odstawić, wszystko diabli wzięli.

Walnął pięścią w stół i wyjaśnił, że Myrna Nikolajsen po latach znowu odwiedziła jego matkę, a ta, pod silną presją z jej strony, dała się namówić na terapię w Domu Rebeki.

Wstał z krzesła i zaczął nerwowo krążyć po maleńkim mieszkaniu. Suka dotrzymywała mu kroku. W milczeniu podążała jego śladem dookoła pokoju. Kiedy usiadł, suka ponownie położyła się u jego stóp.

– Zabili ją, i gdyby nie to, że Sehested załatwił Jørgena, to ja bym to zrobił! – wykonał rękami wymowny gest, ilustrujący skręcenie karku pastorowi, gdyby mu się trafiła na to szansa.

Spojrzałem na niego zdumiony.

– Kto załatwił Jørgena?

– Gregers Sehested, sam to słyszałem i widziałem na własne oczy.

Przesunąłem się na krześle.

– Czy możesz to wyjaśnić bliżej?

Tego wieczoru, gdy znaleziono Nikolajsena powieszonego, Jim zauważył jego samochód stojący przed Domem Jugend. Postanowił, że wejdzie do środka, żeby się wreszcie rozmówić z pastorem. Teraz albo nigdy, postanowił. Jørgen Jezus miał odpokutować za samobójstwo jego matki i pójść jej śladem. Ktoś jednak Jima uprzedził.

– Bydlak leżał, trzymając się poręczy w połowie wysokości schodów. Kwiczał jak zarzynane prosię, podczas gdy Sehested ciągnął go za nogi. W końcu nie dał rady się utrzymać, Sehested ćwiczy przecież na siłowni. Zleciał ze schodów i walnął głową o posadzkę. Sehested poszedł po wieszak stojący w rogu pomieszczenia i podniósł go nad głową, wrzeszcząc: „Zabiję cię, draniu!".

– I widziałeś to?

– Pewnie, że tak. Drzwi są oszklone, a oni krzyczeli tak głośno, że nie sposób było nie słyszeć.

– Pytam, czy widziałeś, jak go zabił?

– Nie, tego nie widziałem, dałem nogę.

Sally zaczęła się niepokoić. Spojrzał na sukę, która właśnie położyła mu łapę na nodze.

– Byłeś z tym na policji?

– Jasne, że nie, i na pewno nie pójdę.

– Dlaczego?

– Pastor sobie zasłużył, a Sehested to fajny gość.

– Nie możesz do cholery decydować w tej sprawie sam. Musisz iść na policję!

Podniósł się i podszedł do mnie zupełnie blisko.

– Nie gadam z glinami. Możesz sobie robić, co ci się podoba, ale ode mnie się tego nie dowiedzą. Daj sobie, facet, siana!

*

Zeszliśmy razem do mojego samochodu. Z Jima całe podniecenie uszło równie gwałtownie, jak się pojawiło. Dlatego zaproponowałem, że podrzucę go razem z psem do miasta, ale nie chciał. Sally potrzebowała ruchu. W parku zachowywał się tak, jakby to była jego własność. Dwójka młodych emigrantów została pouczona, że zamiast się włóczyć po parku, powinni zmiatać z powrotem do Afryki, a kobieta w nikabie na twarzy dowiedziała się, że jak ma tu udawać namiot cyrkowy, to niech lepiej wraca, skąd przybyła. Młoda matka, która pospiesznie wzięła dziecko na ręce, kiedy Sally chciała je obwąchać, została zwymyślana od kurew i nazi. Prawdę mówiąc, z ulgą przyjąłem wiadomość, że Jim nie skorzysta z mojej propozycji. Bez namysłu wyjąłem sto koron z portfela, kiedy zapukał w szybę, by zwrócić mi uwagę, że informacje, które przekazał, są cenne. Pospiesznie odjechałem od krawężnika i opuściłem kwartał budynków socjalnych.

*

Piil odchylił się w fotelu i złożył wargi w głośnym gwizdnięciu.

– Coś takiego! To przerosło wszelkie oczekiwania! – Słodka pani Nikolajsen ma kochanka, a Gregers Sehested podobno pozbawił życia jej męża. Przyznaj, że sam to wymyśliłeś! – potrząsnął głową i sięgnął po kubek z kawą. – Powtarzam ci tylko to, co widziałem i słyszałem. Wiesz coś o tym Sehestedzie?

43

– A od czego mam zacząć?

– Zacznij może od tego, co twoim zdaniem jest najistotniejsze.

Podrapał się w brodę i jeszcze potrząsnął głową z wrażenia.

– Był przez kilka lat przewodniczącym klubu młodych przy partii Venstre, a potem wybrano go do rady miejskiej – wcisnął jakieś klawisze na klawiaturze, jednocześnie ciągnąc dalej. – W pewnym momencie zerwał z partią Venstre i zapisał się do DF – Duńskiej Partii Ludowej, ale pozostał w radzie miejskiej. Dawni koledzy partyjni przyjęli ten fakt z mieszanymi uczuciami.

– Nadal jest w DF?

– Nie, flirtował trochę z takimi, co byli nieco bardziej radykalni.

– To znaczy z kim?

– Wiesz, co to jest Wolna Dania?

– Banda neonazistów.

– Mniej więcej. Wziął udział w marszu, który zorganizowali w Esbjerg i wylądował na pierwszej stronie twojej własnej gazety.

– I co?

– Pia i jej adiutanci nie byli tym zachwyceni; w końcu bardzo im zależało, by nic im nie zdołano zarzucić, zatem wywalili go z hukiem, a wraz z nim paru lokalnych działaczy, którzy uważali, że udział w tym marszu to nic takiego. Prawdę mówiąc, urządzono niezłą jatkę – wyleciało dziewięciu czołowych działaczy.

– Pamiętam tę sprawę. Mieszkałem wtedy we Włoszech, ale czytałem duńską prasę. Jak się potem potoczyła jego kariera polityczna?

Piil wyprostował się w fotelu i zaprezentował najszerszy ze swoich uśmiechów. Założył ręce za głowę, przeciągnął się, po czym udzielił odpowiedzi:

– Wrócił do korzeni i zgłosił się ponownie do partii Venstre.

– A oni bez oporu przyjęli zbiega, który sympatyzował z nazistami?

– Najwyraźniej tak. Odzyskali miejsce w radzie miejskiej, ale nie wystawili go w ostatnich wyborach do gminy. Oświadczono, że jego aktywność jako przedsiębiorcy wyklucza dalszą działalność polityczną.

– A jaka to była działalność?

Piil dał mi znak, żebym przeszedł na jego stronę biurka i spojrzał na stronę internetową, którą właśnie otworzył. Zielone tło z rysunkiem świnki w stylu disnejowskim w górnym rogu, tuż pod logo.

– UkraNord. Hodowla trzody chlewnej na dużą skalę. Spółka działająca na Ukrainie i powołana z jego inicjatywy. Rozwinął też działalność na terenie Polski. Znasz może tego pana? – zapytał, wskazując postać stojącą przed długim szeregiem niskich zabudowań.

Potrząsnąłem głową przecząco.

– To mąż naszej minister rozwoju regionalnego. Są z Sehestedem partnerami.

– Robi interesy z mężem minister rozwoju regionalnego?

– Yes, sir!

– Niesamowite! A jest zdjęcie pana Sehesteda?

Piil zjechał w dół strony.

– Oto Gregers Sehested we własnej osobie! – wskazał palcem uśmiechniętego osobnika w zielonej skórzanej kurtce. Przyjrzałem się ze zdumieniem.

– To jest Gregers Sehested? Jesteś pewien?

– Zdziwiony? Czyżbyś znał tego człowieka?

– Jak najbardziej, to ten, który sypia z żoną pastora.

4

JAN PRZYGLĄDAŁ SIĘ Z ZACIEKAWIENIEM, jak rozbijam cienkie płaty mięsa z cielęcego uda na jeszcze cieńsze filety.
– Co z tego będzie, bitki?
– Nie, to się nazywa saltimbocca.
Przykryłem mięso płatami szynki parmeńskiej i liśćmi szałwii, zwinąłem w rurki i przekłułem wykałaczkami.
– To się smaży kilka minut po obu stronach i podaje z sosem. Możesz zacząć nakrywać do stołu.
– Coś w rodzaju zrazów? Nie jadłem chyba zrazów od dzieciństwa, zrobisz do tego prawdziwy sos na śmietanie?
Wyglądał na mocno rozczarowanego, kiedy mu wytłumaczyłem, że ten sos robi się z tłuszczu pozostałego ze smażenia, podgotowanego z białym winem, a potrawę podaje się z makaronem, a nie z ubitymi ziemniakami jak u mamusi. Podałem mu kieliszek Amarone. Do tej potrawy serwuje się na ogół białe wino, ale czułem, że po ostatnich przeżyciach należy mi się parę kieliszków mojego ulubionego czerwonego wina, które moim zdaniem bardziej pasowało do naszego kawalerskiego wieczoru.

Właściwie nie znałem Jana bliżej i nie bardzo wiedziałem, co o nim sądzić. To znaczy, owszem, był sympatycznym facetem i miłym gospodarzem, ale co dalej? Fakt, że obaj znajdowaliśmy się obecnie w kuchni letniego domu, należącego do rodziców Jana, był głównie konsekwencją przyjaźni między Heleną a Marią.
Trąciliśmy się kieliszkami.

– Dobre – przyznał Jan. – Jak długo właściwie byłeś we Włoszech?

– Prawie dziewięć lat.

– No to chyba nauczyłeś się gotować po włosku.

– Owszem, są tacy, którzy tak uważają.

W pewnym sensie stało się to moim znakiem firmowym. Goście, których podejmowaliśmy, już przyjmując zaproszenie, spodziewali się, że czeka ich kuchnia włoska. Od początku naszej znajomości Maria nigdy nie omieszkała pochwalić moich kucharskich talentów, gdy przedstawiała mnie swoim przyjaciołom i znajomym: „John jest znakomitym kucharzem. Człowiek się czuje, jakby był codziennie we włoskiej restauracji". W ostatnich miesiącach jej zachwyt dla moich umiejętności kulinarnych jednak wyraźnie osłabł. Im bliżej było do rozwiązania, tym częściej wynikały jakieś spory przy obiedzie – na dwa dni przed wyjazdem do Vejers miała nawet miejsce poważniejsza sprzeczka. Odsunęła wtedy gwałtownie talerz i wykrzyknęła: „Czy nie możemy wreszcie zjeść jakiegoś normalnego posiłku? Mieszkasz teraz w Danii, John, i niedługo zostaniesz ojcem!".

Zjedliśmy w kuchni. Jan chwalił jedzenie, ale przede wszystkim był ciekaw, czego się dowiedziałem w Varde. Nie wspomniałem ani słowem o moim spotkaniu z Jimem Vamdrupem, poinformowałem go za to, że wiem, z kim była Charlotta Nikolajsen nad basenem. Nazwisko jednak nic mu nie powiedziało.

– Nie zawadziłoby złożyć temu człowiekowi wizytę i zadać mu paru pytań, to przecież klasyczny przypadek.

Zapisał sobie Gregersa Sehesteda w notesie i dodał jednym tchem, że dwóch słomianych wdowców planujących nocną eskapadę do Vejers można by również nazwać klasycznym przypadkiem. Zaproponował, żebyśmy wpadli na piwo lub dwa do miejscowego klubu. Nie miałem zastrzeżeń, ale zadzwoniłem najpierw do Marii, która akurat była w doskonałym humorze i życzyła mi dobrej zabawy:

– Jasne, zróbcie sobie z Janem wesoły wieczór, tylko trzymajcie się z daleka od miejscowych syrenek.

– Czy to znaczy, że nie masz nic przeciwko temu?

– Oczywiście, że nie, czy ja ci kiedykolwiek czegoś zabraniam?

– Ostatnio byłaś trochę dziwna. Miałem wrażenie, że masz mi coś za złe.

– Nie mam ci nic za złe, ale ostatnio bywam czasem zmęczona. Idźcie się trochę rozerwać, kiedy marudne żony są daleko!

*

Barmanka, zapamiętana z baru grillowego, tutaj demonstrowała zupełnie inną klasę niż wówczas, gdy serwowała mi prozaiczną kawę. Napełniała właśnie cały rząd kieliszków z butelki Jägermeister jednym płynnym ruchem. Nie uroniła przy tym ani kropli tego gęstego likieru.

– No proszę, kogo tu widzimy? Dla was też po kieliszeczku? – zachęciła, wskazując napełnione szklaneczki.

– Nie dziękuję, mnie wystarczy zwykłe beczkowe, jeśli masz.

Kiwnęła głową, i podrygując w takt muzyki, nalała piwa do kufla, podśpiewując na dokładkę refren: *If I see a man waving, does this mean that I'm not alone?* Wręczyła mi kufel z ironicznym uśmieszkiem i zapytała:

– Czy ty nie jesteś trochę za stary na taki lokal? A może przyszedłeś na striptiz?

– Wpadliśmy tylko na piwo, nie wiedziałem, że jest striptease.

– Jest, jak najbardziej, to główna atrakcja wieczoru – wykonała kilka dodatkowych kroków tanecznych – doskonale wpływa na frekwencję.

To samo można było z pewnością powiedzieć o jej stroju. Jak cała reszta żeńskiego personelu dyskoteki Tropic, ubrana była w bojówki moro z niską talią oraz czarną bluzkę, tak kusą, że zasłaniała mniej niż klasyczna góra kostiumu plażowego. Jakże różna kreacja od tego, co demonstrowała, gdy podawała w barze.

– Dorabiasz tutaj?

– Co mówisz? – zapytała, pochylając się nad barem.

– Pytałem, czy masz tu drugi etat? – musiałem krzyczeć, żeby przebić się przez głośną muzykę.

Barmanka kiwnęła potakująco i równie głośno wyjaśniła:

– Tutaj, jeśli chcesz coś zarobić, to najlepiej latem.

Podała mi ulotkę z tygodniowym programem dyskotekowych atrakcji. Artystka wieczoru występowała pod kryptonimem Miss Dina. Pozostałe punkty programu figurowały pod nazwami: konkurs miss mokrego podkoszulka, wieczór z kelnerkami topless oraz występ zespołu Cult & Jägermeister. Moja znajoma najwyraźniej nie była jedynym członkiem personelu na dwóch etatach. Z programu wynikało, że Miss Dina pracowała także jako kelnerka topless.

*

– Ta nie musiałaby biec daleko, gdyby chciała mnie dogonić! – oznajmił Jan z przekonaniem, przyglądając się barmance bez skrępowania. – Ale może ty już zagiąłeś na nią parol? – spytał, kładąc mi rękę na ramieniu.

Odsunąłem rękę.

– Siądziemy tam? – zapytałem, wskazując wolny stolik przy czymś w rodzaju sofy, obitym w imitację skóry lamparta.

– Nie, stąd będzie lepszy widok!

Wyciągnął szyję, żeby lepiej widzieć piersiastą platynową blondynkę w skórzanej kreacji. Właśnie ustawiła na parkiecie krzesło i zaczęła tańczyć wokół niego zmysłowo. Grupka młodych chłopców z żelem na włosach i promilami we krwi próbowała zbliżyć się do striptizerki. Miss Dina utrzymywała jednak bez trudu dystans dzięki skórzanemu pejczowi, na co oni reagowali nieco wymuszonym uśmiechem. Posłała im palcami całusa i oddaliła się, skupiając uwagę na młodej kobiecie w obcisłych legginsach i czarnym topie, o którą zaczęła się ocierać kocimi ruchami i zdołała ją w końcu zwabić na swoje krzesło. Tam dosiadła jej okrakiem i położyła jej ręce na swoich silikonowych piersiach. Chłopcy, zafascynowani tym lesbijskim spektaklem erotycznym, zaczęli pstrykać aparatami komórkowymi. Nasza barmanka wkroczyła na parkiet, niosąc na tacy butelkę tequili z odpowiednimi przyborami. Postawiła tacę na parkiecie przy krzesełku i wróciła na swoje miejsce. Striptizerka ścisnęła piersi, pochyliła głowę nisko i zdołała jedną polizać. Na wilgotną pierś nasypała nieco soli, wzięła w zęby plasterek cytryny i pochyliła się nad siedzącą. Ta z zadowoleniem zlizała sól, mlasnęła językiem z kolczykiem, posłała chłopcom szyderczy uśmiech, upiła łyk z butelki, zacisnęła wargi, pokręciła głową i wbiła zęby w podany ustami striptizerki plasterek cytryny.

*

– Czy ja mogę poprosić o to samo, czy podaje się to wyłącznie paniom? – zapytał Jan, zwracając się z obleśnym uśmieszkiem do barmanki.

Wykonałem przepraszający gest rękami, ale dziewczyna nie wydawała się urażona propozycją.

– Jasne, jak najbardziej, ale ja się tym nie zajmuję – wskazała ręką striptizerkę, która zbierała rozrzucone ciuszki, i dodała – ona za chwileczkę będzie obchodzić stoliki.

Mój towarzysz stracił rezon. Najwyraźniej nie miał na składzie dalszych świeżych odzywek. Speszony, poprosił o beczkowe i przystał na moją propozycję zajęcia miejsca na sofie.

Przeciętny wiek gości nie do końca harmonizował z obowiązującymi przepisami regulującymi zasady podawania alkoholu. Dziewczyny z trudem mogły uchodzić za pełnoletnie mimo ostrego makijażu, tipsów, wyzywających strojów oraz torebek od Gucciego i Louisa Vuittona. Chłopcy z zapałem kreowali się na gangsta raperów, ale świeże buźki z gładką, różową cerą zdradzały, że większość całkiem niedawno robiła kartę rowerową.

Salę obchodził facet w bluzie z logo zespołu Cult, wyposażony w aparat fotograficzny. Wszyscy chętnie pozowali, chłopcy pokazując znaki V na piersi, dziewczyny całując się nawzajem i podnosząc bluzki lub opuszczając biustonosze.

– Robi się gorąco, co? – zagadnęła barmanka, przysiadłszy koło mnie. Odsunęła z czoła kosmyk zlepionych włosów i wzięła łyk wody mineralnej z butelki, którą miała ze sobą.

– Nie da się ukryć – przyznałem. – Tak jest co wieczór?

– Przez cały sezon. Czy Jeanett się do ciebie odezwała? – zapytała, nachylając się w moją stronę, najwyraźniej dlatego, by Jan jej nie słyszał.

– Nie, nic mi o tym nie wiadomo, a miała dzwonić?

– Nie była pewna, czy to zrobi, może chce o wszystkim zapomnieć.

– A o czym miałaby zapominać?

Jan puścił do mnie oko i pokazał kciuk, barmanka zasłoniła usta ręką, w której trzymała butelkę i szepnęła mi do ucha:

– Nawet sobie nie wyobrażasz, do czego ją zmuszali!

– Kto ją zmuszał, Jørgen Nikolajsen?

– Ona sama musi ci o tym opowiedzieć, zadzwonię do niej jutro jeszcze raz i powiem, że jesteś OK.

Wstała, posłała mi dyskretny uśmiech i zrobiła krok wstecz, wpadając na Miss Dinę, która właśnie pochyliła się przed Janem, zwilżyła wargi i pokazała butelkę. Jan wyglądał na zainteresowanego, ale po chwili wahania zrezygnował z propozycji. Barmanka skwitowała to śmiechem.

– Jeszcze dwa beczkowe? – zapytała i Jan kiwnął głową na znak zgody, ale oczu nie odrywał od Miss Diny, która już pląsała przy sąsiednim stoliku.

Moja znajoma będąca na dwóch etatach zabrała nasze puste kufle i spojrzała mi w oczy.

– Będę w barze od jedenastej, gdybyś tamtędy przechodził.

Już w szatni, gdy czekaliśmy na nasze okrycia, Jan miał mi na ten temat mnóstwo do powiedzenia.

– Ona na ciebie leci, stary! Widocznie masz w sobie coś, co bierze te młode sztuki. Maria też jest od ciebie znacznie młodsza, prawda?

Kiedy wychodziliśmy, barmanka jeszcze raz podeszła, by wręczyć mi kartkę ze swoim numerem telefonu.

– Gdybyś nie mógł przyjść, zadzwoń! – powiedziała i uścisnęła mnie na pożegnanie.

Jan nie miał już cienia wątpliwości, że młoda barmanka chce mnie zaliczyć. Powiedziałem mu, że to nonsens, i próbowałem mu wyjaśnić, iż miała mi pomóc nawiązać kontakt z koleżanką, która mogła stanowić cenne źródło informacji w sprawie Słowa Ewangelii. Zupełnie tego nie kupował i nie przestawał mnie zapewniać, że niczego nie zdradzi. Nie pisnę słowa na ten temat ani Helenie, ani Marii! – obiecywał.

– Czego oczy nie widzą, tego sercu nie żal – wyjaśnił, poklepując mnie pobłażliwie po ramieniu.

Dwa kroki za drzwiami młoda dziewczyna wymiotowała. Jej koleżanka trzymała torebkę i przyglądała się temu z obrzydzeniem.

– Weź się w garść, Malou – mitygowała niedysponowaną – jeśli teraz pójdziemy do domu, będzie totalny obciach. Są wakacje, trzeba się bawić!

5

KIEDY WSTAŁEM NASTĘPNEGO DNIA, Jana już nie było. Zostawił kartkę na stole:

Dzięki za ten wieczór donżuanie, było miło. Wracam około piątej, zadzwoń, jeśli będziesz już w domu, wstąpię po drodze po pizzę. Miłego dnia i czuj się jak u siebie w domu.

Pomyślnych wiatrów
życzy
Policja

– Idiota! – skomentowałem, mnąc kartkę i upychając ją w kieszeni.

Wstawiłem kawę i znalazłem płatki owsiane w szafce kuchennej. Mleka nie było, chleba też nie. Zastanowiłem się, czy warto jechać do piekarni, ale uznałem, że czarna kawa i papierosy powinny mi wystarczyć na śniadanie.

Był piękny, słoneczny poranek, delektowałem się ciszą i brakiem irytującej gadaniny Jana. Uderzyło mnie, że po raz pierwszy od miesięcy piję poranną kawę zupełnie sam. Mogłem być sam ze swoimi myślami i nikt mnie nie poganiał. Zwróciłem twarz do słońca, zamknąłem oczy i przywołałem w pamięci obrazy z okresu mojego życia z Carlą. Przypomniał mi się nasz pierwszy rejs na Morze Północne.

Od dwóch tygodni nie kontaktowałem się z Juhlerem. Zazwyczaj porozumiewaliśmy się przynajmniej raz dziennie, lecz ostatnio oświadczyłem mu poważnie, że wyłączam się do czasu, aż Maria urodzi dziecko. Szef przyjął to do wiadomości i do tej chwili respektował umowę.

– A jednak nie udało ci się trzymać z daleka, co? – zażartował, kiedy odebrałem telefon.

– O co ci chodzi? – zapytałem zaskoczony, bo wyrwał mnie z krainy marzeń.

Przypaliłem papierosa, żeby szybciej powrócić do rzeczywistości.

– Ejner Piil mówi, że biegasz po Varde i coś knujesz.

– Rozmawiałeś z Piilem?

– A jakże. Trochę mu podpadłeś. Uważa, że próbujesz go wymanewrować na boczny tor, żeby oczyścić sobie pole dla swojej sprawy na jego terenie. Przyznaj, co tam wygrzebałeś, mój chłopcze?

Opowiedziałem mu w ogólnych zarysach, co i jak: że w pierwszej chwili miałem tylko zamiar zorientować się, o co chodzi z tym Słowem Ewangelii. Okazało się jednak, że cały czas pojawiają się nowe i ekscytujące elementy tej układanki. Doszedłem w końcu do wniosku, że być może mam materiał na doskonały reportaż, między innymi dlatego, że w tle pojawiła się również minister rozwoju regionalnego, która szczodrze inwestowała społeczne pieniądze w coś, co, moim zdaniem, było z gruntu chorą sektą religijną. Na ukoronowanie dzieła pojawiło się podejrzenie, że może ktoś pomógł Jørgenowi Jezusowi w jego przedwczesnym spotkaniu z Ojcem w niebie.

– Cholera, to mi wygląda na supersensację! Prześlij jakiś konspekt e-mailem, wystarczy dziesięć wierszy.

– Będziesz to miał za godzinę – obiecałem.

Entuzjazm Juhlera był zaraźliwy. Paliłem się już do roboty, ale z drugiej strony zdawałem sobie sprawę, że grozi mi złamanie obietnicy danej Marii.

– Daj mi do pomocy Henriettę. Jest mnóstwo rzeczy, które jeszcze trzeba zbadać i sprawdzić, a sam po prostu nie mam tu możliwości.

– Napisz tylko, czego ma szukać, i uważaj to za załatwione. I jeszcze jedno – chodzi o Piila – nie dawaj mu za wiele! Umowa stoi?

– Jasne! Zostawię mu jakieś okruchy.

Henriettę znam jeszcze z czasów, gdy oboje studiowaliśmy dziennikarstwo. Mam z tego okresu sporo znajomych, ale tylko z nią połączyło mnie coś, co można nazwać bliską przyjaźnią. Juhler może by się z tym nie zgodził, uważając, że jego przyjaźń ze mną zasługuje przynajmniej na taką samą ocenę, ale jeśli mam prawdziwe kłopoty, to idę z tym do niej, a nie do Juhlera. W dodatku jest bardzo koleżeńska, mam wielki szacunek dla jej umiejętności i zawsze nam się doskonale współpracuje.

*

– Tylko co na to powie Maria? – padło pytanie, kiedy mniej więcej dziesięć minut po wysłaniu konspektu Henrietta odebrała mój telefon. – Mam nadzieję, że zdajesz sobie sprawę, iż kobiety w ciąży bywają przewrażliwione?

– Ustaliłem z nią, że mam parę dni, żeby popracować tu na miejscu, ale jesteś mi potrzebna, żeby trafić w sedno sprawy.

– Dobra, ale pamiętaj, że cię ostrzegałam. Czego mam szukać?

Poprosiłem, by przyjrzała się hodowli świń, zwłaszcza dotacji fundacji DANIDA dla projektu Słowa Ewangelii w Afryce. Miała też sprawdzić, kiedy pani minister odwiedziła misję i jakie było uzasadnienie dla inwestowania pieniędzy duńskiego rządu w to przedsięwzięcie.

– To nie musi być nic podejrzanego, są inne Kościoły, które otrzymują tego rodzaju wsparcie.

– Myślę, że traktowanie Słowa Ewangelii jako Kościoła to kwestia co najmniej dyskusyjna. To nie jest pomoc humanitarna.

Jørgen Jezus i jego kompania usiłują nawrócić mieszkańców Afryki.

– To nie jest sprzeczne z polityką rządu.

– Jak to?

– Czy nie o to właśnie chodzi? Trzeba nawracać dzikusów, żeby stali się podobni do nas, inaczej nie będziemy im pomagać.

– Jednak ta sekta zajmuje się wypędzaniem demonów. To trochę przesada – egzorcyści finansowani przez państwo!

– Sprawdzę to, ale obiecaj, że z Marią będziesz postępował ostrożnie. Nie chcę słyszeć, że spieprzyłeś tę sprawę. Umowa stoi?

Zadzwoniłem do Marii, ale nie odebrała telefonu. Nagrałem się i próbowałem wysłać SMS-a, ale nie mogłem sobie poradzić z telefoniczną funkcją słownika. Postanowiłem, że kiedy wrócę do domu na Amager, przeczytam instrukcję i dowiem się w końcu, jak to się robi. Następnie sprzątnąłem mieszkanie, wsiadłem do samochodu i pojechałem do Varde.

*

Dzisiaj była w żółtej sukience. Gołe ramiona i opalone nogi. Duże okulary przeciwsłoneczne zsunięte na czoło przytrzymywały gęste włosy. Charlotta Nikolajsen wyglądała olśniewająco i z pewnością nie sprawiała wrażenia wdowy, która jeszcze nie pochowała męża. Uśmiechnęła się, mijając grupkę spragnionych, czekających przed sklepem Netto na jakąś litościwą duszę, i jednemu z nich wręczyła reklamówkę z pobrzękującą zawartością. Zamieniła ze szczęśliwcem parę słów, po czym ten wszedł do sklepu i wrócił z dwiema wypełnionymi zakupami torbami, które umieścił na ciasnym, tylnym siedzeniu jej mercedesa. Zsunęła okulary na nos, zebrała włosy z tyłu, założyła czerwoną czapeczkę z daszkiem i przekręciła kluczyk. Pomocnik odprowadził ją wzrokiem i pomachał ręką, gdy wyjechała na Ribevej. Ona odpowiedziała tym samym i przyłożyła rękę do ucha, imitując telefon. Odpowiedzią było twierdzące kiwnięcie głową.

– Nie wiedziałem, że znasz panią Nikolajsen – zwróciłem się do Jima Vamdrupa, który drgnął zaskoczony, kiedy się odezwałem.

– Czego znowu? – burknął, patrząc na mnie spode łba. – Nie możesz sobie, facet, odpuścić?

– Chciałem cię zaprosić na piwo, ale widzę, że już masz zaopatrzenie – wskazałem ruchem głowy na plastikową torbę. – Często funduje ci piwo?

– O co ci chodzi?

– Pytam, czy Charlotta często wpada, żeby zafundować ci piwo?

– Jaka Charlotta?

– Nie rób ze mnie idioty, Jim! Przed chwilą dostałeś reklamówkę pełną piwa od wdowy po pastorze Bingo i wyglądało na to, że znacie się nie od dziś.

– Nigdy jej przedtem nie widziałem. Ta pani zapytała, czy zaniosę jej zakupy do samochodu. To wszystko. – Odwrócił się do mnie plecami, zamierzając wrócić do swoich kolesi i czekającej pod ścianą reklamówki. Złapałem go za marynarkę i przytrzymałem w miejscu.

– Musimy pogadać o tym, co widziałeś.

– Niby o czym?

– O tym, co mówiłeś o Gregesie Sehestedzie. Jeśli ty nie chcesz, to może policja zechce, niech oni się z tobą rozmówią.

Wyrwał się z mojego uchwytu.

– Wiesz co, zgredzie? Niczego nie pamiętam i niczego nie widziałem, ale jeśli się ode mnie nie odczepisz, to dam ci posmakować tego! – podsunął mi pod nos zaciśniętą pięść i zmierzył mnie wściekłym wzrokiem. – A może wolisz, żeby Sally rozwiązała nasz problem?

Włożył dwa palce w usta i zagwizdał. Sally zareagowała natychmiast. Przedtem leżała leniwie, pilnując cennej torby, ale teraz porwała się z warczeniem na nogi. Poklepał się po udzie i pies pojawił się u jego boku z wyszczerzonymi zębami i nastroszoną sierścią. Dałem krok wstecz, a Jim i suka poszli moim śladem. Sally już toczyła pianę z pyska, a Jim uśmiechał się szeroko. Zrobiłem jeszcze jeden krok do tyłu. Pies szykował się do ataku. Do samochodu miałem kilkanaście metrów. Nawet gdybym pobiegł, dogoniłby mnie. Podniosłem ręce uspokajającym gestem, powoli, żeby suki nie prowokować.

– Wyluzuj, nie masz się o co wściekać – byłem przestraszony, ale starałem się mówić spokojnie.

– To ty wyluzuj, gościu. Jeśli jeszcze raz się do mnie przyczepisz, to przerobię cię na karmę dla psów. Możesz to potraktować jako ostrzeżenie. – Jeszcze raz poklepał się po udzie i suka posłusznie usiadła, chociaż nadal powarkiwała. – Kumasz?

– Kumam, ale chciałbym jeszcze z tobą porozmawiać.

– Nie mamy o czym, ale jestem przekonany, że jakby co, to Sally chętnie z tobą pogada. – Zaśmiał się szyderczo i pochylił, żeby pogłaskać sukę po łbie. – Dobry piesek, porozmawia z panem, prawda? – Kucnął na ziemi, ujął sukę za łeb i potrząsnął energicznie, a ta pomachała ogonem i polizała go po twarzy.

Ciągle byłem trochę rozdygotany, kiedy siadałem za kierownicą, musiałem kilka razy głęboko odetchnąć. Jim i jego kolesie przyglądali się spod sklepu, jak odjeżdżam, śmiejąc się i unosząc w górę butelki. Typ z czarno-czerwonym tatuażem, ubrany w skórzaną kurtkę na gołe ciało, pociągnął z butelki i resztką chlapnął mi na przednią szybę. Instynktownie wcisnąłem klakson, krzycząc: „Idiota!".

Powinienem był być mądrzejszy. Jim podskoczył, chwycił za klamkę i rzucił butelką w szybę; szyba wytrzymała, ale stłukło się piwo. Dodałem gazu, ale on nie puścił klamki i biegł obok samochodu. Ręka, w której przedtem trzymał butelkę, krwawiła. Udało mu się wskoczyć na maskę, skąd patrzył mi prosto w twarz. Zaczął walić pięścią w szybę i wrzeszczeć, żebym zatrzymał samochód. Uruchomiłem spryskiwacz i wycieraczki, w nadziei że go to zmusi do zwolnienia uchwytu. Udało mu się jednak złapać i wyłamać jedną z wycieraczek. Skręciłem gwałtownie kierownicą, najpierw w prawo, potem w lewo; pomogło. Nie udało mu się utrzymać i ześlizgnął się z maski. Pozostała na szybie krew z jego dłoni zmieszana z płynem do spryskiwania utrudniała mi widoczność. Nie wiedziałem w końcu, czy spadł pod koła, czy obok samochodu, ale było mi już wszystko jedno. Myślałem tylko o tym, żeby oddalić się jak najszybciej. Z piskiem opon wyjechałem z parkingu, ale zdążyłem go jeszcze zobaczyć w lusterku wstecznym. Stał i wygrażał mi pięścią. Jeden z pijaczków poklepał go po ramieniu i podał mu świeże piwo. Wolną dłonią wykonał w moim kierunku ruch podrzynania gardła.

*

Właśnie skręcałem w zatoczkę, gdy odezwał się mój telefon. Byłem już wystarczająco daleko, by poczuć się bezpiecznie, poza zasięgiem Jima i jego koleżków. Miałem ogromną ochotę zapalić, ale papierosy zostawiłem na tylnym siedzeniu i nie mogłem po nie sięgnąć w czasie jazdy. Zwolniłem pas bezpieczeństwa i nie gasząc silnika, sięgnąłem po paczkę, a następnie odebrałem komórkę.

– Nie przyjechałeś – nie przedstawiła się, ale poznałem ją po głosie – więc teraz dzwonię, żeby powiedzieć, że w barze już mnie nie zastaniesz.

Zaciągnąłem się głęboko i poczułem, że wraca mi spokój.

– Nie zdążyłem – odpowiedziałem – wynikły nieoczekiwane okoliczności. Rozmawiałaś z tą Jeanett?

– Nie odbiera telefonu. Trochę się niepokoję, bo ona zawsze nosi komórkę przy sobie, ale oczywiście możliwe, że akurat jest zajęta. A ty, co teraz porabiasz?

– Właśnie zatrzymałem się na poboczu parę kilometrów za Varde, ale wracam do Vejers.

– Samochodem?

– Tak.

– Super, to może mnie podrzucisz? Ja jadę do Tropic.

– Hm... no dobrze, a gdzie jesteś?

– Stoję przed grillem. W którym dokładnie miejscu się zatrzymałeś?

– Napisane, że to Vestre Landevej.

– To naprawdę super, mieszkam tuż obok. Poczekasz trochę? Podjadę i zostawię rower. Zajmie mi to dziesięć minut, najwyżej kwadrans.

Właściwie miałem chęć pojechać od razu do Haderslev. Zadzwoniłem do Marii, która była w doskonałym humorze. Opowiadała z zapałem o dniu spędzonym z bratem. Odwiedzili wiele sklepów z wyposażeniem dla niemowlaków, a Poul był tak przejęty faktem, że zostanie wujkiem, iż postanowił zafundować nam brakujący kojec. Ponadto uparł się kupić zabawkowy model fermy i dodatkowo większą liczbę różnych zwierząt. Twierdził, że skoro nasz potomek ma wyrastać w Kopenhadze, wśród mieszkańców Chrystianii i imigrantów, to trzeba coś zrobić, żeby zachował kontakt z prawdziwym duńskim rolnictwem. Podśmiewaliśmy się chwilę z jego entuzjazmu, powiedziałem, że mi jej brak, ona zrewanżowała się tym samym i ustaliliśmy, że wyjadę z Vejers następnego dnia. Na pytanie, co nowego u mnie, odpowiedziałem, że nic szczególnego.

*

Ann miała mokre włosy i wyjaśniła, że zdążyła wziąć szybki prysznic. Przypominała mi moją młodzieńczą sympatię ze Svendborga, podobnie jak ona, kipiała energią. Zadawała bez skrępowania pytania na każdy temat, zarówno dotyczące pracy, jak i życia prywatnego, ale robiła to w sposób tak naturalny, że nie sposób było poczuć się urażonym. Powiedzenie o włażeniu ludziom do duszy z butami chyba najtrafniej mogłoby określić jej sposób bycia. Było nam wesoło i przyjemnie przez większość drogi do Vejers, ale kiedy zapytałem o jej koleżankę, nagle spoważniała.

– Jeanett jest teraz po ciemnej stronie – powiedziała i nagle posmutniała. Zaczęła się uporczywie wpatrywać we własne paznokcie.

– Jak to?

– Ona teraz i kiedyś to jakby dwie różne osoby.

– Czy możesz to wyjaśnić dokładniej?

– Ma wahania nastroju. Nie zawsze wiem, jak z nią rozmawiać. To dla mnie bardzo frustrujące, znamy się przecież właściwie od urodzenia.

– Jakie wahania?

– Robi różne rzeczy, które normalnie nigdy by jej nie przyszły do głowy. To trochę przerażające.

Nie chciała mi wyjaśnić, co takiego dziwnego robi jej przyjaciółka, powiedziała tylko, że nie jest wtedy sobą. Nie dało się też nic z niej wyciągnąć o przyczynie tej nagłej zmiany w charakterze oprócz faktu, że stało się tak po tym, co z nią robili ci ze Słowa Ewangelii. Nie chciałem za bardzo naciskać i ostatnie kilometry jazdy upłynęły nam znowu w doskonałym humorze. Kiedy wyskoczyła z samochodu, podeszła do wejścia dyskoteki, naśladując krok taneczny moonwalka i zaśmiewając się przy tym do rozpuku. Przesłała mi palcami pocałunek, a ja odpowiedziałem tym samym.

– Widzę, że nie marnowałeś czasu, dobrze wam było razem? – zapytał Jan, otwierając drzwi do samochodu i wrzucając zakupy na tylne siedzenie. Obserwował nas z drugiej strony ulicy i demonstrował teraz swój najszerszy uśmiech. – Wyglądała na zadowoloną – wesoła i zaspokojona. Stary John ciągle potrafi zadowolić młodą suczkę, co?!

– Weź na wstrzymanie, podrzuciłem ją tylko z Varde.

– Dobra, dobra, niech i tak będzie! Pamiętaj tylko, żeby wrzucić bieliznę pościelową do pralki, kiedy dojedziemy. Nie chcę mieć kłopotów z Heleną.

Mimo że Jan w ciągu wieczoru wielokrotnie nawiązywał do swojej wizji seksualnej orgii, jaka rzekomo miała być Ann i moim udziałem, w domku letnim jego rodziców udało się także zamienić z nim parę zdań na temat powieszonego pastora. Przełożony Jana, Helmer Frost Olsen, zamierzał zamknąć sprawę. Był przekonany, że to samobójstwo, a policyjne dochodzenie nie wykazało niczego, co nasuwałoby inne podejrzenia. Potrząsnąłem głową, nie kryjąc zdumienia.

– To niepojęte! Z łatwością mogę wskazać przynajmniej dwie czy trzy osoby, które miały istotny powód, żeby się go pozbyć: wdowę, która wydaje się absolutnie nieporuszona tym, że właśnie straciła męża, i jej kochanka.

– To dwie osoby, a trzecia?

– Jest jeszcze jedna osoba.

– Kto taki?

Po moim pierwszym spotkaniu z Jimem Vamdrupem byłem w zasadzie zdecydowany, że zachowam jego opowieść dla siebie, zmieniłem jednak zdanie po naszym starciu przed Netto. Nie chodziło tylko o to, że mi groził, ale przekonałem się też naocznie, że potrafi kłamać na zawołanie jak z nut, zwłaszcza w momencie, gdy wmawiał mi, że jego spotkanie z Charlottą Nikolajsen było zupełnie przypadkowe. Nie ulegało najmniejszej wątpliwości, że tych dwoje kombinuje coś razem mimo wymiany zdań, jaka się odbyła na łamach miejscowej gazety.

– Chyba muszę pogadać z twoim szefem, mógłbyś nas umówić na jutro w komendzie, w Esbjerg?

Jan kiwnął głową.

– Mogę spróbować. A co z twoją panienką? Przyjdzie tutaj, kiedy zamkną dyskotekę, czy masz po nią przyjechać?

6

FROST SPOGLĄDAŁ NA MNIE równie pogardliwie, jak przy naszym pierwszym spotkaniu. Nie było żadnej wątpliwości, że uważa się za kogoś znacznie lepszego od jakiegoś dziennikarzyny z kopenhaskiego tabloidu.

– No więc, co to za fantazje, których mam wysłuchać, tracąc swój cenny czas?

Miałem wielką ochotę udzielić odpowiedzi w tym samym stylu, ale zdołałem się pohamować.

– Rozmawiałem ze świadkiem.

– Świadkiem czego?

Słuchając jednym uchem mojej relacji z opowieści Vamdrupa, przeglądał najnowsze wydanie dziennika „Zachodnia Jutlandia". Unikał przy tym starannie kontaktu wzrokowego. Kiedy skończyłem, złożył gazetę i cisnął ją gniewnie na stół.

– Coś ci powiem, Johnie Hilling. Zabrałeś policji już dosyć cennego czasu. Podejrzenia, które przekazałeś Janowi Brammingowi co do bliskich osobistych stosunków między wdową po pastorze a Gregersem Sehestedem spowodowały, że wysłałem funkcjonariusza, żeby zapytał Sehesteda, co robił w chwili śmierci denata. Do twojej wiadomości mogę podać, że nie znaleźliśmy nic podejrzanego.

– Sam widziałem ich razem. Sehested jest kochankiem Charlotty Nikolajsen, widziano go też w trakcie bójki z pastorem na krótko przed jego śmiercią. Czego jeszcze trzeba, żeby uznać konieczność przesłuchania go?

– Dowodów i wiarygodnych świadków. Nie żadnych ploteczek w rodzaju tych, w których się specjalizujecie. Podniósł ponownie gazetę i huknął nią w stół.

– Lepiej się pilnuj, żebym ciebie nie musiał zatrzymać.

– Co takiego?

– Zaraz ci to wyjaśnię. My nie lubimy takich, co to zakradają się na teren będący prywatną własnością i zaglądają ludziom przez okna.

– To niedorzeczne, znalazłem się tam przypadkowo, a to, co widziałem, stawia Sehesteda w podejrzanym świetle. Ponadto osoba, którą podałem jako świadka, widziała co widziała.

Policjant pochylił się nad biurkiem i niemal plując mi w twarz, wysyczał:

– Sehested ma niepodważalne alibi.

– Alibi?

– Owszem, Jørgen Nikolajsen umarł między godziną osiemnastą a dwudziestą, a w tym czasie twój główny podejrzany jadł wystawną kolację w Henne Kirkeby Kro. Czy podać, co było w karcie?

– W Henne Kirkeby Kro? Sehested był tego wieczoru w Henne Kirkeby Kro?

– A jakże, i to w towarzystwie pani minister rozwoju regionalnego i jej męża. Oboje potwierdzili ten fakt i dodali, że towarzystwo rozstało się krótko przed północą.

– Jørgen Nikolajsen brał także udział w tej kolacji, tak mi powiedziała jego żona.

– Zapewniam cię, że nie. Zgodnie z zeznaniem personelu lokalu w kolacji brały udział tylko trzy osoby: pani minister z małżonkiem i Sehested. Skorumpowany pastor wisiał w tym czasie na sznurze w Domu Jugend.

– A co ze świadkiem? Widział ich razem. Sam też może być zamieszany.

– Powołałeś się na swoje święte prawo do nieujawniania źródeł, ale nawet gdybyś mi podał nazwisko, mógłbym cię zapewnić, że pastor sam się powiesił.

– Skąd taka pewność?

Spojrzał na zegarek i odrzekł pogardliwym tonem:

– Hilling, boję się, że czytujesz zbyt wiele kiepskich powieści kryminalnych. Nie ma żadnych technicznie weryfikowalnych śladów, które by wskazywały, że ktoś pomógł pastorowi rozstać się z tym światem. Do tego dochodzi fakt, że miał bardzo poważny powód, by targnąć się na swoje życie.

– A jaki to powód?

Inspektor wysunął szufladę i wydobył z niej teczkę.

– Ciekawe, czy to, co zawiera ten raport z obdukcji, można by nazwać powodem? – położył palec wskazujący na okładce. – Albowiem próba na obecność wirusa HIV dała wynik pozytywny, a w dodatku żadnego leczenia nie zastosowano.

– HIV? Nikolajsen miał AIDS? – patrzyłem z otwartymi ustami na inspektora i jego pełen satysfakcji uśmiech.

– Tak, niestety. Trochę niefortunnie dla osoby duchownej, która grzmi w swoich kazaniach przeciwko gejom i homoseksualnemu wynaturzeniu. Niestety, sam był po niewłaściwej stronie.

– Heteroseksualni też mogą się zarazić.

Inspektor skwitował to chwilą ciszy, po czym pochylił się do przodu nad biurkiem i, spoglądając mi głęboko w oczy, dodał:

– Na tym zakończyliśmy nasze spotkanie. Dziękuję, że byłeś tak uprzejmy podzielić się z policją swoimi fantazjami.

Jan odprowadził mnie do samochodu. Podziękowałem mu za gościnę, a on odpowiedział, że było bardzo miło. Pozostawiłem to bez komentarza, czując wyraźną ulgę, że oddalam się od jego gadaniny i chorych fantazji na temat mojej relacji z Ann. Właściwie to facet działał mi na nerwy. Zaproponował, żebyśmy się jeszcze spotkali, zanim Maria będzie musiała wracać do Kopenhagi, na co ja mruknąłem pod nosem, że chyba nie zostaniemy w Haderslev tak długo.

– Ja nie muszę tu siedzieć, mogę podjechać do Haderslev po fajrancie. No i gdybyś chciał jeszcze skorzystać z domku na jedną noc... – Klepnął mnie poufale w ramię i roześmiał się głośno.

Potem życzył mi szerokiej drogi i z właściwym sobie poczuciem humoru udzielił mi zwięzłej wskazówki co do trasy:

– Kiedy przestanie śmierdzieć rybami, skręć w prawo, a potem wal prosto na południe.

*

Poul siedział w kuchni, a przed nim na stole stał rozłożony model fermy. Właśnie ustawiał w zagrodzie różowe plastikowe świnki w równym szeregu.

– Chciałem zobaczyć, co mi właściwie wcisnęli w tym supermarkecie – wyjaśnił. – Kupiłem to dla dziecka Marii. – Podniósł się z krzesła i podszedł do lodówki. – Pewnie przydałoby ci się coś na spłukanie z gardła przydrożnego pyłu – powiedział, wyjmując dwa piwa marki Fuglsang. Podał mi jedno, a swoje podniósł, żeby odczytać informacje na etykiecie. – To nowy produkt, coś w rodzaju ale, przygotowany specjalnie na festiwal w Kløften. W tym roku ma być Anne Linnet i ten solista z zespołu Aqua.

– René Dif?

– Nie, ten drugi. Ten, co się ożenił z tą Norweżką z Aqua, z tą Leną, co dała sobie zrobić piersi.

Piwo było gorzkawe, Poul jednak twierdził, że będzie hitem sezonu.

– Popieramy to, co lokalne – dodał – a browar Fuglsang jest przecież nasz. Oni stawiają na innowacyjność, a to jest najlepsza droga, żeby wyjść z kryzysu finansowego.

Zaproponował, żebyśmy później spróbowali innej nowości z tego samego browaru, najpierw jednak należało iść po Marię, która była z wizytą w sąsiednim gospodarstwie, u Bjarnego Bertelsena.

– Akurat wycinają tam prosiaczkom klejnoty, przejdziemy się popatrzeć?

– Maria poszła oglądać trzebienie prosiaków? – zapytałem zdziwiony, a Poul zinterpretował to na swój sposób.

– Właśnie! Lepiej uważaj, John. Może się zdarzyć, że skorzysta z inspiracji. – Opróżnił swoją butelkę i obrzucił mnie przebiegłym spojrzeniem wieśniaka z głębi Jutlandii.

*

Młoda kobieta mocnym chwytem za przednie nogi trzymała prosiaka przed sobą. Maluch, który niczego się nie spodziewał, odchylił ufnie głowę, przyglądając się kobiecie. Mimo niewygodnej pozycji, ze zwisającymi tylnymi nóżkami, robił wrażenie zadowolonego i spokojnego. Mężczyzna, mniej więcej w tym samym wieku co kobieta, powiedział coś w języku, którego nie rozumiałem. Brzmiał podobnie do fińskiego. Kobieta wzmocniła chwyt i odwróciła głowę, kiedy mężczyzna sięgnął między tylne nogi prosiaka. W jednej chwili przestał być spokojny i zadowolony. Zaczął się szarpać na wszystkie strony, wydając przeraźliwe kwiczenie, kiedy człowiek szybkim cięciem skalpela obnażył najpierw jedno, następnie drugie jądro warchlaka. Zwierzak wytrzeszczał pełne przerażenia oczy i szybko oddychał. Wydał jeszcze głośniejszy kwik, kiedy mężczyzna pociągnął obnażone jądro, napinając nasieniowód jak cięciwę łuku i zręcznie odciął je od reszty ciała. Odwróciłem się, nie czekając na drugie cięcie, ale usłyszałem kolejny, donośny odgłos przerażenia zwierzęcia.

– Ruta i Andrus znają się na swojej robocie – rzekł Bjarne Bertelsen, patrząc z uznaniem na swoich pracowników, jak się okazało Estończyków.

Ruta chwyciła kolejną świnkę z kojca i przytrzymała w oczekiwaniu na skalpel w dłoni Andrusa.

– Dla nich to prawie jak łuskanie grochu.

– Wygląda dość nieprzyjemnie.

– Więcej hałasu niż szkody, to się szybko goi.

– Dlaczego nie robi się znieczulenia?

– To nie jest konieczne, mają niecałe siedem dni.

– Nie rozumiem.

– Jeśli mają więcej, ustawa zabrania robić to we własnym zakresie. Musi być weterynarz, znieczulenie i tak dalej, a to nie jest wcale tania zabawa, możesz mi wierzyć. – Pokazał, o co chodzi, pocierając kciuk palcem wskazującym. – Kiedy tylko pojawia się urząd, musisz chwytać za portfel.

– A zaoszczędzone to zarobione, prawda Bjarne? Mniejsza więc o humanitarne traktowanie zwierząt! – Te słowa padły już z ust Marii, która właśnie podeszła do nas i pocałowała mnie w policzek na powitanie. Bjarne Bertelsen przyglądał się z krzywym uśmiechem. Niegdyś próbował szczęścia u Marii, chyba do dziś nie może przeboleć, że córka sąsiada dała mu kosza.

– Bzdury, Mario! Moje zwierzęta mają jak u Pana Boga za piecem, mieszkają w pomieszczeniu przypominającym luksusowy hotel. – Z dumą pokazał szerokim gestem na nowoczesne zabudowania. W przegrodzie z wytrzebionymi prosiakami zoperowane maluchy tuliły się do siebie roztrzęsione w jednym kącie. – Tu nie dzieje się nic sensacyjnego, ani dla dziennikarzy z „Ekstra Bladet", ani dla pań z kopenhaskiego towarzystwa opieki nad zwierzętami. Jak długo konsumenci nie zechcą jadać mięsa z orłów, warchlaki będą trzebione.

– Można to jednak robić w bardziej humanitarny sposób – wtrąciłem, chcąc zapobiec scysji między nim a Marią. Już chwilę wcześniej miałem okazję się przekonać, że niewiele im brakowało do kłótni. – Można je znieczulać albo stosować metody weterynaryjne.

– Weterynaryjne! Zdajesz sobie sprawę, ile to kosztuje? Poza tym zabiegi, żeby odniosły skutek, należy powtarzać kilka razy. – Oblicze Bjarnego zmieniło kolor z szarego na purpurowy. – Mogę cię zapewnić, że tanie to nie jest. Uczestniczyłem kiedyś w zebraniu informacyjnym zrzeszenia hodowców trzody chlewnej, z udziałem przedstawiciela firmy, która produkuje odpowiednią szczepionkę. Nawiasem mówiąc, to ta sama firma, która wytwarza Viagrę. – To go wyraźnie rozbawiło i kolor jego twarzy wrócił do normy. – Powinienem był poprosić o próbki reklamowe.

– Masz problemy z potencją? – wtrąciła Maria i spojrzała na niego tak, że natychmiast przestał się śmiać.

– Problemy z potencją? W żadnym wypadku. Jeszcze nie miałem żadnych reklamacji, jeśli chodzi o kobiety. Szkoda, że nie chcesz spróbować, bo mogłabyś się sama przekonać.

*

Po kolacji razem z Marią wybraliśmy się na spacer po okolicy. Poul miał zebranie z wyborcami. Przed ośmioma miesiącami, kiedy zatrzymała go policja pod zarzutem prowadzenia nielegalnej agencji towarzyskiej i obsmarowano go w dzienniku „Zachodnia Jutlandia", myślał, że jego kariera polityczna definitywnie dobiegła końca. Kiedy jednak prawda wyszła na jaw i okazało się, że zarzuty zostały spreparowane przez jego szkolnego kolegę Toma, odzyskał zaufanie wyborców i wrócił do polityki.

– Przy okazji, dostałem dzisiaj SMS-a od Petry, czuje się dobrze i pozdrawia. – Maria uścisnęła moją rękę. – Mam nadzieję, że przebrnie przez to wszystko.

Petra była ofiarą handlarzy żywym towarem i została zmuszona do uprawiania prostytucji w Kopenhadze. Tom z Marią i Poulem zdołali ją wyrwać z toksycznego środowiska. Przebywała przez jakiś czas w ukryciu na wsi, u Poula, w Marstrup pod Haderslev. Ani Poul, ani Maria nie mieli pojęcia, że Tom przygotował intrygę – plan, który miał skompromitować Poula w lokalnym środowisku. Po cichu powiadomił policję i gazetę, że Poul działa jako pośrednik w handlu ludźmi i zmusza Petrę do prostytucji. Na szczęście prawda wyszła na jaw, choć dopiero po miesiącu, który Petra spędziła w Kopenhadze w naszym mieszkaniu. Potem udało jej się wrócić do Czech, gdzie została przyjęta do ośrodka rehabilitacji dla ofiar przemocy seksualnej.

– Chciałabym, żebyśmy przejechali koło domu Toma. Myślisz, że dasz sobie z tym radę? – spytała Maria, patrząc na mnie z troską w oczach. Rozważyłem jej propozycję i kiwnąłem głową na zgodę.

Często miewam nocne koszmary po tym, co się wydarzyło w tym domu. Zdarza się, że budzę się mokry od potu, kiedy we śnie wracają ponure sceny. Obrazy z piwnicy tego domu, gdzie eks-żołnierz Tom na moich oczach najpierw zlikwidował swojego dawnego sierżanta. D.R. Jakobsena, a potem niemal odstrzelił sobie głowę ze strzelby myśliwskiej. Zaproponowano mi wtedy terapię, ale zrezygnowałem po dwóch seansach u psychologa. Nie miałem siły wracać do tego, czego byłem świadkiem.

– Wygląda na to, że dom już znalazł nabywców – powiedziała Maria, wyciągając rękę w jego kierunku. W ogrodzie widać było dwójkę dzieci, skaczących z zapałem na batucie. Jeden z dzieciaków zawołał:

– Tato, spójrz na mnie!

Ojciec, który mozolił się przy usuwaniu pomalowanego na biało płotu wokół ogrodu, odwrócił się i odpowiedział:

– Bardzo ładnie, ale uważaj, żebyście się nie zderzyli. Połowę płotu już usunięto, a sztachety lądowały na przyczepie.

– Myślisz, że oni wiedzą, co tu się wydarzyło? – Zaparkowałem kawałek dalej.

– Jeśli jeszcze nie wiedzą, to wkrótce się dowiedzą. Ludzie będą o tym gadali jeszcze przez całe lata. – Maria oparła się o mnie i położyła mi głowę na ramieniu. – To było straszne, John.

– Z pewnością mógłbym się obyć bez takich przygód.

Spojrzała na mnie uważnie.

– A jednak jest tego także dobra strona.

– Czyżby?

– Gdyby nie Tom i cała ta historia, to my byśmy się nie spotkali. – Poklepała się znacząco po brzuchu. – I nie byłoby juniora na świecie!

Kiedy nazajutrz się obudziłem, Maria siedziała na krześle w nienaturalnie wyprostowanej pozycji. Powiedziałem „dzień dobry", ale ona nie zareagowała. Dalej wpatrywała się sztywno przed siebie. Powtórzyłem słowa powitania, ale znowu nie uzyskałem odpowiedzi. Wygrzebałem się z pościeli i podszedłem, by ją pocałować w policzek, ale odepchnęła mnie wyciągniętą ręką.

– Co się dzieje? Źle się czujesz?

Sięgnęła na stół po kawałek papieru.

– Masz jakieś wytłumaczenie na to?! Jakieś bardzo przekonujące wytłumaczenie! – podała mi kartkę, którą Ann dała mi w dyskotece.

– Pewnie, że mam: to nazwisko i numer telefonu mojego źródła.

– Źródła! – prychnęła pogardliwie. – Źródła, które przesyła ci SMS-a z emotikonem w środku nocy! – podała mi mój telefon ustawiony na wyświetlanie wiadomości. – To mnie obudziło o piątej nad ranem!

Wziąłem telefon i przeczytałem wiadomość.

Hej John!
Fajnie było z tobą.
Zadzwoń albo wpadnij niedługo.
Uściski
Ann ☺

– Czytasz moje SMS-y? – zapytałem, odkładając komórkę.

Maria nie patrzyła na mnie.

– Do tej pory tego nie robiłam, ale może powinnam była. Najwyraźniej mnie zdradzasz.

– Daj spokój! To moje źródło, tak jak mówię. Jest nim młoda dziewczyna, która pomaga w sprawie z pastorem.

– Najwyraźniej nie tylko! Ładna jest przynajmniej? Co, John? Ma może większe piersi? Gładszą skórę? Płaski brzuch?

71

– Przestań! To nie ma nic wspólnego z tym, o czym mówisz. Nie jest tak, jak myślisz.

– Nie? – Otworzyła zaciśniętą dłoń i pokazała zgniecioną kartkę papieru. – A co powiesz na to? – to mówiąc, cisnęła we mnie papierową kulką. – Nie tracisz czasu, kiedy mnie nie ma, donżuanie!

Podniosłem kulkę z podłogi i rozwinąłem papier. Była to ta idiotyczna wiadomość, którą Jan zostawił rano w domku.

7

PRZEZ CAŁĄ DROGĘ DO DOMU nie odezwała się ani słowem. Nie odpowiadała też na moje pytania i patrzyła tylko prosto przed siebie. Kiedy wróciliśmy do mieszkania na Amager, poszła od razu do łóżka i zamknęła drzwi do sypialni na klucz. Dałem jej spokój, poszedłem do sklepu Kvickly, zrobiłem zakupy i przygotowałem wieczorny posiłek. Nic włoskiego, typowe duńskie klopsiki z kapustą.

– Jedzenie na stole! – zawołałem, pukając delikatnie w drzwi. – Przyjdziesz?

Po raz pierwszy od opuszczenia Haderslev udzieliła mi odpowiedzi.

– Nie jestem głodna, zjedz sam.

– Przestań się dąsać, chodź jeść! Nie możesz cały dzień nic nie jeść. Pomyśl o dziecku!

– Może ty powinieneś o nim pomyśleć, zanim zacząłeś szukać przygód!

– Nie szukałem żadnych przygód! Nie możesz zrozumieć, że nic takiego się nie wydarzyło? Ann to tylko źródło i absolutnie nic poza tym! – byłem zły i podniosłem głos. – Masz w tej chwili wyjść stamtąd, i posłuchaj wreszcie, co ja mam do powiedzenia!

Drzwi uchyliły się i ukazała się jej zapłakana twarz z włosami w nieładzie. Wyglądała jak porzucone pisklę.

– Mario, na litość boską! – Ująłem jej głowę, przesunąłem dłonią po nastroszonych włosach i pocałowałem w czubek nosa. – Do głowy by mi nawet nie przyszło, by cię zdradzać. Nie dociera to do ciebie? Przepraszam, że w ogóle zająłem się tą sprawą, nie powinienem był tego robić, mieliśmy mieć ten czas dla siebie! Jeszcze raz przepraszam!

– To ja powinnam cię przeprosić, nie wiem, co się ze mną ostatnio dzieje! – spojrzała na mnie przepraszająco – Czy możesz mi wybaczyć?

– Oczywiście, że tak. Pora sobie odpuścić i przeżyć te ostatnie tygodnie w spokoju.

– A co z tą twoją sprawą?

– Zajmuje się tym Henrietta.

Od miesiąca nie uprawialiśmy seksu. Nasze fizyczne kontakty ograniczały się do przytulania i pocałunków. Żadne z nas nie podejmowało inicjatywy, by posunąć się dalej, gdy leżeliśmy razem w łóżku, nie było też o tym mowy, aż do tego momentu.

– Czy ja już cię nie podniecam? – zapytała, odwrócona do mnie tyłem. Jak zawsze w ciągu ostatnich tygodni ułożyła się na boku, w jedynej wygodnej pozycji w jej stanie. Czułem na kroczu dotyk jej pupy.

– Znowu zaczynasz? Jasne, że mnie podniecasz i nie interesują mnie inne kobiety. Wydawało mi się, że to sobie wyjaśniliśmy.

– Chcę cię mieć w sobie, John! Zrób to!

– Teraz? A co z dzieckiem? Czy my teraz możemy?

Zaczęła się śmiać i wyciągnęła rękę, żeby mnie przyciągnąć bliżej.

– Nie wydajesz się specjalnie napalony – zakpiła i przycisnęła się mocniej. Kiedy wszedłem w nią, zaczęła od razu szybko oddychać, a kiedy po chwili eksplodowałem, cichutko westchnęła.

*

Siedziała na łóżku, głaszcząc delikatnie mój policzek.

– John, śpisz?

Przetarłem zaspane oczy.

– Co się dzieje? Która godzina? – Odwróciłem się, żeby spojrzeć na budzik, było piętnaście po trzeciej, ale w pokoju było już jasno.

– Wody mi odeszły, dzwoń po taksówkę. Trzeba jechać do szpitala.

Błyskawicznie wyskoczyłem z łóżka.

– Czy to dobrze? Miało być dopiero za trzy tygodnie. Czy to dlatego, że się kochaliśmy?

Potrząsnęła głową z uśmiechem.

– Nie, nie, wszystko w porządku. Po prostu junior zdecydował, że to ma być już dzisiaj – w dniu urodzin babci, która dziś skończyłaby siedemdziesiąt dwa lata. Czy to nie fantastyczne?

– Czy nie lepiej, żebym zadzwonił po karetkę?

– Nie, taksówka zupełnie wystarczy. Nie denerwuj się. Na lodówce jest kartka z numerem telefonu do porodówki. Zadzwoń i powiadom ich, że jedziemy. Bądź też tak miły i podaj mi mój zielony dres.

– Ale czy...? Przecież myśmy akurat... pojedziesz tam w takim stanie? Przecież zobaczą, że myśmy... Może powinnaś się jednak trochę umyć?

Roześmiała się, widząc moje zażenowanie, poklepała mnie po ramieniu i pocałowała, kiedy podawałem jej ubranie.

– Nie denerwuj się! Po prostu się odpręż, oni tam nie takie rzeczy widzieli!

Cztery godziny później, piętnaście minut po siódmej, zostałem ojcem. Obok Marii spoczywała śliczna, maleńka dziewczynka. Pięćdziesiąt centymetrów wzrostu, dwa tysiące pięćset gramów wagi, dziesięć palców u rąk i tyle samo u nóg.

– Jest bardzo podobna do ciebie, piękna i smukła. Dziękuję, kochana! – Pocałowałem Marię w czoło. Wyglądała na zmęczoną, ale jej oczy świeciły jasno. Ostrożnie dotknąłem maleńkiej rączki palcem wskazującym. – Witaj na świecie, maleństwo!

To ja, twój tata! – powiedziałem. Mała rączka zamknęła się na moim palcu i na moim... sercu. Poczułem, że każdy zakątek mojego ciała przepełnia szczęście, jakiego nigdy wcześniej nie zaznałem. Byłem ojcem i w tej chwili nic innego nie miało znaczenia.

*

Kolejne dwa tygodnie spędziłem głównie w towarzystwie mojej nowo narodzonej córki. Siadywałem przy kołysce i przyglądałem się, jak śpi, czujnie obserwowałem jej oddech i ostro konkurowałem z Marią o to, kto ma ją przewijać i utulać. Kiedy pojawiali się goście, żeby zobaczyć nasze maleństwo, drżałem ze strachu, żeby jej nie upuścili albo nie chwycili za mocno, niechętnie pozwalałem brać ją na ręce. Juhler doskonale się bawił, obserwując mnie w roli nerwowej kwoki, i proponował żartem, że przeniesie mnie do działu dom i rodzina, gdzie mógłbym śledzić powstawanie karteli w branży produkcji pieluch.

– A może cotygodniowa kronika z życia świeżo upieczonego ojca? Na przykład Tatusiek Pieluszek. To cholernie trendy! Czy ty zdajesz sobie sprawę z tego, jaki jesteś trendy, Johnie Hilling?

Henrietta miała jeszcze inny pomysł, by wyrazić radość ze szczęśliwych narodzin. Przyniosła przeraźliwie różową sukieneczkę oraz długonogiego królika z modnego sklepu w Vanløse. Przebadałem zwierzaka pod kątem zagrożeń w postaci dających się wydłubać oczu, guzików i innych potencjalnych niebezpieczeństw i wyjaśniłem ofiarodawczyni, że schowam królika do czasu, gdy mała trochę podrośnie. Wyglądała na nieco rozczarowaną, ale pewnie byłaby rozczarowana o wiele bardziej, gdyby wiedziała, co zamierzam zrobić z różową sukienką.

– Macie już dla niej jakieś imię? – Juhler spojrzał na Marię, która popatrzyła na mnie, zanim udzieliła odpowiedzi.

– Jeszcze nie... myśleliśmy... to znaczy ja myślałam, że może Carla – imię to wymówiła bardzo cicho. Możemy je pisać przez „K", po duńsku. Co ty na to, John?

– Nie.

Podniosłem się z kanapy i podszedłem do kołyski. Mała spała cicho i spokojnie z głową w dłoniach. Odwróciłem się do pozostałych trzech osób obecnych w pokoju. Juhler udawał, że gapi się w dywan. Henrietta obserwowała Marię, która wyglądała na zmartwioną.

– Myślałam, że to cię ucieszy – powiedziała Maria i rozpłakała się. Usiadłem przy niej i ująłem ją za ręce, głaszcząc je łagodnie.

– To ładnie z twojej strony, że o tym pomyślałaś – ale nasza córka nie jest Karlą ani przez „C" ani przez „K". Ona jest n a - s z ą córką, a co bardziej naturalnego niż nazwanie naszej córki po twojej matce? Przecież przyszła na świat w jej urodziny!

Natychmiast przestała płakać i podniosła na mnie wzrok.

– Naprawdę tak uważasz?

– Absolutnie. Nasza córka powinna mieć na imię Ester.

– Ester to ładne imię i można je wymówić w wielu językach – poparła Henrietta: *My name is* Hilling, Ester Hilling.

8

OBIE SPAŁY. MARIA W POZYCJI PÓŁSIEDZĄCEJ, Ester z sutkiem w ustach. Zgasiłem światło, zamknąłem drzwi i usiadłem przy stole z filiżanką herbaty. Poza różową sukienką i modnym królikiem Henrietta przyniosła też pierwszą część swojego raportu. Skoncentrowała się na przedsięwzięciach, w których brał udział mąż pani minister rozwoju regionalnego zarówno w Danii, jak i za granicą. Widać było na pierwszy rzut oka, że działa na wielu frontach. Poza hodowlą trzody w Danii, prowadzoną przez firmę Gl. Vildgaard Grise ApS, gdzie był dyrektorem, odgrywał istotną rolę w dwunastu innych przedsiębiorstwach jako:

prezes Russian Pork A/S,

prezes UkraNord A/S,

prezes Kalinino-Agro A/S,

prezes Pig Meat Australia ApS,

dyrektor Vorpommern-Agro ApS,

członek zarządu w Rheinland-Bio-Energy,

członek zarządu stowarzyszenia dostawców Rheinland-Bio--Energy,

członek zarządu w Mecklenburg Agrarproduktion und Vervaltungs AG,

członek zarządu w Vierraden Agrargesellschaft mit Beschränkter Haftung,

dyrektor Angermünde GmbH,

dyrektor Penslin Landw. Dienstleistung GmbH,

dyrektor Friedland Beteiligungs GmbH,

i wreszcie wiceprzewodniczący rady gminy wyznaniowej Gammel Sogn.

Henrietta zaopatrzyła swoją listę w notatkę:

Jak widzisz, świnie to jego domena. Kontroluje duże fermy trzody w Rosji i na Ukrainie, a co nie wynika z listy, ma także znaczne udziały w fabrykach świń w Polsce, zamieszanych w skandale. Wiesz, chodzi o te fermy, które znalazły się w centrum zainteresowania mediów w związku z ogromnymi otwartymi gnojówkami. Co więcej, ma związki z dużymi hurtowniami produktów rolnych na obszarze dawnej NRD, z biogazem w Rheinland-Pfalz i coś w Australii. Jeszcze nie wiem, o co w tym chodzi.

Jeżeli chodzi o fermy trzody w dawnym ZSRR, Russian Pork, UkraNord A/S i Kalinino-Agro, to wszystkie trzy otrzymały milionowe dotacje z duńskiego funduszu wsparcia rozwoju IØ w postaci inwestycji w akcje, pożyczek i gwarancji. Fundusz IØ jest, jak wiesz, tak zwanym funduszem niezależnym, którego celem jest wspieranie duńskich inwestycji w dawnym bloku wschodnim, jednak w rzeczywistości to pieniądze podatników, a Ministerstwo Spraw Zagranicznych wybiera prezesa i członków zarządu. Wszystkie trzy przedsięwzięcia stworzono w oparciu o grupę dużych duńskich hodowców trzody, inwestujących w akcje, z naszym przyjacielem Gregersem Sehestedem jako głównym akcjonariuszem.

To wszystko, co udało mi się na razie znaleźć, ale oczywiście szukam dostępu do akt. Jeżeli chodzi o wsparcie z funduszu DANIDA dla misji w Ugandzie, to jeszcze nic nie znalazłam. Na oficjalnych stronach nie ma nic, jednak możliwe, że chodzi o stosunkowo niedawną dotację, której jeszcze nie ma w sprawozdaniach rocznych.

Serdeczne pozdrowienia
Henrietta

Wysłałem do Henrietty e-maila, proponując skorzystanie ze źródła w agencji DANIDA, do którego kiedyś sam dotarłem, i obiecałem, że wracam do gry w ciągu następnego tygodnia. Była zaledwie dziewiąta, a ja już byłem bardzo śpiący. Niewiele wyższa od sporej paczki, licząca zaledwie dwa tygodnie Ester, zdołała już wyraźnie zaznaczyć swoją obecność w naszym życiu. To jej zapotrzebowanie na jedzenie, sen i opiekę decydowało o rozkładzie dnia we wspólnym mieszkaniu w Eberts Villaby. Sprzątnąłem ze stołu, przetarłem blat i przygotowałem kubki i talerze na rano. Następnie uznałem, że dam telewizji szansę, zamiast od razu iść do łóżka, ale skończyło się na tym, że po przeskoczeniu pilotem po iluś tam programach zasnąłem na kanapie przy przygodach komendanta Becka.

*

Nie wiedziałem, co bardziej podziwiać: lśniący chromem i lakierem nowy wózek dziecięcy czy promienny humor Marii. Szliśmy Amagerbrogade i mieliśmy w planie zakupy na Strøget, a potem lunch w jakiejś kafejce. Cieszyłem się na to drugie, ale obawiałem pierwszego. Już widywałem Marię w akcji jeszcze przed porodem, w sklepach z akcesoriami dla maluchów, i wiedziałem, ile taka wizyta może potrwać. Było to niekończące się sięganie na półki, przewracanie i macanie każdego ubranka, wracanie do poprzedniego stoiska, żeby porównać podobne produkty i wyciąganie z reklamówki już wybranych rzeczy dla upewnienia się, czy są najbardziej odpowiednie.

– Chciałbyś gdzieś poczekać? – zapytała z uśmiechem.

– Nie, w porządku, tylko nie kupuj zbyt wielu różowych rzeczy.

– To jest dziewczynka, John! A dziewczynki uwielbiają różowe!

– Niebieskie też są ładne, chyba nie wszystko musi być... – przerwał mi telefon, zanim zdążyłem rozwinąć swoje argumenty przeciwko wyprawce dla księżniczki w kolorze różowym.

– Nikt go nie może znaleźć. Zaginął. Co mam robić? Gdzie jest mój chłopczyk?! – Głos kobiety w uchu niemal mnie ogłuszał. Oddychała ciężko, bliska płaczu. – Pomóż mi, John! Przedszkolanki nic nie wiedzą. Co mam robić?

– Przepraszam, ale z kim mówię? Czy my się znamy? – Nie poznałem głosu, ale nieznana kobieta najwyraźniej znała moje imię.

– Baltazar zaginął! – rozpłakała się. – Pomocy! Pomocy!

Gdy powiedziała Baltazar, już wiedziałem, o kogo chodzi.

– Gdzie jesteś? Spróbuj spokojnie i wyraźnie podać adres, zaraz tam będę.

Maria spojrzała na mnie pytająco, gdy chwyciłem kurtkę przerzuconą przez rączkę wózka, ruszyłem do krawężnika i zacząłem nią wymachiwać, żeby zatrzymać jakąś taksówkę. Przekrzykując ruch uliczny, zawołałem do Marii, już z drugiej strony ścieżki rowerowej:

– To Freja, wiesz, ta, która pomagała Afrykance. Jej dzieciak zniknął z przedszkola. Muszę tam pojechać!

Maria nie odpowiedziała, wciąż patrząc na mnie z otwartymi ustami. Do krawężnika podjechała wolna taksówka, otworzyłem drzwi i zawołałem:

– Taki ładny chłopak! Zadzwonię. Opiekuj się Ester.

Poznałem Freję i Baltazara, kiedy pisałem cykl artykułów o handlu kobietami. W piwnicy domu na Nørrebro, w którym mieszkali, mieścił się burdel z kobietami uprowadzonymi z Afryki. Freja wychowywała Baltazara sama. Jej mąż, Boliwijczyk, nie uzyskał prawa pobytu, gdyż, zdaniem władz, małżeństwo miało ściślejsze związki z Boliwią niż z Danią. Byłem kilka razy w ich mieszkaniu przy Mimersgade, ale nie widziałem ich już od pół roku.

Migające niebieskie światło na dachu wozu policyjnego przyciągało uwagę gapiów, policjantka w mundurze trzymała w uścisku Freję, próbując ją uspokoić, podczas gdy jej kolega przyglądał się furtce wiodącej na plac zabaw. Kilkakrotnie otwierał ją i zamykał, sprawdzając zapadkę przy górnej krawędzi.

– Sam nie dałby rady otworzyć furtki. Czy jest możliwe, żeby przelazł górą? – mówił, odwrócony tyłem do obu kobiet. Freja wyrwała się policjantce i spojrzała na niego oburzona.

– A jak ty myślisz, człowieku? Ma trzy lata i dziewięćdziesiąt centymetrów wzrostu!

– Dobrze, dobrze, proszę zachować spokój! – powiedział stanowczym tonem.

– Spokój? Moje dziecko zginęło, a wy potraficie tylko przyglądać się jakiejś cholernej furtce. Co to ma znaczyć? Dlaczego nie zaczniecie szukać? – rozpłakała się bezsilnie. Policjantka spojrzała krzywo na swojego kolegę, przykucnęła obok Frei i pogłaskała ją po włosach, podczas gdy jeden z gapiów zaczął robić zdjęcia komórką. Podszedłem do policjanta, przedstawiłem się jako przyjaciel rodziny i zapytałem, co się stało.

– Niewiele wiemy – odparł – właściwie tylko tyle, że powiadomiono o jego zaginięciu. Opiekunki nie doliczyły się go, kiedy zawołano dzieci na drugie śniadanie. – Otworzył notesik na czystej stronie i zapytał, czy znamy ojca.

– Tak, ale nie mieszka w kraju.

– Czy to cudzoziemiec? – spytał, unosząc długopis.

– Pochodzi z Boliwii.

– Czy były z nim wcześniej takie problemy?

– Co masz na myśli?

– To pewnie on porwał syna. Tacy oni są, kiedy im nie wychodzi z duńską żoną, chcą zabrać dziecko do siebie. Czy on jej groził?

Freja nie wytrzymała, podskoczyła, złapała policjanta i zaczęła go szarpać.

– Jego ojciec jest, do cholery, w Boliwii! Do czego zmierzają te pytania? Policjant usiłował się wyrwać i w końcu wyłamał jej kciuki, żeby się uwolnić.

– Puszczaj! Puść mnie w tej chwili! – krzyczał jej prosto w twarz. – Nie rozumiesz, co się do ciebie mówi? Prosiłem wyraźnie o zachowanie spokoju! – Zwrócił się do koleżanki: – Niczego z nią nie wskóramy. Czy wezwano psychologa?

Odszedł na bok i połączył się z komendą przez radio, poprosił o wsparcie i opisał Baltazara na podstawie grupowej fotografii, udostępnionej przez zapłakaną przedszkolankę. „Cudzoziemski wygląd, czarne, dość długie włosy, dziewięćdziesiąt centymetrów wzrostu, reaguje na imię Baltazar, ubrany..." – odsunął mikrofon od ust i zawołał do Frei: – Hej ty, w co był ubrany?

Matka opisała ubranie. Popatrzył na nią przez chwilę i wrócił do raportu. „Niebiesko-białe spodenki, czerwone kalosze, granatowy t-shirt i..." – skrzywił się przy tym – „...czerwona bluza z kapturem i logo hippisowskiej dzielnicy Chrystiania".

*

Musiałem podeprzeć Freję, gdy wchodziliśmy po schodach. Oddychała z trudem.

– Brak mi tchu – powiedziała, wciągając przy tym powietrze ze świstem – mam ściśnięte gardło.

– Siadaj i oddychaj głęboko, długie, powolne oddechy! – trzymałem ją za ręce, demonstrując, jak ma to robić.

– Zadzwonię po lekarza – powiedziała policjantka, która przyszła za nami – uważaj, żeby nie dostała hiperwentylacji.

Próbowałem ją uspokoić, mówiąc, że Baltazar na pewno wkrótce się pojawi i wszystko będzie po staremu. Nie brzmiało to jednak zbyt przekonująco. Ja akurat zdawałem sobie sprawę – o ile to w ogóle możliwe – co ona może przeżywać. Powróciły moje własne wspomnienia z okresu, kiedy zaginęła Carla, koszmarne godziny oczekiwania na lotnisku w Rzymie, które nie dały żadnego rezultatu. Przypomniałem sobie własną reakcję, gdy się okazało, że nie ma jej w samolocie z Syrii, moje zwątpienie i lęk, wreszcie załamanie i wrażenie, że nigdy już nie będę mógł być normalnym człowiekiem. Chciałem wierzyć, że Freja nie będzie musiała przechodzić przez to wszystko ani przez resztę życia łamać sobie głowy, co mogło się stać z małym Baltazarem. Miałem nadzieję, że się odnajdzie cały i zdrowy. I Carla też.

Lekarz dał Frei zastrzyk na uspokojenie i przemawiał do niej cicho, dopytując się, czy coś jadła. Przyniósł jej szklankę wody. Uspokoiła się nieco i wyjaśniła mi, jak mogę znaleźć album, zawierający fotografie Baltazara. Wyjąłem z albumu zdjęcie uśmiechniętego łobuziaka i pokazałem jej, pytając, czy to jest aktualne.

Spojrzała, kiwnęła głową i zaczęła płakać.

– A co, jeśli porwał go pedofil? Co taki zboczeniec może teraz wyprawiać z moim chłopczykiem?

Znowu się rozpłakała, a lekarz i policjantka zaczęli ją uspokajać.

– Co się z nim dzieje? Nie mogę mu w żaden sposób pomóc!

Przedstawiłem Juhlerowi szczegóły sprawy i obiecałem przesłać zdjęcie przez taksówkarza, żeby można je było jak najszybciej umieścić w internetowym wydaniu gazety.

– Ale bez sensacji. Tylko rzeczowe informacje i numer telefonu na policję. Chcemy odnaleźć chłopca żywego.

Juhler zaśmiał się w telefonie.

– A ty byłeś jedynym dziennikarzem, do którego zwróciła się matka?

– Zadzwoniła do mnie, ale nie dlatego, że jestem dziennikarzem, jestem jedyną osobą, która wie.

– Świetnie, dajemy wobec tego żółtą ramkę *Z ostatniej chwili*. Liczę, że będziesz mnie informował na bieżąco.

– Powiadomię cię, jeśli się odnajdzie.

*

Freja nie potrafiła wytrzymać w mieszkaniu, musiała wyjść i zacząć szukać. Próbowałem ją powstrzymać, ale bezskutecznie.

– A co z jego ojcem, czy nie należałoby się z nim skontaktować? – zapytałem.

Spojrzała na zegarek.

– Tam jest teraz wcześnie rano, być może właśnie jest w drodze do pracy. Nie wiem zresztą, czy to ma sens. Zmartwi się tylko i będzie rozpaczał, że nic nie jest w stanie zdziałać.

– Musisz to zrobić. On ma prawo wiedzieć, że jego syn zaginął.

Kiwnęła głową, podniosła telefon i po chwili wybrała numer. Odczekała chwilę, po czym jej twarz rozjaśnił uśmiech, kiedy mówiła:

– *Buenos dias, señor Beto, soy Freja Nielsen, la esposa de Miguel.*

Obserwowałem ją i próbowałem wyłapać jakieś znajome słowa. Niektóre wydawało mi się, że rozumiem, ale za mało, żeby powiązać w sensowną całość. Widziałem jednak po jej minie, że nie wszystko jest w porządku. Wyglądała na zmartwioną i mówiła dość cicho:

– *...si, entiendo. Tenga un dia agradable, señor Beto.*

– Coś nie tak? – Próbowałem przyciągnąć jej wzrok, ale ukryła twarz w dłoniach.

– Ojciec Miguela jest poważnie chory.

– Czy to z nim rozmawiałaś?

– Nie, z przełożonym mego męża. Oni nie mają telefonu w domu. Miguel poprosił o wolny dzień, żeby odwieźć ojca do szpitala.

– Czy nie ma innego sposobu, żeby się z nim skontaktować?

– Nie, to znaczy mogę mu wysłać e-maila, ale nie mam pojęcia, kiedy on go odczyta, czy będzie w kawiarence internetowej. Powinien być tutaj z nami! – Znowu się rozpłakała, padła na kolana przed łóżeczkiem synka, przycisnęła do piersi jego misia. – Baltazar, Baltazar, Baltazar! – zawodziła.

Usiadłem obok niej, położyłem uspokajająco rękę na jej ramieniu i szepnąłem:

– Znajdziemy go, pójdziemy go szukać razem, ale najpierw muszę zadzwonić, pozwolisz?

Udało mi się złapać Marię, która nadal była na zakupach.

– Przyjedziesz po nas? Jest tu sporo rzeczy do zabrania – zaśmiała się beztrosko.

Wprowadziłem ją w sytuację. Zrozumiała i zaakceptowała, że będzie musiała sobie poradzić sama, żeby dotrzeć na Amager, i że nieprędko pojawię się w domu.

– Żal mi ich – powiedziała – powiedz coś do Ester, widzę, że jest całkiem zadowolona z życia.

Przez kilka następnych godzin przeczesaliśmy ulice w pobliżu przedszkola, zadzwoniliśmy do wielu drzwi, odwiedziliśmy szereg kafejek i sklepów, pokazując zdjęcia i pytając, czy ktoś nie widział małego. Bez skutku, nikt go nie zauważył, wiele osób jednak spontanicznie zaoferowało swoją pomoc. Kilku młodych cwaniaczków w kaszkietach zsuniętych na ucho, gadających dzielnicową grypserą, oburzyło się, że ktoś mógł zrobić coś takiego w biały dzień w ich dzielnicy. Obiecali, że rozpuszczą wieści wśród kolegów. Jeden z nich od razu złapał za komórkę i powiadomił kogoś o sytuacji. Kiedy poszliśmy dalej, krzyknął do mnie:

– Ty, Duńczyk, to, co robisz dla tej pani, jest OK. Szacun, człowieku!

*

Freja zatrzymała się jak sparaliżowana, gdy dochodziliśmy do przedszkola. Przed budynkiem kłębił się tłum, fotografowie prasowi i kamerzyści z *Dziennika TV* i *Wiadomości* walczyli o miejsce na wąskim chodniku. Scenę otaczał wianuszek gapiów, który wylewał się na jezdnię. Autobusy i samochody prywatne musiały sobie torować drogę klaksonem.

– O, nie! Nie, nie! Co się tam dzieje?! – Puściła moją rękę i rzuciła się na oślep przez jezdnię, nie bacząc na pojazdy, i zaczęła się przeciskać przez tłum. – Co się stało? Gdzie jest mój chłopczyk? Co się z nim stało? Czy on nie żyje?

Jakaś kobieta z mikrofonem w ręku zbliżyła się natychmiast, podetknęła jej go pod nos, machając jednocześnie energicznie drugą ręką, żeby zwrócić uwagę swojego kamerzysty, który z pośpiechu przewrócił starszą panią z wózkiem na zakupy.

– Czy ty jesteś matką Baltazara? Jak się czujesz w tej sytuacji?

– Dość tego! – zawołałem, odciągając bezpardonowo reporterkę od Frei.

– Co ty sobie wyobrażasz, facet? Jestem z telewizji! – zareagowała zdumiona i wściekła.

– Gówno mnie obchodzi, skąd jesteś – odparłem – trzymaj się od niej z daleka!

Tłum reporterów zmienił nagle front, kierując zainteresowanie na nas, wysuwając mikrofony i uruchamiając kamery. Przecisnąłem się do Frei, objąłem ją opiekuńczo jedną ręką, drugą wolną torując nam drogę w stronę furtki. Przed furtką wartę trzymała znajoma policjantka, powtarzając, by ludzie się cofnęli, na co nikt nie reagował. Dopiero gdy sięgnęła po pałkę, pierwsi zrobili parę kroków do tyłu, tak że udało nam się dostać do środka.

– Co ty sobie wyobrażasz, Hilling? To wspólny temat, nie masz tu żadnego patentu!

Zwróciłem się w stronę, z której dobiegł znajomy głos. Należał do fotografa, wolnego strzelca. Miałem z nim już kiedyś starcie i absolutnie nie akceptowałem ani jego, ani jego metod. Żył z pstrykania wypadków i akcji policyjnych, nic nie było dla niego święte czy zbyt prywatne – awantury domowe, wypadki drogowe, śmierć i nieszczęście – wszystko bezwstydnie rejestrował, po czym umieszczał na swojej stronie internetowej dla tego, kto da więcej.

Pokazałem mu środkowy palec i w tej samej chwili pożałowałem, bo błysnął fleszem i zawołał:

– Dziękuję! Tego strzału mi brakowało!

*

Freja dobiegła do drzwi, które okazały się zamknięte. Zaczęła szarpać klamką i krzyczeć, żeby otworzyli. Jakaś najwyraźniej uprzywilejowana reporterka w czerwonym żakiecie z TV2News nagrywała akurat wywiad z wychowawczynią, z szarą grzywką nad czołem i w stylowym naszyjniku. Kiedy Freja zaczęła wołać, kobieta spojrzała w jej stronę, straciła wątek i poprosiła o powtórzenie pytania.

Reporterka spojrzała przelotnie na Freję i jeszcze raz zadała to samo pytanie.

– Proszę powiedzieć, jak to przyjął personel? Po czym skoncentrowała się całkowicie na swojej interlokutorce, kiwając zachęcająco, kiedy ta relacjonowała reakcje personelu.

– Naturalnie wszyscy jesteśmy mocno poruszeni całą tą sprawą i właśnie uzyskaliśmy pomoc grupy psychologów kryzysowych z Falck Healthcare.

Mówiła powoli i starannie, ale nie potrafiła ukryć, że duński nie jest jej językiem ojczystym.

Reporterka podziękowała, odwróciła się do kamery i podsumowała swój wywiad.

– Trzyletni Baltazar jest poszukiwany od pięciu godzin. Policja podejrzewa, że sprawcą porwania jest ojciec dziecka, cudzoziemiec. Naturalnie będziemy śledzić przebieg sprawy i powracać do niej w naszych programach.

Kobieta z grzywką podbiegła do Frei, objęła ją, otworzyła furtkę i wprowadziła do budynku. Ja ruszyłem do reporterki w czerwonym żakiecie. Znałem ją. Robiła zdjęcia dokumentalne do jednego z moich artykułów o handlu kobietami dla „Ekstra Bladet".

– Co ty wyprawiasz? Co za brednie wygadujesz o ojcu, który porwał dziecko?

Była w trakcie pakowania sprzętu, oddała mikrofon swojemu kamerzyście i spojrzała na mnie, niczego nie rozumiejąc.

– O co ci chodzi?

– Pytam o to, co właśnie nagrałaś, chcesz to puścić w eter? Skąd masz te niedorzeczne informacje?

– Z twojej własnej gazety! – odparła i sięgnęła po wypchaną, niedomykającą się teczkę, z której wystawał róg laptopa. – Chcesz coś dodać?

– Chcę wiedzieć, kto ci dostarczył tych informacji?! – wrzeszczałem na całe gardło, a ona patrzyła na mnie, nadal nie pojmując, o co mi chodzi, wreszcie uruchomiła laptopa i podała mi go.

– Nie powiedziałam nic, czego byście sami nie napisali!

Na ekranie widać było fragment zdjęcia Frei i tekst:

Matka przeżywa koszmar
Trzyletni chłopiec uprowadzony z przedszkola na Nørrebro. Matka w szoku. Boi się, że chodzi o zemstę ze strony ojca. Dalsze relacje w *ekstrabladet.dk*
Ekstrabladet.tv Zobacz matkę, gdy otrzymuje wiadomość. Prześlij wyrazy sympatii dla matki Baltazara.

Kliknąłem, żeby zobaczyć resztę:

Baltazar nie jest jedyny. 81 dzieci uprowadzonych z Danii za granicę
Co najmniej 81 dzieci z Danii znajduje się aktualnie poza granicami kraju, gdyż zostały uprowadzone przez jednego ze swoich rodziców.

Zdecydowaną większość tych dzieci porwali do krajów muzułmańskich ich ojcowie. Wiele spraw o porwanie trafia do policji i Ministerstwa Spraw Zagranicznych, zwłaszcza w okresie letnim, a duńskie matki muszą przeważnie długo czekać na odzyskanie dziecka.

Mniej więcej w połowie przypadków udaje się w ciągu roku sprowadzić dziecko z powrotem, ale może to zająć znacznie więcej czasu – informuje referent w Ministerstwie Spraw Zagranicznych Janne Lund Jespersen, zapytany przez „Ekstra Bladet".

Prawdopodobnie akt zemsty
Policja potwierdza za „Ekstra Bladet", że ojciec zaginionego dziecka otrzymał odmowę zezwolenia na pobyt stały w Danii, w związku z czym zarówno policja, jak i matka podejrzewają, że porwał swojego synka.

Czytaj także:
Trzylatek porwany z przedszkola

– Przecież to kompletny idiotyzm, kto to wymyślił?! – wrzasnąłem, gdy Juhler odebrał mój telefon.

– A o co chodzi, co jest takie idiotyczne? – zapytał Juhler, odchrząknąwszy.

– Piszesz, że Freja podejrzewa męża o porwanie Baltazara. Nic takiego nie mówiła, wprost przeciwnie.

– To jednak całkiem prawdopodobne, wystarczy rzucić okiem na statystykę.

– Wypchaj się ze swoją statystyką. Ustaliliśmy, że masz pomóc w znalezieniu Baltazara, a ty robisz z tego jakąś gównianą sensację. A skąd te zdjęcia i film?

– Przyszedł tu jakiś amator, miał telefon komórkowy z kamerą.

– To jest chore. Wszyscy teraz koncentrują się na osobie ojca, zamiast szukać dziecka.

– A co ty wiesz o ojcu?

– Jest w Boliwii, do cholery! Freja właśnie rozmawiała z jego przełożonym.

– A dlaczego nie z nim?

– Nie mogła się z nim porozumieć, jest w szpitalu z chorym ojcem.

– A nie z chorą mamusią? Albo gdzieś w Danii? Po drodze do granicy ze swoim synem? Obudź się, Hilling! Siedzisz w pierwszej ławce i zasypiasz. Idź do niej. Dowiedz się, jakie mieli problemy. Czy ten jej bambus nie groził już wcześniej, że zabierze syna? Masz tam iść! Chcę mieć cały materiał!

Słuchałem go, ale w ogóle nie poznawałem! Nie takiego szefa znałem! Wiedziałem, że potrafi być bezwzględny, wiedziałem jednak również, że pod powierzchownością trzeźwego redaktora kryje się ciepły i serdeczny człowiek. Znam go od czasu, kiedy jako praktykant zaczynałem pracować w „Ekstra Bladet”. Byliśmy nieraz na wozie i pod wozem, czym udowodnił, że potrafi być dla mnie jak ojciec. Kiedy zdecydowałem, że rezygnuję z etatu, żeby przenieść się do Włoch, pomógł mi załatwić pracę korespondenta, a potem kilka razy odwiedzał nas z żoną. Byli na moim ślubie z Carlą, a kiedy Carla zaginęła, a ja wylądowałem na dnie, oni pomogli mi stanąć z powrotem na nogi. Miewaliśmy naturalnie spory, bywały różnice zdań, ale zawsze byłem pewien, że jeśli Juhler daje słowo, to go dotrzyma. Teraz czułem się wystrychnięty na dudka.

– Chcesz materiał? A moje wymówienie chcesz? Wsadź sobie całą tę historię, wiesz gdzie... Dotarło? Nie zamierzam się w tym babrać!

Rozłączyłem się i z całej siły kopnąłem konia na biegunach, tak że o mało nie przetrącił mi nogi rykoszetem. Reporterka z TV2News przyglądała mi się z pewnej odległości.

– Wściekły? Coś poszło nie tak?

– Nic, nic, tylko tyle, że wszyscy razem nadajecie się do kolorowej prasy.

– Daj spokój, od kiedy to ty jesteś taki święty? – podeszła zupełnie blisko i uśmiechnęła się do mnie.

– Nie mógłbyś załatwić mi wywiadu z matką? Wygląda na to, że ją znasz. – Przechyliła głowę kokieteryjnie i dodała: – Może fotografię ojca. Zrewanżuję ci się przy okazji.

9

FREJA MIAŁA PRZED SOBĄ KUBEK z herbatą i talerz ciasteczek. Siedziała w maleńkim pomieszczeniu biurowym obok sali głównej. Wychowawczyni z grzywką i antykwarycznym naszyjnikiem przedstawiła się jako kierowniczka przedszkola. Nie starała się już mówić poprawnie, jej norweski akcent był teraz zupełnie wyraźny.

– Jestem Toril Aasen. Chcesz herbaty? Sama chętnie się napiję.

Podziękowałem i usiadłem na krześle naprzeciwko Frei, która patrzyła na mnie pytająco.

– Czy możesz mi powiedzieć, co się właściwie dzieje?

Odchrząknąłem.

– Przepraszam, to moja wina.

Wyjaśniłem jej, że to artykuł w internetowym wydaniu „Ekstra Bladet" spowodował nalot paparazzich, i obiecałem jej, że powstrzymam te idiotyczne insynuacje na temat jej męża. Kiwnęła głową.

– Nie przypuszczam, żeby Miguel mógł zrobić coś takiego, to znaczy wiem, że tego nie zrobił. – Po raz pierwszy sprawiała wrażenie w miarę spokojnej i opanowanej. – Ale prawdę mówiąc, wolałabym, żeby tak było. Wtedy wiedziałabym przynajmniej, że dziecko ma się dobrze, że to nie jest nieszczęście. – Po jej policzku znowu potoczyła się łza. – Zrób coś, by to się skończyło, John! Ja już tego nie wytrzymam! – położyła mi głowę na kolanach i szlochając, powtarzała w kółko imię dziecka: – Baltazar, Baltazar, Baltazar!

Toril Aasen pojawiła się w drzwiach z dwoma kubkami parującej herbaty, ale zatrzymała się, patrząc na nas, jakby nie wiedziała, co zrobić ze sobą i z herbatą. Za nią rozległy się głośne kroki i pojawiła się uśmiechnięta policjantka.

– Znaleźliśmy go. Jest cały i zdrowy, właśnie jest zajęty badaniem tablicy instrumentów w jednym z wozów policyjnych. – Zaczęła się głośno śmiać, przecisnęła się obok zaskoczonej kierowniczki przedszkola i kucnęła obok siedzącej Frei. – Znaleźliśmy twojego synka, Frejo. Baltazarowi nic się nie stało. Siedział na schodach u was w domu.

*

Baltazar nie miał żadnych śladów wskazujących na złe traktowanie, bicie czy wykorzystywanie seksualne. Lekarz, który go zbadał, nie znalazł żadnych tego rodzaju symptomów. Chłopczyk nawet nie był przestraszony czy choćby wytrącony z równowagi – wręcz przeciwnie. Był wesolutki, śmiał się i bawił z Freją i lekarzem. Jednak dowiedzieliśmy się od niego, że pani była „bardzo miła", a Baltazar „dostał loda", bo „Baltazar jest dużym chłopcem". Nie umiał natomiast powiedzieć, w jaki sposób trafił do domu.

*

Ester spała słodko w swoim łóżeczku. Pocałowałem ją w czoło i miałem wielką ochotę wziąć ją na ręce, ale dałem spokój, usiadłem obok Marii na kanapie i zreferowałem jej wydarzenia dnia. Słuchała poruszona.

– Ale kto mógł zrobić coś takiego?

– Nie wiem. Lekarz był zdania, że to kobieta chora psychicznie. Ktoś, kto chciałby mieć dziecko. Osoba nieszczęśliwa, ale nieszkodliwa.

– I dlatego zwyczajnie kradnie cudze dziecko?! Pomyśl, co by to było, gdyby to była Ester!

– Najważniejsze, że chłopak jest cały i nic złego mu się nie przytrafiło.

Złapałem pilota ze stolika i włączyłem *Dziennik*, gdzie głównym tematem były powtarzające się porwania dzieci. Baltazara wspominano tylko pośrednio, w komentarzu redakcyjnym.

Pewna matka z Kopenhagi przeżyła dzisiaj najgorszy koszmar, jaki może spotkać rodzica. Jej dziecko zniknęło bez śladu z przedszkola. Zostało odnalezione w dobrym stanie, lecz tylko w bardzo nielicznych przypadkach kończy się to tak szczęśliwie. Obecnie ponad 80 duńskich dzieci przebywa za granicą nie z własnej woli, porwanych przez ojców.

Po tej wstawce pojawił się w studio reprezentant Duńskiej Partii Ludowej. Skrytykował duńskie władze za opieszałość w sprawach tego rodzaju i skorzystał z okazji, by poinformować, że jego partia przygotowuje wniosek o zaostrzenie zbyt liberalnych – jego zdaniem – duńskich przepisów, dotyczących łączenia rodzin.

*

Juhler zadzwonił w chwili, gdy przewijałem Ester. Próbował załagodzić sprawę i był bliski powiedzenia „przepraszam" za rozkręcenie tej historii, ale tylko bliski.

– Sam rozumiesz, wszystko wskazywało na takie tło. Czasami człowiek się trochę pospieszy, ale był to jednak jakiś sukces. Zarówno *Dziennik TV*, jak i *Wiadomości* wykorzystały wczoraj nasze informacje.

– Fałszywe informacje.

– Przecież uprowadzanie dzieci to istotna sprawa. Chyba nie zaprzeczysz?! Docierał do mnie odgłos nabijania fajki.

– Owszem, to ważna sprawa, ale nie daje prawa do oskarżania niewinnych osób ani epatowania w sieci fotkami nieszczęśliwej matki.

– No, cóż...

– Uważam, że powinieneś się szarpnąć na wielki bukiet kwiatów i przeprosiny dla Frei Nielsen.

– To wcale nie jest zły pomysł, załatwię to, ale co z tym twoim gadaniem o wymówieniu?

– To nie było gadanie.

– Chyba nie mówiłeś tego serio? Daj spokój! Weź się w garść, człowieku. Gdzie drwa rąbią, tam wióry lecą, jakoś to załatwimy. Tyle razy się udawało!

– Zadzwonię. Miłego dnia.

*

Moja skrzynka pocztowa pękała w szwach. Cztery e-maile od Juhlera proszącego o telefon. Wszystkie wysłane w nocy. Henrietta wysłała dwa. Jeden miał temat: „Co się dzieje?" i chodziło w nim o moją kłótnię z Juhlerem, drugi informował, że Fundusz IØ potwierdził otrzymanie prośby o wgląd w akta dotyczące pożyczek i dotacji udzielonych z państwowej kasy przedsięwzięciom męża pani minister rozwoju regionalnego. Kierownik działu, który wysłał potwierdzenie, zwracał uwagę, że chodzi o duży materiał, w związku z czym czas oczekiwania może być dłuższy. Wykonał jednocześnie telefon do Henrietty, próbując się dowiedzieć, do czego jej te akta są potrzebne i czego będzie dotyczył artykuł. Henrietta poradziła mu, żeby sobie tym głowy nie zawracał, tylko dostarczył dokumenty możliwie jak najszybciej.

Od fotografa otrzymałem e-maila ze zdjęciem przedstawiającym mnie ze znacząco podniesionym palcem i informacją, że inne ciekawe zdjęcia można znaleźć na jego stronie *crime.dk*. Poinformował jednocześnie, że podjął kroki w sprawie uruchomienia fachowej dyskusji na temat etyki zawodowej niektórych dziennikarzy. Najwyraźniej udało mu się już zwerbować posiłki, bo następną wiadomość wysłano z redakcji programu P1. Zapraszano mnie do udziału w debacie z cyklu *Ludzie i media* na temat granicy między zawodowym a osobistym zaangażowaniem dziennikarza. Program miał poprowadzić wymieniony z nazwiska ekspert medialny. Doskonale znałem tego człowieka. Jako dziennikarz nie dokonał nic szczególnego, wykazał jednak spory zapał i umiejętności, by wylansować sam siebie jako znawcę mediów. W tej roli pojawiał się odpowiednio często zarówno w mediach elektronicznych, jak i w prasie. Równolegle do tej działalności zaliczył też szereg krótkotrwałych mariaży z różnymi tytułami prasowymi, zarówno tymi, które utrzymały się na rynku, jak i tymi, które upadły. Był też autorem kilku książek o etyce dziennikarskiej i wykładał na studiach dziennikarskich.

Podziękowałem za zaproszenie, informując, że nie wezmę udziału w debacie. Dodałem, że jeśli punktem wyjścia miała być sprawa porwanego chłopca, to jest to całkowite nieporozumienie, gdyż nie napisałem na ten temat ani jednej linijki. Występowałem wyłącznie jako osoba prywatna, znajomy matki, i nie widzę tu żadnego konfliktu interesów. Osoba prowadzącego także nie trafia mi do przekonania.

Na końcu był e-mail od Ann, którą poprosiłem o porozumiewanie się wyłącznie tą drogą, a nie za pomocą nocnych telefonów i SMS-ów. Napisała krótko: „Zadzwoń. Rozmawiałam z Jeanett. Czuje się lepiej".

Ann nie odebrała telefonu, więc nagrałem wiadomość, że odezwę się ponownie później, po czym zadzwoniłem do Frei. Powiedziała, że spała bardzo mało, bo spędziła noc przy łóżku Baltazara. Trzymała go za rękę w czasie snu, a on w drugiej ręce trzymał swoją ulubioną zabawkę.

– Zachowuje się zupełnie normalnie. Nie mówi w ogóle o tym, co się zdarzyło, tylko bawi się kolejką.

– A co z tobą? Jak ty się czujesz? – zapytałem i usłyszałem westchnienie.

– Myślę, że to wszystko jeszcze nie całkiem do mnie dotarło, ale jakaś reakcja pewnie nastąpi.

– Pewnie tak. Czy mogę coś dla ciebie zrobić?

– Tak! Może udałoby ci się nakłonić twoich kolegów dziennikarzy, żeby przestali do mnie dzwonić.

Jej telefon dzwonił niemal bez przerwy. Dwie tygodniówki, popołudniówka „B.T.", „Ekstra Bladet" i TV2News proponowały wywiady. Redaktor jednego z wieczornych programów zapraszał ją razem z Baltazarem, obiecując, że weźmie w nim także udział popularny aktor z programów dla dzieci, więc Baltazar na pewno się ucieszy. Freja wszystkim odmówiła. Jakiś wymowny redaktor próbował ją mimo wszystko nakłonić do zmiany zdania, argumentując, że powinna się wypowiedzieć, bo to jej dobrze zrobi i będzie także z pożytkiem dla innych rodziców, którzy mieli podobne przeżycia i musieli się z nimi uporać. Kiedy ponownie odmówiła, pan redaktor chwycił się ostatecznego argumentu: „Czy zdajesz sobie sprawę, ilu ludzi nas ogląda?!".

Maria i Ester spały. Zostawiłem dla Marii karteczkę na kuchennym stole, informując, że wychodzę i wrócę na lunch. Przez kilka godzin włóczyłem się po nowym parku nadmorskim, obserwując matki z małymi dziećmi, bawiącymi się w piasku. Kupiłem sobie hot doga i usiadłem, by pomyśleć, co mam począć z Juhlerem, który zawiódł moje zaufanie. Więcej jednak myślałem o Carli i Marii. Chcąc nie chcąc, porównywałem je ze sobą. Obok mnie usiadła na ławce młoda matka i uśmiechnęła się przepraszająco, przystawiając swego malucha do piersi. Odpowiedziałem przelotnym uśmiechem, który miał ją upewnić, że ani mi to nie przeszkadza, ani ja nie zamierzam przeszkadzać czy podglądać.

– Sam mam małą dziewczynkę, nazywa się Ester – powiedziałem.

– Ładne imię – odpowiedziała, przerzucając sobie dzidziusia przez ramię, żeby mogło mu się odbić, zanim dostanie jeść z drugiej piersi.

– Tak, ładne imię i ładna dziewczynka – powiedziałem – po matce.

*

Mieliśmy gości. Przed drzwiami parkowały cztery lśniące lakierem dziecinne wózki, a wewnątrz Maria i cały legion młodych matek popijały herbatkę i wymieniały doświadczenia w kwestii zaczerwienionych pup i potrzebnych maści. Znalazły też czas, by poruszyć kwestię uprowadzonych dzieci. Wspólne wysiłki „Ekstra Bladet" i telewizji skutecznie wprowadziły do porządku dnia zagadnienie ryzyka przy wychodzeniu za mąż za cudzoziemca. Jedna z kobiet wychowywała dziecko samotnie, gdyż – jak zaznaczyła – „facet zachowywał się jak ostatnia świnia, kiedy byłam w ciąży, więc dostał kopa", na szczęście pochodził z Ballerup, a nie z Bagdadu. Wzniosła oczy do nieba, opisując jego grzechy... i chociaż później obiecywał poprawę i błagał, by do niego wróciła, postawiła sprawę twardo: jeśli miałoby to od niej zależeć, to małego Noaha nigdy nie zobaczy na oczy. Dostrzegłem ryzyko zakwalifikowania do grupy niewiernych rodziców także porywaczy i, na wszelki wypadek, wycofałem się poza zasięg podrażnionych damskich hormonów, mruknąwszy, że idę na spacer i za parę godzin będę z powrotem.

*

Henrietta zgodziła się na spotkanie w Pinden. Nie rozmawialiśmy w cztery oczy od paru miesięcy, a w Pinden nie byliśmy jeszcze dłużej. Niegdyś ta knajpka przy Reventlovsgade służyła nam niemal za lokal redakcyjny, ale od tego czasu wiele się zmieniło. Ja poznałem Marię, a Henrietta, po niemal dwudziestu latach życia singielki, zamieszkała z Mogensem. Mogens był psychologiem społecznym z Aarhus, ale zdecydował się na porzucenie rodzinnego miasta i zamieszkanie w Vanløse z Henriettą.

– Jak mu idzie? – zapytałem.

– Doskonale – odparła – pracuje z łobuzami z Blaagaardsplads. Chociaż czasami snuje opowieści, od których przechodzą ciarki.

– A jak z tobą?

– Bardzo dobrze! Pijesz to co zwykle? – zapytała, poklepując się znacząco po kieszeni. – Kolejka za Juhlera? Powiem ci, że wydawał mi się zmartwiony – dodała, stawiając dwa piwa Fernet Branca na stole.

– Kto wyglądał na zmartwionego?

– Juhler. Jest przekonany, że naprawdę zamierzasz odejść.

– No bo zamierzam.

– Daj spokój, John. Wy nie możecie się przecież bez siebie obejść, a ja też nie mam ochoty się z tobą żegnać, mamy przecież temat do zrobienia. Weź się w garść, człowieku!

– Jestem tym wszystkim zmęczony, Henry. Nie podoba mi się to, w co zamieniła się nasza gazeta. Tylko tania sensacja i populistyczne kawałki.

– Nie udawaj świętego! Przecież to są twoje tematy! – uniosła szklankę w geście toastu.

Siedzieliśmy jeszcze kilka godzin, wałkując sprawę pastora Bingo i męża pani minister rozwoju regionalnego. Ustaliliśmy wspólną linię strategiczną i podzieliliśmy między siebie zadania. Sprowadziło się to głównie do tego, że Henrietta będzie kontynuować badanie dokumentów, podczas gdy ja spróbuję dotrzeć głębiej, do ludzi z kręgu Słowa Ewangelii. Wymagało to ponownego wyjazdu do Varde, i chociaż bez entuzjazmu myślałem o rozstaniu z Ester i na pewno nie byłem zachwycony perspektywą ponownego spotkania Jima Vamdrupa i jego bandy, to nie widziałem innego wyjścia, jeśli sprawa miała być doprowadzona do końca.

– No to pora na mnie – powiedziałem, spojrzawszy na zegarek, i wstałem od stolika. Henrietta uśmiechnęła się.

– OK, Juhler się ucieszy, kiedy się dowie, że zmieniłeś zdanie, bo chyba inaczej tego nie można rozumieć?

– No... nie! Ale na razie nic mu nie mów. Zasłużył na to, by przez parę dni się zadręczać.

*

– Hej, ho! Już jestem! – zawołałem, wchodząc do domu, ale Maria położyła palec na ustach. Siedziała na brzeżku kanapy z pilotem w ręku. Obok niej piętrzyło się pranie, które akurat układała.

– Jeszcze jeden!

– Jeden co?

– Jeszcze jeden dzieciak, który zaginął. – Podkręciła głos w telewizorze. Reporterka z TV2News w czerwonym żakiecie właśnie trzymała mikrofon, stojąc przed grupką ludzi z ponurymi minami przy jakimś bloku mieszkalnym. Zmrużyła oczy i odwróciła się bokiem, żeby wskazać coś czy kogoś z tyłu grupy.

Wielu spośród mieszkańców, z którymi rozmawiałam, może potwierdzić, że osoba, której rysopis przypomina Egipcjanina Walida Al-Shamiego, ojca Mikołaja, kilkakrotnie była widziana w okolicy.

Maria wyłączyła telewizor i odłożyła pilota na stolik.

– Czy to nie straszne? Tylko trzy lata! – Wstała, żeby mnie uściskać.

– Zobaczymy wieczorne relacje, będzie jego matka.

10

ZAGINIONY MIKOŁAJ ODNALAZŁ SIĘ po paru godzinach. Po prostu zsiusiał się w majtki i schował w domeczku na placu zabaw. Znalazła go dwójka innych dzieci. Poza zmoczeniem żadnych innych szkód nie odniósł. Jego uszczęśliwiona matka, która zostawiła go na podwórku, gdy poszła napić się kawy z sąsiadką, zabrała go ze sobą do telewizyjnego studia. Chłopczyk nie zwracał żadnej uwagi na niezwykłe otoczenie, był natomiast wyraźnie zafascynowany mikrofonem, który przyczepiono matce do bluzki. Nieustannie go dotykał, wywołując trzaski zakłócające opowieść rodzicielki o godzinach niepewności i strachu, które przeżyła. W programie pojawił się, już po raz drugi, reprezentant Duńskiej Partii Ludowej, żeby rzucić światło na problem porywania dzieci przez ojców cudzoziemców. W tym przypadku niepokoił go w szczególności fakt, że ojciec był Egipcjaninem, ponieważ Dania nie ma z tym krajem umowy o ekstradycji. Dlatego uznał za stosowne zaapelować do całej międzynarodowej społeczności, a do Unii Europejskiej szczególnie, o wywarcie presji na Egipt. Dodał też, że przypadki zaginięcia dzieci w ostatnich dniach stanowią istotne zagrożenie dla elementarnych duńskich wartości. Matka Mikołaja była z nim całkowicie zgodna. Podobną opinię wyrazili również reprezentanci dwóch innych partii, Socjaldemokracji i SF, których udało się odnaleźć między grządkami jakiegoś ogrodu warzywnego na Jutlandii.

Wyszedłem na chwilę, żeby zadzwonić do Ann, czując się śmiesznie, że w tym celu wychodzę z domu, ale najzwyczajniej nie miałem ochoty usprawiedliwiać się przed Marią ponownie. Pomimo że cała ta sprawa została wyjaśniona i że niemal minuta po minucie zreferowałem przebieg moich kontaktów z Ann, czułem, że Maria nie do końca mi ufa. Zwłaszcza że rozmawiała potem z Heleną Outzen. Jan najwyraźniej dotrzymał słowa w dość szczególny sposób, zabawiając żonę opowieściami o wyczynach, do których zdolne są młode kobiety.

Ann właśnie szykowała się na wieczorne wyjście do dyskoteki Tropic, ale powiedziała, że może porozmawiać.

– Klawo, że dzwonisz, ile razy próbowałeś?

– Tylko kilka, ale rozumiem, że rozmawiałaś z Jeanett.

– Tak, ona czuje się już dobrze. Chce wszystko opowiedzieć.

– Doskonale. Kiedy mogę się z nią spotkać? Liczę, że będę w Varde w przyszłym tygodniu.

– Nie możesz.

– Nie rozumiem.

– Ona boi się z tobą spotkać.

– Przed chwilą powiedziałaś, że jest gotowa wszystko opowiedzieć, więc musimy się spotkać.

– Nie, to ma być za moim pośrednictwem.

– Twoim pośrednictwem?

– Tak, możesz powiedzieć mnie, o co chcesz ją zapytać.

– To niemożliwe. Muszę przynajmniej porozmawiać z nią przez telefon.

– Ona się boi, John! Nie rozumiesz? Tylko ze mną nie obawia się rozmawiać.

– To na nic. Tego się nie da tak zrobić. Musisz jej to powiedzieć.

– Próbowałam! Chciałam ją namówić, ale ona zgadza się tylko w ten sposób, że dostanę od ciebie pytania i jej przekażę. Dlaczego nie da się tego tak zrobić?

– Bo nie. Nie mogę napisać artykułu o osobie, której nie widziałem i z którą nawet nie rozmawiałem. Ja nie pracuję w ten sposób.

Maria ułożyła już całe pranie i rozkładała je teraz do komody. Kiedy wszedłem, odwróciła się w moim kierunku, patrząc podejrzliwie.

– Gdzie się podziewałeś?

– Wyszedłem, żeby zadzwonić.

– A dlaczego nie zadzwoniłeś z mieszkania? Masz przede mną jakieś tajemnice? – Ujęła się pod boki. – Co ty przede mną ukrywasz, John?

– Nic nie ukrywam, miałem ochotę na papierosa. Dlatego wyszedłem na zewnątrz. Niczego przed tobą nie ukrywam. Czy znowu musimy to przerabiać? Myślałem, że już mamy wszystko wyjaśnione.

Odwróciła się do mnie tyłem, weszła do pokoju dziecinnego, otworzyła paczkę pieluch i zaczęła je układać w koszu ustawionym na stoliku do przewijania. Jedna pielucha upadła na podłogę, podniosłem ją i podałem Marii.

– Zamierzam zresztą pojechać na parę dni do Varde w przyszłym tygodniu. Masz coś przeciwko?

Wzięła ode mnie pieluchę.

– Możesz robić, co uważasz za słuszne. Nie musisz mnie o to pytać. – Próbowała wcisnąć pieluchę do wypełnionego już kosza, ale dała spokój i rzuciła ją w kąt. – Idę spać. Twoja kolej, żeby zająć się Ester. Jestem zmęczona, bardzo zmęczona.

*

Niczego nie dała po sobie poznać. Nasza kłótnia poprzedniego wieczoru najwyraźniej poszła już w zapomnienie. Mówiła tak, jakby nic się nie wydarzyło, pytała o sprawę powieszonego pastora i dopytywała się, kiedy dokładnie zamierzam jechać na Jutlandię.

– Pomyślałam, że ja i Ester możemy się z tobą zabrać. Zamieszkalibyśmy wszyscy razem u Poula. Z Haderslev do Varde jest tylko godzina jazdy. Chętnie pojadę, ale to ty musisz zdecydować.

– To świetny pomysł; nie będę musiał wtedy się spieszyć z załatwieniem sprawy.

*

Źródło w DANID-zie, które zaproponowałem Henrietcie, za-
działało szybko i skutecznie. Przyszedł cały materiał na temat
projektu Słowa Ewangelii w Ugandzie.

– Wygląda OK. Twój pastor dostał pieniądze z programu
wsparcia o nazwie Business to Bussines; dawniej nazywał się
on Programem Sektora Prywatnego, ale kilka lat temu zmienił nazwę. Czy nie podjechałbyś do redakcji, żebyśmy mogli to
przejrzeć razem? Przy okazji mógłbyś powiadomić Juhlera, że
wracasz.

– A jest tam coś podejrzanego?

– O ile zauważyłam, to nie, ale powinieneś to jeszcze sam
zobaczyć. Muszę zebrać materiał o tych wszystkich porwa-
niach. Juhler jest tym najwyraźniej mocno przejęty.

*

– Ślepa jesteś? Przecież to jest bomba! – Jeszcze raz przeczytałem streszczenie. – Ja cię kręcę!

Henrietta spojrzała na mnie ze zdumieniem.

– O co ci chodzi? – Pochyliła się nad biurkiem, a ja podsunąłem jej dokument z DANID-y.

– Spójrz tylko, z kim Jørgen Jezus współpracuje w Ugandzie! – pokazałem jej nazwę lokalnego partnera: New Christian
Church of God, dyrektor zarządzający – pastor Henry K. Mukabi.

– Czy to nazwisko nie brzmi przypadkiem znajomo?

Położyła mi rękę na ramieniu i gwizdnęła cicho.

– Rany boskie, John! Przedtem nie zwróciłam na to uwagi.
To koniec pani minister.

*

– Poproszę jeszcze raz od początku, mój chłopcze. – Juhler odchylił się do tyłu w swoim fotelu, pokrytym imitacją skóry, po-
ssał fajkę, ale najwyraźniej miał kłopoty z utrzymaniem w niej

ognia, bo za każdym razem, kiedy ją zapalał, wyjmował ponownie z ust, żeby zadać kolejne pytanie. Uśmiechał się od ucha do ucha i nawet nie próbował ukrywać, że to, co usłyszał, bardzo go zadowoliło. Miał minę małego chłopca, który właśnie znalazł pod choinką wielki czerwony wóz strażacki.

Zakreśliłem palcem nazwisko Henry Kingston Mukabi. Wypisałem na pulpicie jego biurka nazwiska wszystkich zamieszanych w sprawę osób.

– Zdążył uciec, zanim policja zgarnęła resztę bandy. Siedział w tym głęboko. Mamy jego zdjęcie z niektórymi spośród tych kobiet.

– A DANIDA udzieliła temu człowiekowi wsparcia? Ile?

Juhler podniósł się z fotela, żeby wziąć piwo z lodówki, jedno podał Henrietcie, drugie postawił przede mną i, uśmiechnięty, ponownie zajął miejsce w swoim fotelu.

– W pierwszym rzucie sto dwadzieścia pięć tysięcy koron na tak zwane koszty uruchomienia plus gwarancja na dwa miliony dotacji do projektu. – Wyjaśniłem szczegóły związane z konstrukcją operacji finansowej i różnice między pożyczką a gwarancją.

Juhler rąbnął pięścią w blat biurka.

– To jest to! Teraz polecą głowy. To wielka sprawa, Henrietto, rzucasz wszystko inne, a ty, Hilling... Hilling, ja cię kocham!

– A co z tymi porwanymi dziećmi? – zapytała Henrietta z szelmowskim uśmieszkiem. Juhler popatrzył, poskrobał się w kark i huknął:

– Daj to jakiemuś praktykantowi. Daj to w cholerę pierwszemu lepszemu praktykantowi!

Nigdy nie spotkałem Henry'ego Kingstona Mukabiego, ale miałem mimo to wrażenie, że znam człowieka dość dobrze. Natrafiłem na jego nazwisko, kiedy próbowałem dociec, w jaki sposób szesnastoletnia Joy Okoti z Nigerii skończyła jako prostytutka na Vesterbro. Została zatrzymana przez policję i podczas przesłuchania podała adres przy Mimersgade na Nørrebro.

Okazało się, że mieści się tam lokal w piwnicy, a nazwisko najemcy brzmiało: Henry Kingston Mukabi. Zacząłem badać afrykańskie środowisko w Kopenhadze i zwróciłem uwagę, że Mukabi był związany z niezależnym Kościołem na Amager. Duszpasterz tego Kościoła, Solomon Olatao, i jego syn Benjamin Olatao zostali później skazani za handel żywym towarem, fałszowanie paszportów i handel narkotykami. Obydwaj znajdowali się aktualnie za kratkami w Vestre Fængsel. Ich wspólnik, Mukabi, który wraz z żoną odpowiadał za zwerbowanie nie tylko szesnastolatki, ale większej liczby afrykańskich kobiet na duński rynek prostytucji, zdążył opuścić Danię przed akcją policji i wrócił do głównego Kościoła w Afryce. Nazwa tego Kościoła to New Christian Church of God.

– Olatao powiedział mi wówczas, że Mukabi i jego żona prowadzą w Nigerii szkołę i centrum rehabilitacji. Nie wspomniał jednak, że właśnie tam wyszukiwali dziewczyny i kobiety na sprzedaż do Danii. Może ten sam proceder istnieje nadal w szkole w Ugandzie, prowadzonej do spółki z Jørgenem Jezusem?

Juhler i Henrietta słuchali uważnie, kiedy referowałem, co mam na afrykańskiego partnera. Juhler był uszczęśliwiony.

– Ale numer! I to jemu minister rozwoju regionalnego przyznała dotację! Mamy jakieś zdjęcie, na którym oboje są razem?

Henrietta poruszyła się na krześle.

– Nie mamy, ale podjęłam próbę wybadania DANID-y. Nie zdradziłam oczywiście, co wiemy, posłałam tylko ostrożne zapytanie.

– To znaczy co? – zapytał Juhler, obdarzając ją spojrzeniem pełnym troski.

– Opowiedziałam bajeczkę o ciepłych krajach. Że niby zamierzamy napisać coś o działalności pani minister i chcielibyśmy ewentualnie parę fotografii. Nasz człowiek w DANID-zie dał nam namiar na dziennikarkę z ich własnego pisma „Rozwój". Jest tylko współpracownicą, ale była w Afryce z panią minister.

– Doskonale, a co z drugą częścią tej historii, Hilling? Z tym partnerem męża pani minister, który jest nazistą?

– Ciągle brakuje dostępu do akt, ale mamy bardzo dobre zdjęcia Gregersa Sehesteda w mundurze z koalicyjką i całą resztą ozdób.

– Pamiętam tę sprawę – rzekł Juhler, uśmiechając się. – I ten facet jest partnerem męża pani minister! Nie będzie jej wesoło, kiedy to opublikujemy. Może sobie oszczędzić wydatku na drewno kominkowe na najbliższą zimę, bo i bez tego będzie jej się palić grunt pod nogami.

Umówiłem się na piwo z inspektorem Øgaardem ze Station City. Nie widziałem się z nim już kilka miesięcy, ale sam zadzwonił i nalegał na spotkanie. Øgaard był znajomym z okresu, kiedy razem z Henriettą rozpracowywaliśmy sprawę handlu kobietami. Gdy odkryliśmy, że w czasie szkoleń integracyjnych dla biznesmenów przeprowadzano realistyczne symulacje gier wojennych, gdzie między innymi odgrywano scenę autentycznego gwałtu zbiorowego na młodej kobiecie z zasłoniętą twarzą, pomagał nam efektywnie mimo niechęci jego przełożonych. Jednym z członków zespołu organizującego te szkolenia był policjant, a gdy sprawa zyskała międzynarodowy rozgłos, Øgaard został przez przełożonych skierowany do zajęć wychowawczych. To znaczy odwiedzał szkoły i przedszkola, pouczając dzieci, jak należy przechodzić prawidłowo przez ulicę. Miał obecnie sześćdziesiąt lat i żadnych widoków na powrót do prawdziwej pracy policyjnej.

Przedtem nasze spotkania miały miejsce zazwyczaj w Café Carlton blisko komendy, ale ponieważ komendant policji udzielił mu reprymendy za zbyt bliską współpracę z prasą – chodziło zwłaszcza o mnie i moich kolegów z „Ekstra Bladet" – zaproponował coś na drugim końcu miasta.

Rozglądał się z zaciekawieniem po niewielkim lokalu, w którym się w końcu spotkaliśmy, zwracając szczególną uwagę na szpakowatego gościa w spodniach khaki i skórzanej kamizelce, który siedział na stołku barowym nad szklanką jakiegoś napitku. Kiedy wróciłem do stolika z dwoma kuflami, pochylił się do mnie nad stołem i zapytał szeptem:

– Czy ten facet przy barze, którego pozdrowiłeś, nie jest czasem z telewizji?

– Owszem.

– Dobrze go znasz?

– Nieźle, ale nie przyjaźnimy się, jeśli o to ci chodzi.

– Dość dawno nie było go na ekranie.

– Mam coś, co może cię zainteresować – powiedział, żując kanapkę z wędliną.

– Tak?

– Ruszyło wewnętrzne śledztwo w sprawie jednego z kolegów w City.

– A czego to dotyczy? – zapytałem, wyjmując notatnik. Nie po raz pierwszy najważniejsza komenda w mieście miała kłopoty z jednym ze swoich pracowników. W ostatnich latach zdarzyło się kilka innych spraw przeciwko policjantom, którzy mieli problemy z przestrzeganiem prawa. Ta ostatnia, przypadek policjanta, który pomagał w organizacji rasistowskich gwałtów podczas szkolenia integracyjnego, wstrząsnęła opinią publiczną i zajmował się nią minister sprawiedliwości, a także komenda główna policji. To, że policjant miał powiązania z ekstremistami i reprezentował skrajnie prawicowe poglądy, nie było może aż tak uderzające. Najbardziej przykry dla systemu zdawał się fakt, że był uwikłany w handel żywym towarem, chociaż wybrano go do doborowej grupy policjantów, która specjalizowała się w zwalczaniu tego typu przestępczości.

– Nie mogę teraz o tym mówić, musisz najpierw sam trochę pogrzebać. Do tego masz przecież talent. – Øgaard obrzucił mnie konspiracyjnym spojrzeniem. – Może potem będę musiał ci trochę pomóc.

– Musisz mi teraz dać coś więcej, żebym wiedział, czego mam szukać.

Rozejrzał się po lokalu, nachylił do mnie i kontynuował konfidencjonalnym szeptem.

– Ktoś grzebał w systemie Polsas, interesując się sprawami, do których przeglądania nie miał uprawnień.

– Popełnił więc grzech, który ty także masz na sumieniu, i to kilkakrotnie?

– No tak, ale ja to zrobiłem w dobrej wierze.

– Rozumiem, że tym razem ktoś to zrobił z innego powodu?

– Wiem tylko tyle, ile słyszałem, ale mogę spróbować dowiedzieć się więcej, jeżeli cię to interesuje.

Wyjaśniłem mu, że akurat w tej chwili jestem w stu procentach zaabsorbowany inną sprawą, ale że naturalnie zawsze jestem zainteresowany, kiedy jakiś policjant łamie prawo. Obiecał mi, że spróbuje się dowiedzieć dokładniej, do jakich spraw jego policyjny kolega usiłował zdobyć dostęp w policyjnej bazie danych. Zapewnił mnie także, że chociaż „komendant z pożyczką", jak zawsze określał łysiejącego nadinspektora, ma na niego oko, to on i tak coś wywęszy.

– Jeżeli policjant łamie prawo, to opinia publiczna ma prawo o tym wiedzieć, prawda? – zapytał, wstając z krzesła, podciągając i tak przykrótkie spodnie, ukazując blade, nieowłosione łydki nad niebieskimi skarpetkami frotté, które założył do sandałów. – A wolę to przekazać tobie niż któremuś z twoich kolegów – wskazał przy tym znacząco na gościa, który nadal tkwił przy barze.

*

Przeszliśmy razem kawałek deptakiem i rozstaliśmy się na placu Ratuszowym. Øgaard najwyraźniej się nie spieszył i proponował, że pójdzie ze mną do redakcji. Chciał przy okazji spotkać się z Juhlerem, bo obydwaj byli zapalonymi kibicami drużyny Frem BK. W trakcie kontaktów, przy okazji sprawy z kobietami, udało się także ustalić, że obydwaj serdecznie nie znoszą innego klubu piłkarskiego – FCK, w szczególności jego prezesa. Wytłumaczyłem się nawałem zajęć w związku ze sprawą, którą właśnie śledzę, obiecałem jednak, że niedługo zaaranżuję im spotkanie. Wyglądał na rozczarowanego i wręczył mi na pożegnanie plastikową torbę.

– To nic takiego, ale pomyślałem sobie, że chociaż to dziewczynka, może i tak jej się spodoba. Tylko chyba musi być troszeczkę starsza.

– To dla Ester?

Kiwnął głową, a ja podziękowałem za prezent, obiecałem, że pozdrowię Marię, podałem mu rękę i zamierzałem odejść.

– Nie zobaczysz, co jest w środku? – zapytał rozczarowany – Możesz to wyjąć, nie uszkodzisz.

Sięgnąłem do torby i wydobyłem układankę z siedemdziesięciu dwóch elementów, zalecaną dla dzieci od lat czterech.

– Rzeczywiście chyba musi jeszcze trochę podrosnąć. – Z trudem powstrzymywałem uśmiech.

– Można wymienić.

– W żadnym wypadku, schowamy to tylko na parę lat. Jestem pewien, że bardzo się z tego ucieszy, taki ładny rysunek i w ogóle, teraz rzadko się spotyka podobne rzeczy. Naprawdę bardzo dziękuję.

Rozczarowanie się ulotniło i z dumą wskazał na rysunek, który przedstawiał policjanta zatrzymującego ruch, żeby kaczka z kaczętami mogła spokojnie przejść na drugą stronę ulicy.

– No właśnie! Jej matka przecież także jest policjantką.

– Właśnie, muszę już uciekać, a ty wracasz na komendę?

– Nie, odbieram zaległe wolne dni, tak że chyba zabawię się w turystę przez parę godzin.

11

JUHLER BYŁ NIEZDECYDOWANY. Sprawa dotacji DANID-y dla Jørgena Jezusa i jego wspólnika Henry'ego Kingstona Mukabiego była właściwie gotowa. Brakowało drobiazgów, żeby zacząć pisać artykuł i przyszpilić panią minister na pierwszej stronie. Nie mieliśmy natomiast prawie nic na temat męża i jego inwestycji w fermy trzody w Europie Wschodniej. Prosiło się o opublikowanie sprawy afrykańskiej jak najszybciej, ale jednocześnie groziło, że wówczas inne media zaczną się interesować panią minister i jej mężem i być może ktoś nas ubiegnie. Na podstawie wcześniejszych doświadczeń można też było zakładać, że kiedy opublikujemy pierwszy artykuł, to cała ekipa specjalistów od mediów i dygnitarzy wokół pani minister natychmiast uruchomi działania zapobiegawcze. Mimo że zasadniczo każdy obywatel ma prawo wglądu w akta dotyczące działalności ministra, w ostatnich latach wprowadzono szereg utrudnień dla kogoś, kto rzeczywiście się tego domaga.

– Uważam, że trzeba poczekać. Powinniśmy mieć wszystko przygotowane. Sprawa nam przecież nie ucieknie. Przygotujmy serię artykułów, codziennie nowe sensacje. – Popatrzyłem na Juhlera, który jednak nie wyglądał na przekonanego.

– Cholera, Hilling! Mamy historię afrykańską i wiemy, że jej mąż ma partnera, byłego nazistę. Czego jeszcze trzeba?

– Całej afery! Odkrycia wszystkiego. Najpierw ujawnimy, że udzieliła zagranicznej dotacji podejrzanej sekcie religijnej, mającej powiązania z afrykańskimi gangsterami. BANG! To wstrząśnie systemem i spowoduje, że pozostałe media będą nas cytować. Wtedy my opublikujemy drugą część: mąż pani minister ma również podejrzane koneksje i otrzymuje dotacje. BANG! BANG! Na końcu wystosujemy apel do opozycji, by zażądała dymisji. BANG! BANG! BANG! NIE ŻYJESZ!

Odwróciłem się w kierunku drzwi, które ktoś otworzył akurat w chwili, gdy oddawałem strzał. Nadal miałem wysunięte dwa palce, kiedy w drzwiach pojawiła się Tania, praktykantka, która teraz zajmowała się sprawą porwanych dzieci. Spojrzała na mnie przestraszona i zapytała, czy nie przeszkadza.

– Nie, nie! – zapewnił ją Juhler – wprawdzie Hilling właśnie wystrzelał połowę rządu, ale możesz wchodzić śmiało!

– Jeszcze raz przepraszam, jeśli przeszkodziłam – powiedziała – ale to jest ważne.

Henrietta podniosła się z miejsca i podeszła do niej.

– Czy to ma coś wspólnego z porwaniami? – zapytała.

– Tak, Henry z *crime.dk* czeka na zewnątrz. Ma zdjęcia i wideo.

Juhler pochylił się do przodu.

– Nie kupujemy od tego idioty. Co to za zdjęcia?

– Z nowego porwania. Zginął chłopiec z przedszkola Koniczynka w Østerbro. Jest wywiad z matką.

– Nowe porwanie i wywiad z matką? Dawaj go! Czy ja wszystko w tej budzie muszę robić sam?

Praktykantka miała nieszczęśliwą minę.

– Nie byłam pewna, czy będziesz to chciał – usprawiedliwiała się.

– A to niby dlaczego? To jest nowe porwanie i jest wywiad z matką.

– Ale tym razem ojciec jest Duńczykiem.

Kenny Madsen uśmiechnął się z przekąsem, kiedy mnie zobaczył.

– Cześć staruszku i dzięki za fotkę.

Nie odpowiedziałem, on zaś zdjął swoją czarną kurtkę i rzucił na podłogę. Ukazały się tłuste, blade, wytatuowane ramiona, wystające z krótkich rękawów koszulki. Koszulka także była czarna i, podobnie jak kurtka, miała firmowe logo z przodu i z tyłu.

– Zapraszam do obejrzenia moich delikatesów! – Nie czekając na zachętę, ustawił swoją kamerę Sony na biurku Juhlera, otworzył wyświetlacz LCD i szybko przewinął, żeby znaleźć odpowiedni fragment.

– Tutaj widać, jak mamusia się pojawia... ta, tutaj. – Wskazał tłustym palcem kobietę, która właśnie wysiadała z taksówki. – A tu mamy wychowawczynię – znowu wskazał ekran – i za chwilę będzie się działo!

Dwie kobiety wdały się w rozmowę. Ta, którą fotograf wskazał jako matkę, trzymała rękę na ustach, słuchając wychowawczyni, po czym nagle straciła panowanie nad sobą i zaczęła walić pięścią w pierś wychowawczyni, krzycząc: – Jak to możliwe?! Dlaczego go nie upilnowałaś?!

– Mocne, co? – Fotograf spojrzał na nas z obleśnym uśmiechem. Nikt nie odpowiedział, wpatrywaliśmy się wszyscy w otyłego mężczyznę w ciasnym podkoszulku. W swoich szortach trzy czwarte wyglądał jak zawodnik sumo na plaży. Białe łydki i brzuch wylewający się ze spodni, włosy ściągnięte z tyłu w kitkę i okulary Ray Ban zsunięte na czoło.

– Żywe słowo też jest dostępne, jeśli właściwie się do tego zabrać.

Znowu przewinął kawałek do przodu, żeby pokazać to, co jego zdaniem miało być wywiadem. Niczym reporter na Tour de France galopował za kobietą, wykrzykując pytania: „Jak myślisz, kto to zrobił?" i „Ile on ma lat?". Zdesperowana kobieta, szlochając, zdołała odpowiedzieć, że „nie wie" i „ma tylko trzy latka".

– Ile za to chcesz? – zapytał Juhler. Pozostali, to znaczy praktykantka, Henrietta i ja obserwowaliśmy fotografa w milczeniu.

– To jest moje solo, tylko ja tam byłem.

– Nie o to pytałem.

– Co powiesz na piętnaście kawałków? Dostajesz to na wyłączność.

– Mogę dać połowę – Juhler przysunął się i spojrzał mu z bliska prosto w oczy – i oczywiście dostaję to na wyłączność, kolego.

Fotograf był najwyraźniej zaskoczony szybką ripostą Juhlera i pospiesznie odsunął się dwa kroki. Przez chwilę nie wiedział, jak zareagować.

– No dobrze – powiedział w końcu – ale chcę mieć z wami stałą umowę. Mam trzy wozy i cały kraj w zasięgu. Podniósł z podłogi swoją firmową kurtkę i sięgnął do kieszeni. – Jesteśmy na ulicy dobę na okrągło. Dostajecie ode mnie cały materiał.

Każdemu z obecnych wręczył po zapalniczce, na której było logo i numer telefonu, uśmiechnął się pewny siebie i znowu poczuł się w siodle.

– Gdzie mogę to przegrać? – zapytał, wymachując kasetą.

Juhler odpowiedział, nie patrząc:

– Daj to Katji, ona się tym zajmie.

– Tani – wtrąciła praktykantka.

– Co?

– Mam na imię Tania, a nie Katja!

Juhler odwrócił się do fotografa, który znowu się uśmiechał.

– Daj to Tani, fakturę prześlij do mnie.

*

– Tfu, ale śmierdzi!

Juhler złapał się palcami za nos, a drugą ręką uchylił okna.

– Jego metody wcale nie pachną lepiej od niego – dodałem, odstawiając pustą butelkę do skrzynki obok lodówki.

– Co masz na myśli? – Juhler spojrzał na mnie ze złością.

– Po prostu śmierdzą z daleka. Nie pojmuję, jak możesz kupować takie gówno od tego faceta. To niepoważne.

– Wypchaj się ze swoją powagą – odpalił Juhler. – Coś ci powiem, Hilling. Moja gazeta żyje z aktualności i sensacji, a nie z przemądrzałej żurnalistyki dla elity. Robimy tu gazetę zrozumiałą dla czytelników.

– Czytelnicy nie są głupi, oni...

– Racja, nie są głupi, są bezdennie głupi, ale piszemy dla nich, a nie dla siebie! Może pora, żebyś to wreszcie pojął.

Zaczerwienił się ze złości i prysnął śliną przez zaciśnięte zęby. Nie pamiętałem, kiedy go widziałem w takim stanie. Henrietta popatrzyła zdziwiona i próbowała go uspokoić, kładąc mu rękę na ramieniu, ale Juhler ją strząsnął.

– Co się z tobą stało, Juhler? I jak mogłeś tak mówić do Tani? To zupełnie do ciebie niepodobne.

Popatrzył na nią bez słowa i wpatrywał się uporczywie, najwyraźniej oczekując, że ona odwróci wzrok, ale w tym wypadku się przeliczył. Henrietta odpowiedziała równie wyzywającym spojrzeniem i wreszcie on musiał odwrócić wzrok. Zupełnie innym tonem powiedział wreszcie:

– Macie dwa tygodnie na panią minister, ale ma być z tego materiał na pierwszą stronę.

*

Henrietta grzebała nerwowo w torebce. Przeklinając panujący w niej bałagan, wydobyła najpierw cały plik różnych papierów i w końcu znalazła telefon komórkowy. Odeszła na bok, żeby przeczytać SMS-a, westchnęła ciężko i odłożyła komórkę do torebki.

– Czy możemy dać spokój na dzisiaj? Za chwilę przyjedzie po mnie Mogens.

Spojrzałem na zegarek.

– Dopiero wpół do trzeciej, już wychodzisz?

Przyjrzała się jednej z kartek, którą wyjęła z torebki i odłożyła ją na stół. Nie podnosząc wzroku, oznajmiła:

– Wychodzimy gdzieś. Muszę się przebrać.

– Wychodzicie we wtorek?

– Tak, we wtorek. To zabronione? – Uniosła wzrok i spojrzała wyzywająco.

– Oczywiście, że nie. Idziecie do lokalu? Gdzie się wybieracie?

– Nie, to całkiem prywatne.

– To miło, u kogoś, kogo znam?

– Nie, to znajomi Mogensa.

– Nie wyglądasz na zachwyconą. Jacyś nudziarze?

– Czy ja jestem zachwycona, czy nie, to nie twoja sprawa! Co to ma być, śledztwo? Nie masz żadnego prawa wypytywać mnie o moje życie prywatne! Nie muszę się przed tobą tłumaczyć, Hilling!

Spojrzałem na nią zdumiony. Właśnie oburzaliśmy się na gwałtowną reakcję Juhlera, a teraz ona reaguje w ten sam sposób, z powodu zupełnie niewinnych pytań.

– Wyluzuj, Henry! – powiedziałem. – Nie miałem zamiaru się wtrącać, po prostu zadałem pytanie.

– Przepraszam, jestem chyba trochę zestresowana, jest tyle do zrobienia naraz, a tu jeszcze to. – Pokiwała mi ręką i z nieco wymuszonym uśmiechem dodała: – Widzimy się później!

Charlotta Nikolajsen poznała mnie natychmiast. Ledwo zdążyłem się przedstawić, wpadła mi w słowo.

– Nie ma tu już nic ciekawego dla „Ekstra Bladet". Tak zwana sprawa samobójczyni to nie jest już w ogóle problem. Jej syn wycofał swoje niedorzeczne oskarżenie.

– To dobra wiadomość. Ale ja dzwonię w zupełnie innej sprawie.

– A o co chodzi?

– Pamiętasz, że dałaś mi taką gazetkę z opowieściami ludzi, którym Bóg dopomógł w ich kłopotach?

– Tak, „Rozwój".

– Właśnie, to bardzo ciekawa lektura.

– A zatem? – nie zabrzmiało, jakby miała do mnie nadmierne zaufanie.

– Naprawdę tak myślę. Dowiedziałem się też z tej publikacji, że macie cały szereg różnych form aktywności: kursy biblijne, centrum kultury i kółko muzyczne. Czy byłoby możliwe, żebym zapoznał się z tym osobiście?

– A do czego ci to potrzebne? – nadal była podejrzliwa.

– Może do artykułu o was, o tym, kim jesteście, co sobą reprezentujecie.

– Nie zalewaj, Hilling, nie jestem głupia! „Ekstra Bladet" nigdy by czegoś takiego nie opublikowała. Co ty za brudy próbujesz wywąchać?

Zaskoczyła mnie jej szybka i zdecydowana reakcja, nie miałem pojęcia, co mam na to odpowiedzieć. Zająknąłem się na chwilę i niespodziewanie dla samego siebie zacząłem jej opowiadać o Carli. Słuchała mnie, nie przerywając, i dopiero kiedy dojechałem do końca, powiedziała:

– To okropne. I teraz prosisz Boga o pomoc?

12

BYŁA SZARUGA, MŻYŁ KAPUŚNIACZEK, kiedy jechaliśmy przez Zelandię. Z daleka widać było zarys potężnych pylonów mostu nad Wielkim Bełtem. Maria wskazała je palcem.

– Zawsze imponuje mi ten widok – czuję się wtedy dumna, że mieszkam w kraju, który potrafił stworzyć takie cudo.

– W innych krajach też bywają mosty imponującej wielkości – zauważyłem.

– Tak, a jednak! Nasz kraj nie jest przecież duży.

Do naszej rozmowy wtrąciła się Ester, która zaczęła głośno gaworzyć i potrząsać grzechotkami zawieszonymi nad jej koszykiem. W lusterku wstecznym mignęła mi jej mała rączka.

– Mała jest równie gadatliwa jak jej matka.

Maria uśmiechnęła się.

– Uważasz, że za dużo mówię?

– Czy nie jest to wspólne dla wszystkich kobiet?

– Nie wiem. Czy Carla była gadatliwa? – spojrzała na mnie uważnie.

– Tak, chyba tak.

– Często o niej myślisz?

– Tak, naturalnie.

– Czy wolałbyś, żeby to ona była matką Ester?

– Nie widzę powodu się nad tym zastanawiać. To zupełnie abstrakcyjne pytanie.

– Chcieliście przecież mieć dzieci. Sam mi to mówiłeś.

– Ale nie mieliśmy. Czy możemy zmienić temat? – Nie podobał mi się kierunek, w którym zmierzała ta rozmowa, i czułem, że może to prowadzić do przykrej dyskusji. Maria nie chciała jednak dać za wygraną.

– Czy zastanawiałeś się nad tym, co byś zrobił, gdyby ona nagle się pojawiła?

– Carla?

– Tak.

– Jasne, że się zastanawiałem.

– I co byś wtedy zrobił? – jej głos nabrał ostrzejszych tonów. Odwróciła się do mnie i wpatrywała się z uwagą.

– Powiedziałem, że się zastanawiałem, ale nie mówiłem, że znalazłem odpowiedź, choć pewnie znaleźlibyśmy jakieś rozwiązanie.

– Zostawiłbyś mnie i Ester?

– Nigdy nie zostawiłbym własnego dziecka.

– Ale mnie mógłbyś?

– Przecież tego nie powiedziałem! Czy nie możemy zakończyć tej idiotycznej dyskusji? Carla zaginęła i prawdopodobnie nie żyje. – Próbowałem znaleźć odpowiednie słowa i miałem zamiar coś dodać, ale Maria mnie uciszyła. Pochyliła się do samochodowego radia i podkręciła głośność.

Trzyletni Marcus, który wczoraj zniknął z przedszkola na Østerbro, w Kopenhadze, nie został jeszcze odnaleziony – informuje kopenhaska policja. Uruchomiono szeroką akcję poszukiwań, a policja prosi wszystkich mieszkańców aglomeracji kopenhaskiej, by przeszukali swoje pomieszczenia gospodarcze, baraki i piwnice. Policja prosi też o kontakt osoby, które mogły widzieć dziecko, odpowiadające rysopisowi zaginionego. Chłopiec ma ciemne włosy, wzrost 95 cm, ciemną skórę. W momencie zaginięcia ubrany był w niebieskie dżinsy i koszulkę z długimi rękawami w białe i czerwone pasy z napisem Nørgaard. Na nogach miał brązowe buciki zapinane na rzepy. Trzyletni Marcus jest dzieckiem adoptowanym z Indii. To trzeci wypadek zaginięcia dziecka w ciągu niespełna dwóch tygodni. Wszystkie trzy wypadki miały miejsce w aglomeracji kopenhaskiej.

Pogoda: stopniowa poprawa pogody z zachodu...

Maria wyjrzała przez szybę.

– Myślisz, że robi to ta sama osoba?

– To możliwe, ale może być też tak, że ktoś inny dał się zainspirować. Taki scenariusz zdarza się dość często. Jeśli ktoś popełni przestępstwo, które zostaje nagłośnione w mediach, zaraz znajdują się jacyś psychole, którzy próbują go naśladować. Ale ty to wiesz przecież najlepiej, z pracy w policji.

– Owszem, ale to okropne.

– Tak.

Zastanawiała się przez chwilę i znowu zwróciła się do mnie.

– Co byś zrobił, gdyby ktoś porwał Ester?

– Zabiłbym drania!

– Naprawdę tak byś się zachował? Położyła dłoń na mojej dłoni, spoczywającej na dźwigni biegów, i ścisnęła.

*

Poul wrócił z Haderslev, gdzie robił zakupy na podwieczorek – kremówki w czekoladzie i napoleonki.

– Same dobre rzeczy, od razu widać po tym, ilu ludzi stoi w kolejce – w sklepie, a przed okienkiem dla zmotoryzowanych również.

Mówił z zachwytem o miejscowym piekarzu Skallebæku, który nie tylko oferował pieczywo i ciastka, ale również urządził okienko dla zmotoryzowanych, żeby nie trzeba było wysiadać z samochodu.

– To doskonały pomysł, w Kopenhadze chyba tego nie macie. Otworzył także drugi sklep w Åbenrå. To facet z inicjatywą.

Poul upił łyk kawy i wbił widelec w kawał ciasta.

– Inni powinni brać z niego przykład. Inicjatywa, oto co może nas wyprowadzić z kryzysu finansowego.

– Ciągle mówisz o kryzysie finansowym, a czy ty go odczułeś? – Wyciągnąłem ręce po Ester. Jego niezgrabne poczynania trochę mnie zaniepokoiły. Posadził ją sobie na kolanie i za

120

każdym razem, kiedy nadziewał ciastko na widelczyk, przechylał filiżankę z kawą tuż nad jej głową.

– Taaak... chyba wszyscy ucierpieliśmy. Ty nie, John? Jest tak, jakby ludzie już nie mieli pieniędzy.

– Mnie to specjalnie nie dotyczy.

– No nie, tobie to się powodzi. Gorzej z Bjarnem, on na pewno wyraźnie odczuwa, że czasy się zmieniły.

– A to dlaczego?

– No bo zainwestował w Rumunii, ale teraz przedsięwzięcie przestało się rozwijać. Banki zaczęły żądać zabezpieczeń.

– To chyba zupełnie normalne. Czy przedtem tego nie żądały?

– Nie były takie wymagające, teraz trzeba prawie stać na baczność, jeśli chce się pożyczyć pieniądze. Bjarne mówił, że musiał okazać dowód zabezpieczenia w środkach własnych. Co ty na to?

– Jakoś mnie głowa od tego nie rozbolała.

– To typowe komunistyczne gadanie miastowych, John. Czy ty sobie zdajesz sprawę z tego, co to oznacza dla duńskiego eksportu?

– Nie, nie trafia mi to do przekonania. Nie widzę, jaką korzyść Dania może odnieść z tego, że jacyś duńscy chłopi kupują tanią ziemię w Europie Wschodniej i zakładają tam wielkie hodowle trzody. Chyba żeby zlikwidowali jednocześnie swoje fermy tutaj. Wtedy byłaby przynajmniej korzyść dla środowiska.

Poul popatrzył na mnie oniemiały. Widelczyk z kruchym ciastem zawisł w powietrzu.

– Mówisz, jakbyś się na tym znał, ale przedsiębiorczość jest zagrożona. Wszystkie te ograniczenia i normy ekologiczne powodują poważne zagrożenie dla duńskiego rolnictwa.

Wyglądał na rozzłoszczonego i zdecydowanie stracił apetyt.

– Może już dość tego, panowie! – wtrąciła się Maria. – Nie ma powodu, żebyście sobie skakali do oczu. – Przejęła Ester, usiadła na krześle obok mojego, rozpięła bluzkę i przystawiła małą do piersi. – To nie ma żadnego sensu, i tak nigdy się nie zgodzicie ze sobą, pora się odprężyć. – Spojrzała na mnie z wyrzutem. Zrozumiałem, że koniec z dyskusją o polityce rolnej, ale nie umiałem się powstrzymać i napomknąłem, że słyszałem o inwestycjach poczynionych przez męża pani minister i Gregersa Sehesteda w dawnych krajach zza żelaznej kurtyny.

– Słyszałeś coś na ten temat, Poul?

Od razu wrócił mu dobry humor.

– Czy słyszałem? A żebyś wiedział! To ludzie z inicjatywą i gdybym kiedykolwiek miał zamiar brać się za tego rodzaju interesy, to wspólnie z nimi. Oni wiedzą, o co w tym chodzi. Zwłaszcza Sehested. Ten gość ma ikrę, możesz mi wierzyć, John.

*

Rozpakowaliśmy nasze rzeczy i urządziliśmy miejsce do przewijania na komodzie w dawnym pokoju Marii. Wszystko tu pozostało tak, jak było, kiedy Maria jeszcze tu mieszkała. Zapakowałem jedną czystą koszulę, zmianę bielizny i skarpetki do swojej torby.

– Gdyby sprawy się przeciągnęły, to znajdę tam jakiś hotel.

– Jazda samochodem zajmuje nie więcej niż godzinę – odparła zwrócona do mnie plecami.

– To tylko na wypadek, gdyby zrobiło się naprawdę późno, ale to mało prawdopodobne.

Odwróciła się do mnie i zaczęła układać pieluchy w stosik.

– Mam do ciebie zaufanie, John. Przepraszam za to w samochodzie.

– W samochodzie?

– No to o Carli.

– Nie przejmuj się tym.

– Naprawdę tak myślisz? – Dała spokój pieluchom, podeszła do drzwi i przekręciła klucz w zamku. Oblizała wargi, odpięła powoli guziki swojej bluzki i powiedziała szeptem: – Musimy się zachowywać cicho, żeby nie obudzić Ester!

*

Henrietty nie było w redakcji. Sekretarka poinformowała mnie, że zachorowała. Zadzwoniłem na jej komórkę, ale nie odebrała, więc nagrałem wiadomość. Spróbowałem też zadzwonić na stacjonarny. Długo nie odbierała, a kiedy podniosła słuchawkę powiedziała tylko: – Tak?

– Chorujesz?

– Nie czuję się zbyt dobrze – głos miała zachrypnięty.

– Współczuję.

– A w jakiej sprawie zadzwoniłeś?

– Chciałem tylko zapytać, jak się czujesz. W redakcji powiedzieli, że jesteś na zwolnieniu. Czy to coś poważnego?

– Nie bardzo.

– A więc po prostu kac? Ostro było wczoraj?

– Nie, nie mam kaca. Po prostu źle się czuję. To tak trudno zrozumieć? Po prostu chciałabym mieć trochę spokoju!

– Przepraszam, nie chciałem, żebyś to źle odebrała. Może zadzwonię jutro?

Na to nie uzyskałem już żadnej odpowiedzi, bo Henrietta się rozłączyła. Popatrzyłem na martwą komórkę.

– Kto to był? – zapytała Maria, przeciągając się leniwie w łóżku.

– Henrietta jest chora.

– Mam nadzieję, że to nic poważnego? – Ścisnęła sobie pierś i na końcu sutka pojawiła się biaława kropelka.

– Chyba nie. Myślę, że po prostu ma kaca. Wczoraj byli z Mogensem na jakiejś imprezie.

– No, cóż! Na szczęście ja obecnie nie mam tego rodzaju problemów. – Ścisnęła drugą pierś. – Przyniesiesz mi Ester? Jest pora karmienia.

*

Gdy zeszliśmy na dół, Poul siedział nad stosem jakichś dokumentów. Uśmiechnął się do nas znacząco.

– Trochę czasu wam to zabrało! Nie wiedziałem, że położenie małej spać to robota na cztery ręce.

Maria odpowiedziała uśmiechem.

– Pilnuj swego nosa, braciszku!

Zaśmiał się i przełożył coś w swoich papierach.

– Dobrze się składa, bo akurat miałem czas, żeby odszukać coś dla ciebie, John. Możesz sam zobaczyć, że nie ma ani słowa przesady w tym, co mówiłem. – Pokazał trzymaną broszurę. – To prospekt firmy UkraNord, ich najnowsza inwestycja. Niewiele brakowało, a byłbym się do nich przyłączył.

Broszurka zawierała fotografie obu partnerów, męża pani minister i Sehesteda, którzy występowali również jako współautorzy tekstu o inwestycji na Wschodzie. Mąż pani minister podkreślał, że na Ukrainie nie obowiązują tak rygorystyczne przepisy ekologiczne jak w Unii Europejskiej. Uspokajał też, że gdyby kraj ten został w przyszłości przyjęty do Unii, to – podobnie jak to miało miejsce w przypadku Polski – zostaną wprowadzone regulacje przejściowe, obowiązujące jakieś pięć do siedmiu lat. Sehested omawiał też konsekwencje przyszłego członkostwa w Unii, zwracając uwagę, że inwestowanie w tanią ziemię przyniesie inwestorom wielokrotne zyski wówczas, gdy ceny pójdą mocno w górę po przyłączeniu do Unii Europejskiej.

– Wygląda bardzo profesjonalnie, czy mogę to sobie pożyczyć? – zapytałem – lub ewentualnie zrobić kopię?

– Możesz wszystko zabrać, John. Przekonasz się przy okazji, że to solidni biznesmeni, a nie żadni bandyci. Zapewniam cię, że ci ludzie wiedzą, co robią. Wszystko jest zgodne z przepisami. Nie mogą sobie zresztą pozwolić na nic innego, w końcu żona jednego z nich jest ministrem, no nie?

Poul chciał obejrzeć *Wieczór w TV*. Twierdził, że to najlepsze, co nadaje telewizja, i nigdy tego nie opuszcza. Szczególnie podobali mu się gospodarze wieczoru, którzy nie używali wyszukanego języka.

– To jest telewizja dla normalnych ludzi, oni nie próbują udawać kogoś lepszego. – Usadowił się wygodnie w fotelu, uruchomił pilota i najwyraźniej był po wrażeniem szybkości pojawienia się cyfrowego obrazu na jego telewizorze marki Bang & Olufsen. – Widziałeś to, John? Ledwo zdążyłem nacisnąć, a tu pstryk i już mamy obraz. Świetny telewizor, ale też kosztuje! Ta firma wie, ile ich produkty są warte, ale co robić, jakość kosztuje!

Kobieta prowadząca program zaprosiła do studia psychiatrę sądowego, mówiła wprawdzie z północnojutlandzkim zaśpiewem, ale gościa uparcie nazywała profilerem. Ekspert był szpakowatym, mocno opalonym mężczyzną, formułującym przemyślane opinie. Zaczął od tego, że na podstawie skromnego materiału, który jest dostępny, trudno w ogóle formułować jakieś ogólne wnioski. Dziennikarka robiła wrażenie rozczarowanej i nalegała, żeby powiedział, „z czym mamy do czynienia". Psychiatra ponownie powołał się na zbyt fragmentaryczne informacje, wyraził jednak przypuszczenie, że chodzi o osobowość traumatyczną. Ona natychmiast się ożywiła, przerwała mu w pół zdania i zapytała z zachęcającym uśmiechem:

– A może pan to powiedzieć jaśniej?

Ekspert spojrzał zaskoczony, ale po chwili odnalazł wątek.

– Chodzi prawdopodobnie o osobowość traumatyczną – kogoś, kto...

Przerwała mu ponownie.

– Ale jak ta osoba wygląda? Czy możesz spróbować stworzyć profil? Jesteś przecież zawodowym profilerem i wielokrotnie pomagałeś policji w sprawach o zabójstwo.

Westchnął ciężko i przełknął łyk wody.

– Jak już przedtem zaznaczyłem, chodzi prawdopodobnie o osobowość traumatyczną. Mogłaby to być kobieta, która straciła swoje dziecko, lub ktoś, kto bardzo pragnie, ale nie może mieć dzieci. To typowy profil, ale przeciwko takiemu wyjaśnieniu przemawia fakt, że w dwóch wypadkach na trzy dzieci zostały odnalezione stosunkowo szybko. Gdyby chodziło o taką kobietę, którą właśnie opisałem, najprawdopodobniej próbowałaby dziecko zatrzymać.

– Jednak Marcus jeszcze nie został odnaleziony.

– Rzeczywiście nie. Dlatego też uważam, że trudno porównywać te przypadki.

– Ale w każdym razie chodzi o kobietę?

– Tego nie powiedziałem. Powiedziałem tylko, że takie postępowanie jest typowe dla kobiety o traumatycznej osobowości.

Prowadząca program uśmiechała się zachęcająco do psychiatry, kiedy przedstawiał swoje wyjaśnienia, ale do pytania, które miało podsumować wystąpienie, przybrała bardziej uroczysty wyraz twarzy.

– A co możesz doradzić licznym zaniepokojonym rodzicom, którzy nas oglądają? Co powinni robić, aby ich dziecko nie stało się następną ofiarą tej kobiety? – Obróciła się nieco, by znaleźć się na wprost kamery, która umożliwiała jej kontakt wzrokowy z widzem. Gdy znowu skierowała wzrok w jego stronę, ekspert spojrzał na nią zakłopotany, upił jeszcze trochę wody i odpowiedział, że nie należy zostawiać dzieci bez opieki.

13

NIE ZDĄŻYŁEM ZJEŚĆ ŚNIADANIA w Haderslev, więc podjechałem na jakąś stację benzynową, gdzie kupiłem sobie kubek kawy, bułkę z serem i „Ekstra Bladet". Całą pierwszą stronę zajmowało zdjęcie zapłakanej kobiety.

Rozpaczliwy apel matki:
ODDAJCIE MI MOJEGO MARCUSA

Zdjęcie było klatką wykadrowaną z filmu, który Juhler kupił od otyłego fotografa. Rozłożyłem gazetę, żeby znaleźć artykuł. Nie było żadnych apeli ani wypowiedzi matki czy też ojca. Był za to wywiad z rzecznikiem prasowym kopenhaskiej policji. Cytowano te same wypowiedzi, które przedtem słyszałem w radiu: że uruchomiono szeroką akcję poszukiwań i policja prosi mieszkańców o pomoc. Wobec braku wypowiedzi rodziców znaleziono miejsce dla kobiety, która występowała we wczorajszych relacjach wieczornych wraz ze swoim synem Mikołajem. Sfotografowano ją na parkingu przed blokiem, w którym mieszkała z synem. Siedziała w kucki i zajęta była zapalaniem świeczek przed małym misiem i tekturową tabliczką, na której narysowano serca i napisano słowo MARCUS. Podpis informował, że kobieta i jej syn bardzo przeżywają tragedię. „Myślą stale o Marcusie i jego rodzicach i palą dla nich świeczki".

– Wyszła wam z tego dość rzadka zupka – powiedziałem do komórki, którą przyciskałem ramieniem do ucha. Juhler odpowiedział tylko chrząknięciem.

– Ale to nie moja sprawa. Dzwonię tylko, żeby powiedzieć, że jestem w drodze do Varde, gdzie jestem umówiony z wdową po pastorze.

– To zrób to z wyczuciem.

– Nie rozumiem.

– Po prostu masz się postarać, żeby w materiale były żywe emocje. Nie chcę jeszcze jednej przemądrzałej relacji o strukturze jakichś towarzystw.

– Chwileczkę. – Upuściłem resztkę mojej bułki na podłogę i ująłem komórkę w rękę. – Co, do cholery, przez to rozumiesz?

– To, co mówię, Hilling! Nie potrzebuję żadnych zawiłych wniosków z wglądu do akt ani tego rodzaju bełkotu.

– A ja ci na ogół serwuję właśnie taki bełkot, to chcesz powiedzieć? – podniosłem głos. – Co się z tobą dzieje, Juhler?

Podniosłem niedojedzoną bułkę z podłogi. Próbowałem ją oczyścić z kurzu i farfocli, ale dałem spokój i wyrzuciłem ją przez okno. Zamiast tego zapaliłem papierosa i włożyłem do odtwarzacza CD z Bobem Marleyem, przenosząc się myślami do przeszłości. Skręcając w topolową aleję, wiodącą do rezydencji nieżyjącego pastora, podśpiewywałem *I shot the sheriff*.

*

Charlotta Nikolajsen i młoda dziewczyna trenowały akurat lśniącego czarnego wierzchowca. Charlotta powitała mnie z uśmiechem, zaprosiła na kawę i wyjaśniła, że koń nazywa się Szatan i właśnie kupiła go w Niemczech.

Nadal nawiązywała do swojej żałoby i wielkiej straty, jaką poniosła, robiąc to w przekonujący sposób. Nie mogła oczywiście wiedzieć, że widziałem ją z Gregersem Sehestedem przy brzegu basenu niespełna dobę po znalezieniu powieszonego męża, mniej więcej w tym samym miejscu, gdzie właśnie popijaliśmy kawę.

– Jeszcze kawy?

Wskazała na termos koloru miedzianego marki Alfi. Z pełnymi ustami skinąłem twierdząco głową i sięgnąłem po termos, nalewając jej także. Mówiła otwarcie o działalności Kościoła i poinformowała, że poumawiała się z kilkoma współpracownikami, że zajrzymy do nich w ciągu dnia.

– Co dalej będzie? Rozumiem, że twój mąż był bardzo aktywny w tej pracy. Kto teraz przejmie jego rolę?

– Kościół to nie tylko Jørgen i Jørgen nie był wszystkim w Kościele. Mamy wielu dobrych ludzi, którzy przejmą jego zadania.

– A ty, co z tobą? Jaka będzie twoja rola?

– Taka sama jak do tej pory. Jestem tylko pokorną służką Pana i dalej będę szerzyć jego słowo, łaskę i miłość.

Sięgnęła przez stół i przykryła moją dłoń swoją.

– Tę miłość, której potrzebujemy wszyscy w trudnych momentach. Opowiedz mi o swojej żonie.

Zastanawiałem się przez chwilę, zanim cofnąłem rękę.

– Czy nie powinniśmy jechać? Mogę opowiedzieć o Carli po drodze.

– Jak chcesz.

*

Polecono mi nie odzywać się do pensjonariuszy Domu Rebeki, musiałem zrozumieć i zaakceptować, że mają prawo do dyskrecji w czasie, kiedy walczą ze swoimi demonami.

– Wielu z nich zerwało z rodzinami i traktuje to miejsce jako swój jedyny dom w tym życiu.

Informacji udzielał nam kierownik instytucji. Nazywał się Eiliff – mów mi po prostu Eiliff – pełen energii i doskonale zorientowany w rezultatach pracy ośrodka. Zauważyłem na jego łokciach naszyte skórzane łaty, a w jednym oku irytujący tik. Najwyraźniej był przygotowany na moją wizytę i miał pod ręką karty pacjentów, w których nazwiska zostały zamazane czarnym długopisem.

– Jak widzisz, mamy wyłącznie pozytywne rezultaty – zamknął teczkę z kartami i popatrzył na mnie swoim mrugającym okiem zza okularów o grubych soczewkach.

– Czy zatrudniacie lekarza?

Zamiast odpowiedzi zwrócił się do Charlotty Nikolajsen. Ta odpowiedziała zdecydowanym głosem, popierając to równie zdecydowanym spojrzeniem.

– Nie, i to jest istota naszego systemu. My wkraczamy wtedy, kiedy lekarze uznają sprawę za przegraną.

Po Domu Rebeki przyszła kolej na szkołę biblijną. Uczniów aktualnie nie było, nauka odbywała się tylko w soboty i niedziele. Pomieszczenia były jasne i czyste, a liczba komputerów i innego sprzętu elektronicznego mogłaby wzbudzić zazdrość niejednej duńskiej szkoły państwowej. Była nawet niewielka sala kinowa, z miękkimi fotelami, z podpórkami na kubki i urządzeniem do wytwarzania popcornu. Oprowadzała nas młoda kobieta uczesana w koński ogon, ubrana w obcisłe dżinsy, z dumą informując o popularności szkoły wśród miejscowej młodzieży, w czym dzielnie wtórowała jej Charlotta.

– Stanowimy alternatywę dla tej zgnilizny, która zżera obecne społeczeństwo. Tutaj przyjmujemy młodzież z otwartymi ramionami i uczymy, jak słowo prawdy może dawać poczucie bezpieczeństwa.

Tylko w szkole muzycznej zetknąłem się z kimś spoza personelu. Grupka pogodnych i rozbawionych młodych ludzi ćwiczyła grę w zespole. Gdyby nie domyte twarze i porządne ubrania, zespół Ten C Seven mógłby uchodzić za zwykłą młodzieżową kapelę, żyjącą nadzieją przebicia się i zaistnienia dla rockowej publiczności. Wzmacniacze pracowały na pełny regulator i grzmiały agresywne akordy, ale teksty obracały się wyłącznie wokół spraw Boga i Jezusa. Charlotta położyła palec na ustach i zespół ucichł w środku utworu o nazwie *The One*. Młodzi ludzie zeskoczyli z podium i zebrali się wokół niej, opowiadając z zapałem o swoim nowym utworze, i prosili, by pozwoliła im go zagrać. Młoda solistka uczepiła się ramienia Charlotty i gorliwie błagała: *Please Lotta, please, please, please!*

– Nie teraz. Oprowadzam gościa, którego chcę wam przedstawić. – Chrząknęła znacząco, kiedy nie zareagowałem. Czułem się trochę dziwnie, bo kiedy byłem ostatnio w tej sali, z krzyża widniejącego teraz za instrumentami orkiestry zwisał na sznurze Jørgen Jezus.

– Przepraszam, zamyśliłem się – powiedziałem, odwracając się do młodzieży i przedstawiając się.

– Napiszesz coś o nas? – Solistka zaczęła podskakiwać z uciechy. – Ilu czytelników ma „Ekstra Bladet"?

– Już dobrze, Nikoline! – Charlotta uśmiechnęła się do dziewczyny i wyjaśniła, że oprowadza mnie, żebym mógł zobaczyć, „że nie jesteśmy groźni".

Młodzież skwitowała to śmiechem i popatrzyła na mnie jak na kogoś niespełna rozumu. Charlotta także się roześmiała i zaproponowała, żeby opowiedzieli o swojej pracy.

– Opowiedzcie coś o muzyce i misji.

Usiedliśmy razem przy dużym stole, Charlotta przyniosła cola-colę i sama zabrała głos.

– Muzyka stanowi ważną część naszego życia. Zbliżamy się do Boga, kiedy chwalimy go w naszych pieśniach.

– Skąd nazwa: Ten C Seven? Czy to coś oznacza? – zapytałem.

Perkusista, chłopak szesnasto-, może siedemnastoletni, zaczął liczyć na palcach.

– a, b, c, d, e, f, g, h, i, j... j jest dziesiątą literą w alfabecie. J jak Jezus.

Powiedział to po angielsku.

– C oznacza Christ, a Seven to siódma litera alfabetu, czyli G. Jesus Christ Guerilla. Jezus chciał, byśmy pokonali szatana, a my jesteśmy jego gwardią.

Młody człowiek przez krótką chwilę był poważny, a potem odwrócił się do solistki i dał jej żartobliwego kuksańca.

– Jesteśmy *christian warriors* i to jest dla nas najważniejsze, nawet jeśli Nikoline ma nadzieję, że zostanie nową Hannah Montaną.

Ona oddała kuksańca i wykrzywiła się do niego.

– *Cool*, mistrzu perfekt! A ty pewnie nie chciałbyś być jak The Jonas Brothers!?

Spojrzałem na nich, niczego nie rozumiejąc.

– Przepraszam, ale nigdy o nich nie słyszałem. Czy to gwiazdy muzyki pop?

Charlotta uśmiechnęła się.

– To obecnie czołowe zespoły młodzieżowe. Jonas Brothers i Hannah Montana to gwiazdy i mają własne programy telewizyjne. Są też doskonałymi misjonarzami.

– Misjonarzami?

– Tak, to młodzi ludzie reprezentujący zdrowe wartości chrześcijańskie – modelowe postacie dla dzieci i młodych ludzi na całym świecie.

– Właśnie, tak jak my.

Dziewczyna podniosła w górę palec lewej ręki z pierścieniem.

– Pokażcie mu swoje, chłopcy.

Czterej chłopcy podnieśli posłusznie ręce do góry, żebym mógł zobaczyć srebrne pierścienie. Jeden z chłopców zdjął go z palca. Na wewnętrznej stronie wygrawerowany był krzyż.

To jest pierścień czystości – obietnica dana Bogu i sobie samym, że pozostaniemy czyści aż do dnia ślubu. Joe, Nick i Kevin mają takie same.

– Miley też taki ma – dodała pospiesznie dziewczyna.

– Czy to wasi przyjaciele?

Zaczęli się śmiać, a Charlotta im zawtórowała.

– Widzę, że nie masz dorastających dzieci. Joe, Nick i Kevin to The Jonas Brothers, a Miley to Miley Cyrus – dziewczyna, która występuje jako Hannah Montana.

Włożyłem CD do odtwarzacza samochodowego. Dostałem płytę na pożegnanie od solistki. To było demo, ale utwory swingowane. Ten C Seven był całkiem niezłym zespołem.

Charlotta skróciła nasze spotkanie, tłumacząc się, że nie może poświęcić mi więcej czasu. Musiała wracać, żeby się spakować, bo następnego dnia ma wczesny samolot do Sztokholmu. Miała zamiar nocować w Szwecji. Zaproponowała, żebym wpadł do niej na obiad, kiedy wróci.

– O ile jeszcze będziesz na Jutlandii. Powinnam być w domu pojutrze koło południa.

Podziękowałem za zaproszenie i obiecałem, że przyjdę. Pożegnałem ją i zespół i ruszyłem do Haderslev. Zdążyłem wrócić wystarczająco wcześnie, by się przekonać, że *Wieczór w TV* miał więcej szczęścia niż „Ekstra Bladet". W studio byli rodzice Marcusa, a matka wystosowała apel do porywacza.

Tęsknimy za naszym chłopczykiem i wiemy, że on także za nami tęskni. Nie gniewamy się na ciebie, ale prosimy z całego serca: proszę, zwróć nam dziecko. Pozwól Marcusowi wrócić do mamy i do taty.

14

NASTĘPNEGO DNIA WCZEŚNIE WYJECHAŁEM z Haderslev. Kiedy dotarłem na miejsce, redakcja była jeszcze zamknięta. Ejner Piil pojawił się pierwszy. Jeszcze zanim otworzył drzwi, wręczył mi egzemplarz „Ekstra Bladet".
– Stary Juhler znowu zaskoczył. Ten człowiek wie, jak zrobić pierwszą stronę. Nie ma co mówić!

Juhler i jego zecer sięgnęli po największe dostępne czcionki.

Porwany przez chorą kobietę
MYŚLI, ŻE MARCUS TO JEJ NIEŻYJĄCY SYN

Rozłożyłem szybko strony, żeby znaleźć tekst artykułu. Temat zajmował pięć stron. Trzy z nich poświęcone były najnowszemu odkryciu „Ekstra Bladet": *Marcus jest podobny do jej nieżyjącego syna*. Źródłem tej sensacji był jasnowidz ze Skanderborga. Przewieziono go do oddziału terenowego gazety w Aarhus, gdzie został sfotografowany, gdy podejmował próbę stworzenia wizualnego profilu porywacza. Najwidoczniej odniósł sukces, bo mój kolega z Aarhus, którego znałem jako człowieka racjonalnie myślącego i cieszącego się sławą ostrego krytyka, informował w artykule czytelników, że porywacz „koszmar wszystkich duńskich rodziców" to kobieta, prawdopodobnie cudzoziemka lub może żona osobnika z ciemną karnacją skóry, która niedawno straciła dziecko. Był to chłopiec w wieku Marcusa i do złudzenia do niego podobny.

Krótki komentarz na kolejnej stronie nosił tytuł: *Eksperci są zgodni: kobieta jest chora*. Cytowano w nim zarówno psychiatrę z poprzedniego *Wieczoru w TV*, jak i reprezentanta kopenhaskiej policji. Psychiatra odmówił komentarza do enuncjacji jasnowidza, podkreślił tylko, podobnie jak w *Wieczorze w TV* poprzedniego dnia, że zapewne chodzi o osobowość traumatyczną. Policjant także nie potwierdzał, by policja obecnie poszukiwała osoby o profilu podanym przez jasnowidza, uznał to jednak za interesującą próbę. Jednocześnie podkreślił, że policja bada obecnie różne tropy i że pomoc ze strony społeczeństwa może być bardzo cenna.

– To naprawdę przerażająca historia.

Piil studiował pierwszą stronę „Ekstra Bladet". Zdążył już zaparzyć kawę i podał mi jednorazowy kubek.

– Z mlekiem. Mam nadzieję, że dobrze zapamiętałem – pijesz z mlekiem?

Podziękowałem i potwierdziłem, że owszem, pijam kawę z mlekiem.

– Ja wolę czarną – odparł – to aktywizuje wrzód żołądka i człowiek od razu wie, że żyje. – Uśmiechnął się i usiadł. – Prawdę mówiąc, nie spodziewałem się, że cię tu jeszcze zobaczę. Ta historia chyba nie ma dalszego ciągu, czy się mylę?

– To zależy, jak na to spojrzeć. Nadal próbuję zajrzeć za kurtynę Słowa Ewangelii.

– I co znalazłeś?

– Niewiele. Tyle tylko, że nie wygląda na to, by im brakowało pieniędzy. Wczoraj oprowadzała mnie Charlotta Nikolajsen.

Piil zaciekawił się.

– I co pokazała?

– Właściwie tylko opakowanie oraz młodzieżowy zespół rockowy, który śpiewa o Jezusie. Ten C Seven.

– Tak, to popularna grupa.

Wyciągnął szufladę biurka. Spojrzałem na niego zdziwiony.

– Nie spodziewałem się, że interesujesz się popem i muzyką rockową. Znasz Ten C Seven?

– No, jasne, za kogo ty mnie masz? W naszej redakcji idziemy z duchem czasu – roześmiał się. – Prawdę mówiąc, nie mam pojęcia, co to za beatnicy, ale uczestniczą w tym programie tutaj – podał mi broszurę, którą właśnie wyciągnął z szuflady. – Mają wystąpić na festiwalu Open Air razem z Tigermanem, a on zawsze przyciąga publiczność.

Z broszury wynikało, że dzieci i dorośli o duszy dziecka mają oczekiwać wspaniałej rozrywki na świeżym powietrzu dwudziestego czwartego lipca, kiedy to wystąpi znany z wcześniejszych sukcesów Tigerman. Da on pokaz połykania ognia, żonglerki i innych atrakcji w towarzystwie nieodłącznych towarzyszy – Paniske Poulsgaarda i Bingo Bongo. Dodatkową atrakcją ma być występ miejscowego zespołu Ten C Seven, który zademonstruje *Hannah Montana show*.

*

Nie powiadomiłem Ann, że będę w okolicy. Prawdę mówiąc, nie spodziewałem się od niej już żadnej pomocy, jako że jej przyjaciółka Jeanett najwyraźniej nie chciała lub nie mogła dostarczyć żadnej informacji. Jednak po udanym lunchu z Piilem, na który on nalegał, a za który musiałem zapłacić, zdecydowałem, że wybiorę drogę koło baru grillowego na Ribevej. Ann była w pracy i najwyraźniej ucieszyła się na mój widok.

– Dlaczego nie zadzwoniłeś? Jak długo tu jesteś?

– Przyjechałem wczoraj, ale miałem sporo różnych spraw.

– Jak długo zostajesz?

– Mam nadzieję skończyć w ciągu jutrzejszego dnia.

– A więc dziś wieczorem jesteś?

– Nie, właśnie wybieram się do Haderslev.

– Nie możesz tego odłożyć? Jestem wolna o piątej, dzisiaj nie pracuję w Tropic, a mam coś, co powinieneś zobaczyć.

– Czy to dotyczy Słowa Ewangelii?

– Tak, oczywiście! Zobaczysz, będziesz zaszokowany! To jak, przyjedziesz po mnie o piątej?

*

Maria nie miała zastrzeżeń. Pojechałem na wybrzeże, żeby jakoś przepędzić kilka godzin, które mnie dzieliły od spotkania z Ann. Trochę łaziłem po wydmach, zanim zdobyłem się na telefon, przeklinałem jej podejrzliwość i własne tchórzostwo, które kazało mi przemilczeć, że umówiłem się z Ann, i podać spotkanie z Piilem jako usprawiedliwienie.

– Przyjemnej zabawy, pójdziecie gdzieś na kolację?

– Tak, pewnie na tym się skończy.

– Może powinieneś się zastanowić, czy nie przenocować w Varde, nie musiałbyś się wtedy ograniczać do jednej szklaneczki wina.

– Nie, wolę wrócić do domu, nie będę nic pił, ale nie wiem, jak długo się to przeciągnie.

– Lepiej się jeszcze zastanów. Jeśli zmienisz zdanie, to po prostu zadzwoń. Ja i Ester jakoś przeżyjemy noc bez ciebie.

– Nie, chcę wrócić, ale nie czekajcie na mnie. Jutro wyjadę później, to będziemy jeszcze mieli trochę czasu dla siebie.

*

Ann trzymała się za nos. Ubrana była w czarną bluzkę na ramiączkach i sprane, obcięte dżinsy.

– Mam nadzieję, że nie zasmrodzę ci samochodu zapachami z grilla.

– Nie będzie tak źle. Dokąd jedziemy?

– Do mnie do domu. Jadasz lazanię? Zrobiłam przed południem, trzeba tylko podgrzać i dorobić sałatkę.

– Nie musisz mnie karmić, nie zostaję dłużej.

– Daj spokój, i tak muszę coś zjeść. – Oparła się wygodnie, zrzuciła sandały i położyła nogi na desce rozdzielczej.

137

Nogi i stopy miała opalone, a na jednym z palców u nogi nosiła srebrny pierścionek. – Fajnie jest mieć wolny wieczór. Skręć w następną w lewo.

Mieszkanie było niewielkie, ale przyjemnie urządzone. Pokój, który jednocześnie służył za sypialnię, ubikacja i maleńka kuchnia, tak zaaranżowane, by zostało jeszcze miejsce na ciasną kabinę prysznicową. W pokoju oprócz łóżka, stołu i dwóch krzeseł zostawało akurat miejsce na małe biurko.

– Łóżko służy tu także jako kanapa. Usiądź sobie wygodnie, a ja tymczasem wyszukam to, o co chodzi. – Siadła do komputera i włączyła go. – Jeanett dała mi kod dostępu i hasło. Dostają je tylko członkowie sekty.

Strona przypominała z wyglądu sklepik internetowy. Były oferty książek i muzyki, dostęp online do *Mszy dnia*, opis wspaniałych wyników Domu Rebeki, możliwości oferowania dotacji w *Skrzynce Darów*, banner reklamowy wycieczki do Izraela, ze zwiedzaniem Via Dolorosa i Golgoty z przewodnikiem. Impreza była organizowana wspólnie ze szwedzkim Słowem Życia i miała zapewniać pogłębioną medytację Zbawiciela. Żeby obejrzeć telewizję internetową, trzeba było mieć kod dostępu. Ann wprowadziła kod, odnalazła spis wideo i wcisnęła tytuł *Recruiting warriors. Summercamp 08*. Wstała i przekazała mi miejsce.

– Idę zrobić coś do jedzenia. Baw się dobrze.

Podobnie jak reszta strony, również nagranie wideo zrobiono bardzo profesjonalnie. Żadnych amatorskich obrazków, fachowa realizacja z trzech kamer wysokiej jakości. Po wprowadzeniu pojawiało się zbliżenie Charlotty. Ekran wypełniała jej pochylona głowa i złożone przed twarzą ręce. Powoli unosiła głowę i rozkładała ręce, przy czym kamera oddalała się zgodnie z rytmem jej ruchu, kończąc na planie średnim, ukazującym postać z rozłożonymi rękami. Rozbrzmiało głośne: „Alleluja!". Obraz przejmowała następna kamera, dając plan ogólny grupy dzieci,

które z uniesionymi rękami odpowiadały: „Alleluja! Amen!".
Następowało powolne przesunięcie kamery od grupy dzieci
z powrotem do Charlotty. „Alleluja! Powodzenia! Zdałyście, jesteście z nami! Alleluja!".

Dzieci, na oko w wieku od sześciu do dziesięciu lat, słuchały
uważnie tego, co mówi Charlotta, która podsumowywała tygo-
dniowe zajęcia. Od czasu do czasu niektóre odpowiadały na jej
słowa „Amen!".

Spacerowała tam i z powrotem przed szeregiem; w słuchaw-
kach założonych na uszy wyglądała jak gwiazda muzyki pop.

– Dokonaliście tego! Jestem z was dumna! Mówiliśmy
o tym, jaką taktykę obiera szatan. Jego najważniejszą taktyką
jest grzech. Chce z was zrobić grzeszników. Szatan szuka dzieci
i próbuje z nich zrobić grzeszników.

Jakaś mała dziewczynka z prostymi, ciemnymi włosami
przerażona zasłoniła sobie oczy.

– A wiecie, jaka jest kara za grzech? – Charlotta podniosła
głos, kierując pytanie do całego zgromadzenia. Po policzkach
dziewczynki potoczyły się łzy.

– Karą za grzechy jest śmierć. Jeśli będziecie grzeszyć,
umrzecie.

Teraz już płakała nie tylko ta dziewczynka. Przerażone dzieciaki kuliły się ze strachu. Charlotta zauważyła reakcję i zmie-
niła ton na nieco łagodniejszy.

– Próbujemy jednak uratować was przed szatanem, chcemy
was chronić, ja będę was chronić. Jeden z chłopców odpowiedział
nieśmiałym „Amen", inni zawtórowali: „Amen!, Amen!, Amen!".

Charlotta skinęła na zespół stojący na scenie za jej plecami.
Gitarzysta strzelił palcami i odliczył: „cztery, trzy, dwa, jeden".
Zespół zaczął grać, a Charlotta śpiewać. Dzieci od razu zareago-
wały na melodię, przerażenie zniknęło z ich twarzy, zaczęły się
uśmiechać i podskakiwać, a wszystkie wtórowały przy refrenie:

You take him high.
You take him low.
You take J.C. where ever you go.

Charlotta rozpoczęła swoją litanię.

– Bóg was wybrał. Bóg was wybrał, abyście zwalczali szatana, ale niestety nie spełniacie jego oczekiwań. Pozwólcie, że coś wam powiem. Opowiem wam o Harrym Potterze.

Jakiś chłopiec zaczął klaskać, Charlotta go wypatrzyła i stanęła tuż przed nim.

– Harry Potter to dzieło szatana i ty jesteś dziełem szatana. Może myślicie, że Harry Porter i jego przyjaciele to bohaterowie. Nie są nimi. Nie jest dla mnie ważne, jakimi bohaterami są w książkach. Naprawdę są nieprzyjaciółmi Boga. W Starym Testamencie Harry Porter zostałby zabity.

Chłopiec, który odważył się zaklaskać, wbił wzrok w podłogę, ale to widocznie nie był moment udzielenia mu łaski. Charlotta dalej grzmiała nad jego głową.

– Chociaż nauczyciele w szkole mówią wam, że czytanie Harry'ego Pottera jest OK, to nie róbcie tego. Powstańcie przeciw niemu, powiedzcie, że potępiacie Harry'ego Pottera i szatana. Pomyślcie, kim są ci ludzie, wasi nauczyciele. Czy to nie oni wam mówią, że jesteście małpami? Wierzycie im? JESTEŚCIE MAŁPAMI? Nie, nie jesteście małpami. Jesteście dziełem Boga. Zostaliście wybrani.

Mocno chwyciła chłopca, wyciągnęła go przed szereg i ustawiła twarzą do kolegów.

– Popatrzcie na niego, popatrzcie uważnie, spójrzcie jak szatan go opętał grzesznymi myślami. On nie jest godny, żeby pozostawać między nami.

Chłopiec upadł, łkając. Leżał u jej stóp, kryjąc twarz na podłodze.

– Jesteście pokoleniem, które symbolizuje czystość i prawość, macie służyć Bogu przez resztę życia. W ciągu ostatniego tygodnia daliście mu swoje słowo. Czy podtrzymujecie je?

Grupa odpowiedziała głośnym „Amen!". Charlotta popatrzyła na leżącego chłopca.

– Słyszałeś ich odpowiedź? Chcesz być jednym z nas? Chcesz być taki jak twoi towarzysze? Chcesz służyć Bogu?

Chłopiec podniósł niepewnie oczy i kiwnął głową.

– No to powstań! Podejdź do mnie i pozwól, że zmyję z ciebie diabelski brud. – Uśmiechnęła się zachęcająco, przyniosła butelkę źródlanej wody, odkręciła korek i wysunęła rękę z butelką. – Podaj mi ręce i pozwól zmyć z ciebie diabelski brud.

Pojawił się Jørgen Jezus. Oświetlał go reflektor punktowy na tle ciemnej sceny. Z uśmiechem spojrzał na dzieci przed sceną.

– Alleluja! Dziękujemy ci, Panie Jezu! Dziękujemy, że zechciałeś przyjąć te dzieci do grona swoich wojowników. Dziękujemy, że wstąpiłeś w nich i oświeciłeś ich umysły. Dziękujemy ci, Panie! Dziękujemy, alleluja!

Ruszył do krawędzi sceny. Oświetlało go teraz więcej reflektorów. Jørgen Jezus i cały zespół byli teraz skąpani w ich świetle. Zaczął odmawiać *Ojcze nasz* i modlił się w takt uderzeń bębna, kończąc głośnym „Amen!". Nabrał powietrza w płuca i rozpoczął mszę na podkładzie zmienionego rytmu perkusji. Tempo mówcy i perkusisty rosło równomiernie, aż Jørgen Jezus nagle zamilkł i chwycił się za gardło. Jego ciało zaczęło drżeć. Przez chwilę mogło się wydawać, że dostał jakiegoś ataku. Upadł na kolana, ale szybko się podniósł i zaintonował modlitwę bez słów: – Alleluja... salaalmalabulamabapola... Alleluja... alapolamulabalamela... Ooo Ooo... to jest to... to się spełnia.

Zszedł ze sceny i wmieszał się w tłum dzieci, zaczął między nimi tańczyć i na zmianę mówił teraz głośno i cicho: – OOO OOO... SALAALMELA BOLAMABAPOLA...

Położył rękę na czole przestraszonej małej dziewczynki. Pod wpływem jego dotknięcia ugięły się pod nią nogi. – O, w imię Jezusa! W imię Jezusa wypędzam z was zło! W imię Jezusa wysyłam was, abyście zwalczali zło...

Jeszcze jedno dotknięcie i kolejne dziecko padło jak ścięte drzewo, potem jeszcze jedno i następne. Rozochocony pastor przechodził między dziećmi, dotykał ich czoła lub kładł rękę na ramieniu i dzieci padały... – W imię Ducha Świętego...

wysyłamy was, abyście dali Danii siłę przeciwstawienia się złu. SALAALMELA BOLAMABAPOLOLA – SILALEJ alleluja, alleluja, alleluja! Chwała naszemu Panu. AMEN.

*

– Mógłbyś wyjąć lazanię z piecyka?

Głos Ann zmieszał się z dzwonieniem zegara kuchennego i odgłosami modlitwy pastora. Wcisnąłem pauzę, wstałem i przeszedłem do kuchni. Za matową szybą widać było zarys dziewczyny pod prysznicem.

– Muszę zmyć z siebie te grillowe smrody! – krzyknęła, próbując się przebić przez hałas wody bębniącej o podłogę plastikowej kabiny. – Weź rękawice ochronne, wiszą koło ścierek.

Udało mi się wysunąć żaroodporne naczynie z piecyka i z niemałym trudem zdjąłem też pokrywę bez zrzucenia przypraw i oleju ze stolika.

– Mógłbyś mi też podać ręcznik?

Woda przestała lecieć i przez uchylone drzwi kabiny wysunęła się ręka.

– Teraz się odwróć, możesz przygotować sałatę, kiedy ja się będę ubierać.

Wykonałem polecenie, ale w lustrze, które wisiało przed moim nosem, widziałem, jak przechodzi do pokoju. Biodra miała owiązane ręcznikiem, ale plecy były gołe. Poniżej prawego ramienia miała znamię wielkości sporej monety.

*

– Przecież to absolutne pranie mózgu, Jeanett przez to przechodziła?

Ann kiwnęła głową, przełknęła i powiedziała:

– Tak, od małego dziecka.

– A gdzie byli wówczas jej rodzice? Dlaczego się nie wtrącili?

– Dlaczego mieliby się wtrącać? Oni sami wierzyli w te brednie. Ja byłam jedyną osobą, której mogła zaufać. – Dotknęła palcami naszyjnika i dodała – zawsze byłyśmy bliskimi przyjaciółkami.

– A kiedy zerwała ze Słowem Ewangelii?

– Ona nadal w tym tkwi. Mają nad nią władzę.

– Ciągle z nimi jest? Myślałem, że to już przeszłość. Czy nie mówiłaś, że odeszła?

Wstała i zaczęła sprzątać talerze ze stołu, ustawiła wszystko na tacy i wyniosła do kuchni.

– To nie jest coś, z czym można zerwać, ot tak! W głębi duszy już dawno nie czuła się z nimi związana, ale w rzeczywistości wygląda to inaczej. Oni na to nie pozwalają.

– Przecież to dorosła kobieta i może po prostu z tym skończyć. Żyjemy w wolnym kraju, do cholery!

– Tak mówisz, ale przed chwilą widziałeś, jak oni robią pranie mózgu.

– Trzeba jej jakoś pomóc, ona tej pomocy potrzebuje.

– Miałam nadzieję, że właśnie ty to zrobisz.

– Bardzo chętnie, ale w tym celu muszę się z nią spotkać.

Odwróciła się do mnie i powiedziała:

– Mogę ci obiecać, że zrobię wszystko, żeby ją do tego namówić, ale musimy dać jej czas. Konieczna jest cierpliwość.

15

SŁOŃCE ŚWIECIŁO i długi szereg wozów kampingowych, zmierzających na urlop nad Morzem Północnym, utrudniał ruch na drodze. Dwukrotnie próbowałem wyprzedzać, ale musiałem się wycofać wobec nadjeżdżających z przeciwka tirów, więc dałem spokój i jechałem powoli za pojazdem z napisem Knauss Sun Traveller na niemieckich tablicach rejestracyjnych. Pojazd miał z tyłu zawieszone dwa rowery, a na dachu umocowany kajak. Wiadomości radiowe nie podawały nic nowego w sprawie Marcusa, ale kierowały ponownie, z polecenia policji, apel do mieszkańców, by przeszukali swoje pomieszczenia gospodarcze, baraki i piwnice. Turysta przede mną włączył kierunkowskaz, widząc w perspektywie stację benzynową Q8, a ja zrobiłem to samo, uznając, że też zatankuję, skoro wypadło nam jechać tą samą trasą.

„Ekstra Bladet" i „B.T." toczyły walkę o uwagę czytelników; nawet niemiecka rodzina dała się wciągnąć, bo z zaciekawieniem studiowała pierwsze strony obu dzienników. Ojciec zdecydował jednak w końcu, że lepsze będzie „Bild Zeitung" i frytki.

„B.T." zdecydowało się na znane już zdjęcie Marcusa i tytuł *Nie ma go czwarty dzień*, podczas gdy „Ekstra Bladet" wymyśliła imię dla porywacza i zaprosiła szereg znanych postaci. Na pierwszej stronie szarfa złożona z portretów znanych osób przecinała ukośnie czarną sylwetkę kobiety.

Znane osobistości proszą Czarnego Anioła:
PUŚĆ MARCUSA DO DOMU

Zostawiłem oba tytuły w stojakach, kupiłem sobie kawę i zadzwoniłem do Henrietty.

– A więc stanęłaś już na nogi? – W czasie rozmowy obserwowałem Niemców. Ojciec już się uporał ze swoimi frytkami i przeglądał stojak z broszurami turystycznymi. – Co ci było?

– Nie byłam chora, tylko zmartwiona.

Przestałem interesować się sąsiadami zza południowej granicy i skoncentrowałem się na rozmowie.

– Zmartwiona? Czy coś się stało?

– Mogens się wyprowadził. Wyrzuciłam go.

– Wyrzuciłaś? Dlaczego? Przecież wszystko układało się wam pomyślnie, a może nie?

– Owszem, na początku, ale potem się zmienił.

– W jaki sposób?

– To nie jest rozmowa na telefon, powiem ci, jak się spotkamy. Co z tobą? Robisz postępy?

Opowiedziałem jej o nagraniu wideo, które Ann mi pokazała. To ją wprawiło w lepszy humor.

– Masz kopię?

– Na dysku w kieszeni marynarki.

– Duża sprawa, a co z wdową?

Słuchała mnie uważnie, gdy relacjonowałem swoją wizytę u Charlotty Nikolajsen i to, co zobaczyłem i usłyszałem.

– Lecisz na nią, John.

– Co ty mówisz?

– Mówię, że lecisz na nią, myślisz, że nie potrafię tego rozpoznać po twoim głosie? Masz ochotę wskoczyć w majtki pastorowej.

– Przesadziłaś, Henry! Jest seksowna – seksowna jak jasna cholera, owszem – ale we łbie ma kompletnie pokręcone, a poza tym ja mam swoją ukochaną i dziecko.

– I to ma być dla faceta jakaś przeszkoda? – parsknęła śmiechem prosto w moje ucho. – Was interesuje tylko jedno, żeby zaliczyć, ile tylko się da.

145

– A więc na tym polegało przestępstwo Mogensa? Skok w bok?

Zamilkła na chwilę, a potem ponownie parsknęła śmiechem.

– Nie mam ochoty rozmawiać o tym idiocie, zgoda?

– OK, niech będzie. Czy słyszałaś może o kimś, kto nazywa się Hannah Mantana?

– Montana. Nazywa się Montana, a nie Mantana. Oczywiście, że o niej słyszałam. Mieliśmy nawet wstawkę o niej w dodatku niedzielnym. Należy do Disneya. Jest teraz większa niż Myszka Miki i Kaczor Donald razem wzięci.

*

Charlotta Nikolajsen zapytała, czy nie przeszkadza mi, że zjemy w kuchni. Twierdziła, że tak będzie przyjemniej, a poza tym to nic specjalnego – tylko klopsiki, które kupiła w Szwecji. Pokazała dwie torby zakupowe z ICA i dodała z uśmiechem, że zawsze kupuje szwedzkie specjalności, gdy wraca do Danii z odwiedzin w swojej ojczyźnie. Wyjmując rzeczy z torby, prezentowała każdą z osobna: dżem z malin polarnych, borówki do klopsików, ser z Västerbotten i kruchy chlebek.

– I naturalnie ser ze sznapsem – bez tego nie mogłam przecież wrócić, próbowałeś?

– Chyba nie.

– To pastor wykąpany w sznapsie. – Uśmiechnęła się kokieteryjnie.

– Pastor?

– Tak, nazywa się ser pastora i wdowa po pastorze nie mogła go oczywiście nie kupić.

*

Zaproponowała, żebyśmy wypili kawę w jej gabinecie.

– Kieliszek koniaku?

Podniosła się z kanapy i przyniosła butelkę z doskonale wyposażonego barku, nalała koniaku do dwóch wyjątkowo pękatych kieliszków i usiadła naprzeciw mnie. Najwidoczniej nie znalazła czasu, by się przebrać po podróży i miała na sobie beżowy kostium spacerowy oraz czarną bluzkę. Ostatnie trzy guziki bluzki były odpięte. Dokładnie tyle było potrzeba, by dostrzec, że nosi biustonosz w kolorze mlecznej czekolady – podwiązki zresztą także, o czym można się było przekonać, kiedy usiadła i założyła nogę na nogę.

– Po co właściwie jeździłaś do Szwecji?

– Żeby omówić pewne przedsięwzięcie. Są takie sprawy, którymi muszę się zająć, skoro Jørgena zabrakło.

– Dobrze, że to potrafisz.

– Ufam Bogu, że mnie poprowadzi.

– Ale najwidoczniej nie całkiem, skoro musisz latać do Szwecji na konsultacje – dodałem żartem. – A co to za przedsięwzięcie?

– Bóg wspiera mnie zawsze, chodzi o projekt, który Jørgen rozpoczął we współpracy z naszym Kościołem partnerskim w Szwecji.

– Ze Słowem Życia?

– Tak, ze Słowem Życia.

Nie miała ochoty wnikać w szczegóły duńsko-szwedzkiego projektu, dała tylko do zrozumienia, że wyniki osiągnięte przez Dom Rebeki mogą posłużyć dla uruchomienia podobnej metody terapeutycznej w Szwecji. Więcej nie zamierzała zdradzać. Próbowałem dowiedzieć się od niej czegoś o zamierzeniach w Ugandzie, ale bez powodzenia. Tłumaczyła się tym, że to koncepcja, którą zajmował się wyłącznie jej mąż. Orientowała się tylko bardzo ogólnie i nigdy nie zetknęła się z ludźmi, z którymi współpracował w Afryce.

– Jeździł tam jednak wiele razy, więc mam pewność, że zrobiono, co trzeba.

– Czy on wiele podróżował?

– O tak, bardzo często go nie było.

– Widziałem jego zdjęcie z panią minister, wisiało w lumpeksie. Czy pamiętasz może, kiedy to spotkanie miało miejsce?

– Czemu cię to interesuje?

– Po prostu jestem ciekaw. Opowiadała mi o tym ekspedientka, chyba ma na imię Myrna.

– Tak, to matka Jørgena, jest bardzo zaangażowana w to
przedsięwzięcie. Pokój z nią!

– Nie lubisz jej?

– To straszna intrygantka. Nienawidzi mnie jak dżumy. Typowa teściowa.

Zrozumiałem, że Myrna nie była zachwycona małżeństwem
Jørgena ze szwedzką refrenistką, jak miała zwyczaj pogardliwie
nazywać synową. Obie kobiety unikały wzajemnych kontaktów. Spotykały się tylko wówczas, gdy nie dało się tego ominąć.
Za to Jørgen spotykał się z matką codziennie. I niestety był pod
jej wpływem.

– A jak było z wami? Z tobą i Jørgenem? Jakoś to wszystko nie
robi wrażenia...

– O co ci chodzi? – Wyprostowała się i spojrzała na mnie
badawczo. – Do czego zmierza twoje pytanie?

Miła atmosfera się ulotniła. Gospodyni stała się czujna.

– No cóż, bardzo przepraszam, ale odnoszę wrażenie, że to...

– Że to co?

– No, że nie jesteś jakoś specjalnie przejęta jego śmiercią.

Jej oczy ciskały teraz błyskawice.

– Co ty sobie wyobrażasz?! Jak śmiesz mówić takie rzeczy,
i to w moim własnym domu?! Uważasz, że nie martwi mnie
śmierć mojego męża, czy to chciałeś powiedzieć?!

Zacząłem obracać w palcach swój kieliszek i nie bardzo wiedziałem, jak wybrnąć z tej sytuacji, uznałem jednak, że nie mam
już wiele do stracenia, i zdecydowałem się na otwarty atak.

– Szczerze powiedziawszy, nie musisz przede mną odgrywać
zbolałej wdowy.

– Odgrywać?! Co chcesz powiedzieć przez „odgrywać"?! –
podniosła głos. – Co do cholery masz na myśli, mówiąc o od-
grywaniu zapłakanej wdowy?

– To, co mówię, nie kupuję twojej gry, widziałem was.

Wzięła głęboki oddech i cofnęła się na kanapie, potem odetchnęła głęboko raz jeszcze i zapytała:

– Kogo widziałeś?

– Ciebie i twojego kochanka w dzień po śmierci twego męża, widziałem was w akcji przy basenie.

– Podglądałeś mnie – powiedziała szeptem, ale po chwili znowu zagrzmiała, zerwała się na równe nogi, stanęła przede mną i warknęła: – Podglądałeś mnie, ty zboczeńcu!

– Znalazłem się tam przypadkowo, nie miałem takiego zamiaru. – Nagle poczułem się zażenowany tym, co widziałem, ale również tym, że jej to powiedziałem.

– To po to tu przyjechałeś? – Gwałtownie rozerwała na sobie bluzkę, tak że posypały się guziki. – Czy po to przyjechałeś? Pomyślałeś sobie, że jeśli ona się pieprzy z innym, to może i z tobą? Tak sobie pomyślałeś?

Patrzyłem na nią oniemiały i nie wiedziałem, co zrobić. Absolutnie nie spodziewałem się takiego rozwoju sytuacji. Podciągnęła spódnicę, ukazując podwiązki w całej okazałości.

– Myślisz, że nie widziałam, jak się ślinisz na mój widok? Myślisz, że nie zauważyłam, gdzie jest skierowany twój wzrok? Przez cały wieczór gapiłeś się na moje cycki i nogi. Chwyciła jedną z podwiązek i ciągnęła: – Gapiłeś się tu i próbowałeś sobie wyobrazić, co jest dalej. Może nie? Może nie zastanawiałeś się, czy mam na sobie majtki?

– To nieporozumienie – powiedziałem, odwracając głowę.

– Spójrz na mnie. Popatrz tu, do cholery! – Złapała mnie za włosy. – No popatrz! Czy to chciałeś zobaczyć?

Zdążyła podciągnąć spódnicę aż na biodra i odsłoniła wszystko. Nie nosiła majtek, co uwydatniła jeszcze mocniej, ściskając palcami wargi sromowe.

– Czy to sobie próbowałeś wyobrazić? – Podetknęła mi pod nos rękę, którą przedtem miała w pochwie. – Marzyłeś o tym, jak pachnie i jak smakuje? Jaka jest cipka pastorowej? – Obrysowała mi palcem usta i wcisnęła go między moje wargi. – O to ci chodziło? Opowiedziałeś mi historię o zaginionej żonie, żebym nabrała do ciebie sympatii?

– Mylisz się.

Była najwyraźniej kompletnie wyprowadzona z równowagi i, prawdę mówiąc, dość przerażająca. Wstałem z miejsca, ale chwyciła mnie za włosy i drugą ręką uderzyła mnie na odlew w policzek.

– Zamknij się! Bierz to, po co przyjechałeś. Bierz mnie albo spadaj stąd!

16

– MUSIMY POROZMAWIAĆ.

Powiedziałem to, nie patrząc na Marię, ze wzrokiem skierowanym prosto przez przednią szybę.

– Twój głos brzmi poważnie, czy coś się stało? – odwróciła się w moim kierunku z uwagą. Znajdowaliśmy się akurat w połowie mostu na Zelandię. Mieliśmy za sobą ponad dwie godziny podróży i prawie byliśmy już w domu. Ester spała przez większość drogi.

– Musimy porozmawiać o tym, co się z nami dzieje.

– Co masz na myśli?

– Dzieje się coś bardzo złego, nie uważasz? Cały czas jest mnóstwo podejrzliwości.

Zaczęła skubać palce jednej ręki i spuściła wzrok.

– Wszystko jest takie nowe.

– Właśnie, wszystko jest nowe. Mamy śliczną małą dziewczynkę. Rozpoczęliśmy nowy rozdział w naszym życiu. Powinniśmy być radośni i pełni szczęścia, ale zamiast tego przeważnie się kłócimy.

– Nie cały czas się kłócimy. Często jest też dobrze.

– Ale napięcie się utrzymuje, pozbawiając nas energii. Prawie nigdy ze sobą nie sypiamy. To chyba nie powinno tak wyglądać.

– Czujesz się mną zmęczony? Wolałbyś znaleźć sobie inną, John? – Uniosła głowę i spojrzała na mnie. – O to ci chodzi?

– Nie, do cholery! Znowu zaczynasz. Czy ty sama siebie nie słyszysz, nie dociera do ciebie sens moich słów? Nie chcę żadnej innej, chcę ciebie! Takiej, jaką byłaś przedtem.

Juhler zadzwonił w chwili, gdy przekręcałem klucz w zamku. Maria minęła mnie w drzwiach, postawiła nosidełko z Ester na stole w kuchni i wstawiła wodę.

– Potrzebny mi jesteś, Hilling. Możesz tu przyjechać w ciągu dziesięciu–piętnastu minut? – Jego głos brzmiał zdecydowanie milej niż ostatnio, gdy rozmawialiśmy.

– Właśnie wszedłem do domu. O co chodzi?

– Nowe porwanie – znowu uprowadzono dziecko. Tłuścioch był tu przed chwilą ze zdjęciami.

– To nie moja działka. Radźcie sobie sami.

– Uważam, że w tej sytuacji ty będziesz najlepszy.

– Czy ty tego nie możesz zrozumieć, Juhler? Nie zamierzam się babrać w tego rodzaju historiach nawet w gumowych rękawiczkach. Czy twoi jasnowidze i praktykanci nie mogą sobie z tym poradzić?

– To jest ta sama instytucja.

– Jaka znowu instytucja?

– Chodzi o to samo przedszkole, do którego chodzi dziecko twojej przyjaciółki. Bydlak porwał dzieciaka z przedszkola Baltazara.

*

Otworzyła mi Toril Aasen.

– Wezwaliśmy cię wyłącznie dlatego, że Freja nalegała; ani ja, ani inni rodzice nie chcemy mieszać w to prasy. – Nosiła inny, też antykwaryczny naszyjnik, nieco większy od tego, który miała na sobie w dniu porwania Baltazara. – Jednak Freja bardzo ciebie chwali.

– Cieszy mnie to. Gdzie oni są?

Wskazała mi drogę do tego samego małego biura, co za pierwszym razem. Freja była zmartwiona, ale uśmiechnęła się na mój widok. Trzymała w objęciach płaczącą kobietę, a mężczyzna, w którym domyśliłem się ojca, chodził niespokojnie z kąta w kąt i za każdym razem, kiedy mijał okno, uderzał pięścią w parapet. Baltazar bawił się kolejką na podłodze.

– Dobrze, że jesteś, John. To Kim i Birgitte, ojciec i matka Ludwika.

Kobieta spojrzała na mnie znad ramienia Frei i wyszeptała ciche „hej", mężczyzna podniósł rękę w geście powitania, ale nie przerwał swego marszu.

Freja szepnęła coś kobiecie do ucha, a ta kiwnęła twierdząco.

– Może wyjdziemy, John, i zostawimy Kima i Birgitte w spokoju.

Podniosła się, ścisnęła mnie za rękę i jeszcze raz podziękowała za przyjście.

– Masz papierosa? – Spojrzała na mnie przepraszająco. – Muszę zapalić. To nie jest przyjemna sprawa.

– Z pewnością nie, to wręcz katastrofa! Dwa razy w ciągu niespełna dwóch tygodni.

– Nie o to chodzi. – Wręczyła mi fotografię, którą obejrzałem i uśmiechnąłem się.

– Ostrzygłaś go? Szczerze mówiąc, uważam, że z długimi włosami było mu całkiem do twarzy.

– To nie jest Baltazar, John. To Ludwik, ten chłopiec, który zaginął.

– Naprawdę? – Spojrzałem jeszcze raz na fotografię. – Ale jest bardzo podobny, on i Baltazar są do siebie podobni jak dwie krople wody.

– Może dla ciebie i dla innych obcych ludzi, ale ja tak nie uważam. Są różni pod wieloma względami.

Ludwik został adoptowany z Boliwii. Miał trzy lata i w Danii przebywał od roku. Kiedy rodzice przejmowali go z domu dziecka w La Paz, nie umiał jeszcze chodzić. Przez pierwsze dwa lata życia większość czasu spędził w łóżku z prętami. Dla osamotnionego i pozbawionego normalnych bodźców sieroty z Boliwii przeskok do życia w Danii, z ojcem i matką i mnóstwem możliwości zabawy, nie był łatwy. Na inne dzieci reagował agresywnie, natomiast w stosunku do dorosłych był bardzo kontaktowy, może nawet za bardzo.

– To chyba typowe. Potrzeba uwagi i troski.

Freja rozgniotła peta nogą. – Nigdy się nie przyzwyczaję do palenia papierosów bez filtra, dasz jeszcze jednego? – Podałem jej paczkę cameli, a ona wyszukała niewykruszonego papierosa i wetknęła do ust.

– Miałam sporo kontaktów z jego rodzicami, bardzo im zależało na tym, by przebywał z Baltazarem, aby mógł się zaprzyjaźnić z kimś, kto jest do niego podobny, i nie czuł się wyobcowany.

– I co?

– W tym wieku chyba nie można jeszcze mówić o przyjaźni. Bawili się ze sobą, a raczej obok siebie, ale Baltazar przebywał także z innymi dziećmi. Jest bardzo otwarty, nie ma też za sobą takiej przeszłości. Zawsze miał ojca i matkę, a w każdym razie prawdziwą matkę.

*

Ojciec usiadł i także zaczął płakać, próbował się z tym kryć, ale zrezygnował. Freja uściskała go.

– Przemyśleliście to sobie? Chcecie porozmawiać z Johnem?

Kiwnęli głowami. Matka wstała, podeszła do mnie i próbowała coś powiedzieć, ale nie potrafiła. Oparła tylko głowę na moim ramieniu i szepnęła: „Pomóż mi, pomóż mi odzyskać dziecko! Pomożesz?".

*

Otyły fotograf siedział na jednym z biurek w kąciku praktykantów, zabawiając Tanię i jej kolegów opowieścią o swoich wyczynach. Młody chłopak w czarnej skórze i koszulce z logo metalowego zespołu Rammstein, patrzył na niego z podziwem.

– Idziesz Taniu? Mamy zebranie u Juhlera. – Dotknąłem palcem jej ramienia.

Otyły natychmiast zareagował.

– Wezmę sobie tylko kawę.

– Proszę bardzo, kolego. Weź sobie kawę, a potem idź ją sobie wypić w ubikacji, na zebranie nie jesteś zaproszony.

Spojrzał na mnie zaskoczony, ale szybko wróciła mu zwykła pewność siebie.

– Zasrany kolega z ciebie, Johnie Hilling. Nic dodać, nic ująć.

Nie miałem ochoty wysłuchiwać dalszych komentarzy z jego ust i miałem już sobie odpuścić, ale zrozumiałem, że to byłby błąd.

– Coś ci powiem, palancie – dodałem, chwytając go za kołnierz. – Nie jesteśmy kolegami i nigdy nimi nie będziemy. Dotarło?! Nie mam zamiaru się kolegować z psychopatycznym paparazzim.

Praktykant w czarnej skórze postanowił się wtrącić. Stanął przede mną w pozycji bojowej i próbował wydawać się wyższy, niż pozwalały na to jego krótkie nóżki.

– On ma zawsze superfotki, a to przecież o to chodzi!

– Wiesz, co ci powiem? Ty...

Spojrzał na mnie zdziwiony.

– Nie, nie wiem. – Rozejrzał się wokół, żeby sprawdzić, czy może liczyć na uwagę pozostałych praktykantów. – Co takiego chcesz powiedzieć?

– Mniejsza o to. Napij się kawy z twoim otyłym przyjacielem w ubikacji i zamknijcie się tam z całą resztą tego gówna.

*

– Zanim zaczniemy, chcę, żebyście spojrzeli na to. – Henrietta obróciła swojego laptopa, żeby wszyscy mogli zobaczyć ekran. – Zdjęcia zrobił afrykański wolny strzelec. Dostałam nazwisko od dziennikarza z „Rozwoju".

Minister rozwoju regionalnego robiła wrażenie zadowolonej z pobytu w Afryce. Na fotografii widać było, jak daje się oprowadzać po misji przez szeroko uśmiechniętego Jørgena Jezusa. Na kolejnej siedziała obok niego, oglądając taniec w wykonaniu dzieci, na jeszcze innej, z łaskawym uśmiechem królowej, przyjmowała bukiet kwiatów od dziewczynki z czarnymi dredami. Na podium, oprócz pani minister, widać było Jørgena Jezusa po prawej oraz Henry'ego Kingstona Mukabiego po jej lewej ręce.

– Afrykańska królowa w złym towarzystwie. Idealne zdjęcie na okładkę. – Juhler klepnął się po udach i wyciągnął rękę po laptopa Henrietty, żeby przyjrzeć się fotografiom z bliska. – Doskonałe, po prostu bezbłędne.

– Będzie jeszcze lepiej. Fotograf przesłał mi link do programu dokumentalnego, pokazywanego na Channel 4, pt. *Opętane przez szatana*. Brytyjscy reporterzy sfilmowali ukrytą kamerą tak zwane centrum rehabilitacji prowadzone przez Mukabiego i jego żonę. Około setki dzieci zostało poddanych okrutnym egzorcyzmom – kilkoro nie przeżyło rytuału, i jakby tego było mało, Mukabi pobierał niemałe honorarium od rodziców dzieci jego zdaniem opętanych przez diabła.

– Możesz to wyjaśnić? – zapytał Juhler, nabijając fajkę.

– Zapłacili za wypędzenie diabła, przy czym niektórzy zadłużyli się po uszy, żeby zapłacić.

– A teraz powtarza swoje zabiegi w Ugandzie, korzystając z dotacji duńskiego państwa? – Poprawiłem ustawienie ekranu, żeby przyjrzeć się zdjęciom pod takim kątem, by nie przeszkadzało padające słońce.

– Tak, i ta dotacja jest z pewnością bardzo na czasie. Po programie telewizyjnym wydano bowiem w Nigerii nakaz aresztowania małżeństwa, więc na pewno nie tam należy ich szukać.

– A co z wglądem do akt spółek męża pani minister? Jest coś nowego w tej sprawie?

– Jeszcze nic, Juhler, chociaż dopominam się codziennie. – Henrietta zamknęła pokrywę laptopa. – Ale rozumiem, że John i ja mamy się teraz zająć ściganiem Czarnych Aniołów, a nie tym tutaj, prawda?

Juhler usiadł wygodniej i złożył ręce przed sobą.

– Ano tak, potrzebuję was. Chodzi o coś bardziej treściwego, jeśli mamy to ciągnąć.

Tania spuściła wzrok, co Juhler od razu zauważył.

– Nie dlatego, że Tania zrobiła coś nie tak. To, co zrobiła, jest bardzo dobre.

Praktykantka znowu podniosła głowę.

– Chcemy jednak więcej, jeśli mamy udźwignąć problem. Zastanawiałem się nad tym. Uprowadzono dwóch chłopców. Obydwaj mają trzy lata i obydwaj są adoptowani. To wygląda na jakiś wzór. Obawiam się, że jeszcze usłyszymy o Czarnym Aniele.

– Akurat w tym miejscu film się urywa, Juhler.

Wstałem, podszedłem do okna, uchyliłem je i zapaliłem papierosa.

– Możesz palić tutaj – zauważył Juhler, wskazując zapełnioną popielniczkę.

– Zostanę, gdzie jestem – odparłem – i mogę ci od razu powiedzieć, że jeśli chcesz ciągnąć te pierdoły o Czarnych Aniołach, to mnie w tym nie ma. Za bardzo to populistyczne.

– To jest „Ekstra Bladet", Hilling! To „Ekstra Bladet" w swoim najlepszym wydaniu! To my tworzymy pojęcia i to nie po raz pierwszy: megaekran, ekobomba, pornowczasy, możesz wybierać do woli, przykładów mam pod dostatkiem. Nawiasem mówiąc, wieczorne relacje już zaadoptowały nazwę. Nie oglądaliście programu? Nasz jasnowidz także wystąpił. Radził sobie znakomicie i kilka razy wymienił naszą gazetę.

– Mnie to nie bawi. Rozmawiałem z parą zrozpaczonych rodziców i obiecałem im, że ich nie wystawię. Nie są im potrzebne neologizmy i to w ogóle nie o to chodzi. Przynajmniej jeśli ja w tym biorę udział. Czy to dla ciebie jasne, Juhler?

– Coś wymyślimy – zapalił fajkę i w zadumie wydmuchnął kłąb dymu nad naszymi głowami. – Na pewno do czegoś dojdziemy, Hilling. To ci mogę obiecać. A co mieli do powiedzenia rodzice?

Opowiedziałem to, czego się dowiedziałem o adopcji i o problemach z Ludwikiem. Starałem się zarysować obraz jego rodziców, tego, co przeżywali i jak zareagowali na moje pytania.

– To robi wrażenie, Hilling. To właśnie są uczucia, aż miło! Siadaj i pisz!

– A jak to zamierzasz oprawić? Chyba się nie mylę, że nie poprzestaniesz na gołym tekście?

Spojrzał mi prosto w oczy i wytrzymał moje spojrzenie, ale żadnej odpowiedzi na to pytanie nie udzielił.

– Dostajesz tytuł na pierwszą stronę i dwie szpalty w środku. Mamy zdjęcia?

– Wysłałem do nich fotografa.

– Doskonale, mój chłopcze. Wiedziałem, że mogę na tobie polegać.

– Owszem, możesz. Ale jeśli znowu wystawisz mnie do wiatru, to widzisz mnie po raz ostatni.

17

MARIA WSTAŁA WCZEŚNIE, żeby nakarmić Ester, prze-
winęła ją i znowu położyła spać. Obudziła mnie świeżą kawą
i seksem. Potem pogadaliśmy o naszych problemach, wzięliśmy
razem prysznic i pocałowaliśmy się na do widzenia, po czym
pojechałem do redakcji na rowerze.

– Doskonale wyglądasz, mój chłopcze. Czyżbyś wygrał w Lotto?
– Można to tak ująć.

Wziąłem do ręki gazetę z biurka Juhlera i spojrzałem na
pierwszą stronę, a potem na mój artykuł w środku numeru.

– Wygląda dobrze – pochwaliłem. – I dobry tytuł – dodałem,
jeszcze raz rzuciwszy okiem na stronę tytułową.

Rodzice zaginionego chłopca:
LUDWIK – ŁATWA OFIARA

Dobrze się sprzedawało i oddawało wiernie opowieść rodziców
o wczesnym dzieciństwie Ludwika w domu dziecka i jego niemal chorobliwym pragnieniu zwracania uwagi dorosłych.

– Teraz znowu poznaję „Ekstra Bladet".

Oddałem Juhlerowi gazetę i zamierzałem podzielić się z szefem moimi przemyśleniami odnośnie do dalszego ciągu, ale
przerwało mi pojawienie się prezesa, który szarpnął za drzwi
i rzucił gwałtownie egzemplarz na biurko.

– A co to za rzadkie siki?!

Funkcję prezesa i dyrektora zarządzającego pełnił u nas od
miesiąca. Wyłowiono go za pośrednictwem biura rekrutacji,

a przedtem pracował dla tygodnika, w którym ustawił „nowe standardy redakcyjne" i w ciągu roku podniósł nakład tygodnika o dwadzieścia tysięcy. Zarząd uznał, że jest to kura znosząca złote jajka i wspierał go w stu procentach przy wdrażaniu jego *know-how* na łamach „Ekstra Bladet".

– To wygląda jak gazeta z czasów króla Ćwieczka. Gdzie jest Czarny Anioł?

– Postanowiłem, że pozwolę mu złożyć skrzydła i odpocząć dzień lub dwa – Juhler spojrzał niezadowolony na szczupłą wysoką postać.

– Tego ci nie wolno robić, do cholery! On jest marką, naszą marką.

– On jest żałosnym produktem chorej wyobraźni – wtrąciłem się.

Prezes dopiero teraz mnie dostrzegł. Byliśmy w tym samym wieku i spotkaliśmy się parę razy, kiedy ja byłem wolnym strzelcem we Włoszech, a on redaktorem w TV2. Już wtedy nasza współpraca nie układała się najlepiej. On chciał za wszelką cenę mieć oglądalność i uważał, że materiały, które ja proponuję, tego nie zapewniają. Radził mi, żebym się przyjrzał, jak to robią w Stanach Zjednoczonych.

– Czarny Anioł ma być obecny na wszystkich platformach: internetowej TV, na stronie Nationen, w SMS-ach i, do cholery, także w wydaniu papierowym, jak długo się da.

– Chcesz mi zarżnąć gazetę? – spytał Juhler, wstawszy z fotela, wbijając pięści w biurko i patrząc na niego z wściekłością. Prezes cofnął się odrobinę i nieco złagodził ton.

– Chodzi o wykorzystanie synergii między wszystkimi platformami; nasze materiały muszą się nadawać do wszystkich mediów, a nasi dziennikarze muszą dostarczać coś, co do nich pasuje. Także ty, Hilling. Pora, żebyś zaczął nadążać. – Trzasnął drzwiami i wyszedł.

*

Øgaard ucieszył się ze spotkania. Spacerowaliśmy po Strøget, gdzie grupka rumuńskich manipulatorów właśnie wyłudzała pieniądze od naiwnych turystów. Cwaniak z trzema pudełkami zapałek pozwalał swojemu partnerowi odnajdować ziarnko grochu trzy razy z rzędu i rozkładał bezradnie ręce, żeby zademonstrować, że musi dać za wygraną wobec przenikliwego umysłu przeciwnika. Japońska turystka dała się nabrać na ten chwyt i uznała, że jej także będzie sprzyjać szczęście. Wręczyła facetowi sto koron, przegrała je i spróbowała jeszcze raz. Policjant nie zwracał uwagi na praktyki oszustów, roztaczał mi natomiast z zapałem uroki baru Palæ i jego klientów. – To jest akurat miejsce dla dziennikarzy. Bardzo je lubię! – informował.

*

Zdobył akta policjanta, który był przedmiotem wewnętrznego dochodzenia. Miałem nie pytać, jak mu się to udało, ale mogłem je wykorzystać, jeśli będę chciał. On sam uważał, że ta sprawa powinna ujrzeć światło dzienne. Musiałem mu przyznać rację.

– To tylko lista, coś w rodzaju spisu treści, ale niczego innego nie mogłem skopiować. Jest tego cały skoroszyt.
– Co to za facet? Ten twój kolega?
– Trzydzieści lat, podinspektor, pochodzi z Jutlandii, mieszka na Amager. Cichy i spokojny na służbie, ale najwyraźniej bardzo aktywny poza nią.
Przejrzałem listę skopiowaną przez Øgaarda. Miała dwie kolumny: *Czerwoni faszyści* i *Usłużni idioci*. Żadne z nazwisk w pierwszej kolumnie nic mi nie mówiło, rozpoznałem natomiast wiele w drugiej – kolegów dziennikarzy z kilku największych dzienników i radia, kilku przywódców związkowych i jednego pastora.
Czerwonymi faszystami kolekcjoner nazywał przeważnie osoby związane ze środowiskiem wokół Domu Młodzieży oraz

161

członków organizacji Akcja Antyfaszystowska (AFA). Øgaard wyjaśnił, że inkryminowany zebrał informacje o tych osobach, korzystając z centralnego rejestru osób oraz z policyjnego katalogu fotografii. Każda z osób miała swoje małe archiwum, obejmujące fotografię, dane fizyczne, jak wzrost, waga, ewentualne znaki szczególne, tatuaże i kolczyki; oraz działalność, stosunki rodzinne i zajęcia. Tylko niewielu spośród usłużnych idiotów można było znaleźć w kartotece kryminalnej, zamiast tego zebrano obciążające ich materiały w postaci artykułów, kronik, przemówień i książek. Wszystkie dotyczyły tekstów, które sprzyjały koncepcji Danii wielokulturowej.

Øgaard zaśmiał się, kiedy zapoznałem się z zawartością skonfiskowanego archiwum.

– A więc integracjoniści i lewica pozaparlamentarna.

– Ale do czego mu to było potrzebne?

– Bardzo dobre pytanie. Kiedy przeszukiwaliśmy jego mieszkanie, znaleźliśmy także sporo egzemplarzy „Duńczyka", wiesz, pisma Związku Duńskiego, kilka wycinków na temat Szwedzkich Demokratów i trochę naklejek.

– Naklejek?

– Tak, z hasłem *Prawdziwi Duńczycy srają na Koran*.

– To chyba sprawa dla biura bezpieczeństwa. Kogoś takiego nie można przecież zatrudniać w policji. Czy biuro się tym zainteresowało?

– W pewnym sensie.

– Jak to?

– Jego członkowie nie biorą udziału w śledztwie wewnętrznym, ale jeden z ich ludzi został jakby włączony.

– Co znaczy „jakby"?

– Przyszedł i zabrał kopię kartoteki. Wyglądał na bardzo zadowolonego ze zdobyczy.

– Czy archiwum zostało przekazane do biura?

– Tak, ale od nich niczego się nie dowiesz. Bezpieczeństwo państwa i tak dalej...

*

„Komendant z pożyczką" nie miał najmniejszej ochoty współpracować. Wprost przeciwnie, od razu zaczął mnie telefonicznie przesłuchiwać.

– W jaki sposób uzyskałeś dostęp do tego materiału?

– Nieważne. Czy możesz potwierdzić, że przeciwko temu policjantowi toczy się śledztwo?

– Nie mogę niczego potwierdzić, nie mam pojęcia, o czym mówisz.

– Przed sekundą pytałeś, jak uzyskałem do niego dostęp.

– Musiałeś coś źle zrozumieć. Mówiłeś, że co to za treści?

– Między innymi o Akcji Antyfaszystowskiej, zebrane przez jednego z twoich podwładnych.

– Nic o tym nie wiem.

– Czy chcesz przez to powiedzieć, że takie dane nie istnieją?

– Powiedziałem, że nic mi o tej sprawie nie wiadomo.

– A więc to jednak jest sprawa?

– Proszę, nie łap mnie za słowa. Nie próbuj mnie osaczyć. Nic nie wiem o żadnym materiale ani tym bardziej o wewnętrznym dochodzeniu w sprawie kolegi.

– Zaprzeczasz zatem, by prowadzona była sprawa przeciwko podinspektorowi policji, który bezprawnie wykorzystał policyjne bazy danych i indeks numerów osobowych do zebrania informacji na temat reprezentantów organizacji lewicowych?

– Skrajnie lewicowych.

– Co powiedziałeś?

– Powiedziałem: skrajnie lewicowych.

– To znaczy, że potwierdzasz?

– Wiesz co, Hilling? Zaczyna mnie męczyć twoja zabawa w kotka i myszkę. Po prostu poprawiałem to, co mówisz. Akcja Antyfaszystowska to nie jest lewica tylko lewicowi ekstremiści. Życzę miłego dnia. Jeszcze na koniec dobra rada: jeżeli znasz fakty z dochodzenia i opublikujesz je w swojej gazecie, to zbliżysz się niebezpiecznie do oskarżenia o przestępstwo. Może powinieneś się nad tym zastanowić?

*

Juhler czytał listę nazwisk.

– A on zaprzecza, by było przesłuchanie, czy w ogóle jakaś sprawa?

– Owszem, ale wewnętrzne śledztwo jest w toku. Wiem to od związku policjantów. Przewodniczący związku policjantów w Kopenhadze nie chciał sprawy komentować, ale potwierdził, że taka sprawa jest w toku, i wyraził zgodę na cytowanie jego wypowiedzi.

Wyjąłem notatnik, by zacytować: „Z zasady nigdy nie wypowiadamy się na temat spraw przeciwko jednemu z naszych członków".

Juhler zastanawiał się, bębniąc palcami po stole.

– Masz wystarczającą dokumentację na artykuł?

– Mogę napisać o archiwum, o wewnętrznym dochodzeniu, mam też parę cytatów z wypowiedzi członka AFA oraz pastora z Kościoła Christianskirken. Obydwaj znajdują się na liście.

– A co z nazwiskiem?

– Z nazwiskiem?

– No właśnie, czy wiemy, jak twórca archiwum się nazywa?

– Niestety, moje źródło nie może tego ujawnić.

– Nie można go przycisnąć?

– Nie sądzę. Robi wrażenie pryncypialnego pod tym względem, uważa, że już teraz wiele ryzykuje, przekazując mi listę.

– Może spróbuj Øgaarda.

– Co masz na myśli?

Juhler zaczął się śmiać.

– Mówię, co myślę. Może powinieneś zapytać Øgaarda. Na ogół jest chętny do współpracy.

– Daj spokój. Nie mamy nazwiska, ale mamy opis postaci.

Nie przestawał się śmiać i zaproponował, żebym zaprosił Øgaarda na lunch i trochę go wymęczył, żebyśmy mieli fakty na

164

następne dni. Dał mi godzinę na oddanie tekstu, żeby artykuł mógł się ukazać następnego dnia, i obiecał mi tytuł na pierwszej stronie.

– I tak nie mamy nic nowego o tych dzieciach.

*

Mohammed trzymał przygotowaną już dla mnie paczkę cameli i zaszczycił mnie powitaniem swoim zwykłym: „Dzień dobry, gwiazdo mediów!". Zaczął rok temu, gdy zobaczył mnie jako gościa w programie *Dzień dobry, Danio*. Nie odpowiedziałem, gdyż mój wzrok przyciągnęła strona tytułowa „Ekstra Bladet". Wyróżniała się z daleka spośród wszystkich innych gazet, które nadal podejmowały temat zaginionych chłopców:

Spójrzcie na moje superrakiety
Lina Paradise ma nowe silikonowe piersi.
Mają kształt kropli i są fantastyczne – mówi gwiazda.

– Bierzesz dzisiaj gazetę?

Mohammed patrzył na mnie zdziwiony, kiedy rozkładałem „Ekstra Bladet". Normalnie kupuję u niego tylko papierosy. Pokręciłem głową.

– Chciałem tylko popatrzeć.

Mój artykuł o policjancie i jego archiwum wylądował na stronie siedemnastej. Piersi Liny zajmowały za to nie tylko okładkę, ale również całą piątą i szóstą stronę.

*

Juhler powitał mnie ręką uniesioną w geście obrony.

– To się stało wbrew mojej woli. To prezes przerobił numer, kiedy ja już wyszedłem z redakcji. Chce cię widzieć w swoim biurze za pół godziny.

– Jestem wściekły. Co to za kawały?! W dodatku mój tekst jest ostro pocięty, zostało z niego niewiele więcej niż notatka. – Wziąłem do ręki gazetę i przeczytałem na głos.

165

Policjant prowadzi rejestr lewicowców

Sporządził szczegółową kartotekę lewicowych ekstremistów. Kopenhaska policja zarekwirowała w czasie przeszukania mieszkania 30-letniego funkcjonariusza na Amager listę osób z kręgów lewicowych i związanych z Domem Młodzieży. Policjant wykorzystał policyjne bazy danych do zgromadzenia materiału, złożonego głównie z nazwisk i fotografii aktywistów skrajnej lewicy. Wielu z nich było już karanych. Nie wyjaśniono, do czego miało służyć to archiwum, ale wewnętrzne dochodzenie ma to ustalić. Poza wymienionym archiwum w czasie przeszukania znaleziono również nalepki z napisem „Prawdziwi Duńczycy srają na Koran". Związek zawodowy policjantów, do którego należy wspomniany policjant, nie chciał się wypowiadać w tej sprawie.

– Ani słowa o tym, że lista obejmuje również nazwiska dziennikarzy, pastorów i działaczy związkowych. Ani słowem nie wspomniano też agenta biura bezpieczeństwa policji, który dostał archiwum w prezencie. Nie powiedziano nawet, że chodzi o oczywiste wykroczenie.

Juhler potrząsnął głową i sięgnął po fajkę, przyjrzał jej się uważnie i odłożył z powrotem.

– Nie, to kompletny szajs. Przeszedłem wiele w tym piśmie, ale czegoś takiego jeszcze nie było. Idą nowe czasy.

– To oburzające! O czym ten idiota chce ze mną rozmawiać?

– Nie mówił, pytał tylko, kiedy będziesz w redakcji, i prosił, żebym cię do niego przysłał. Lepiej już idź.

*

– Gratulacje Hilling, ożywiłeś cały portal Nationen. – Prezes kiwnął ręką, żeby mnie przywołać bliżej, tak bym mógł czytać z ekranu na jego biurku. – Tak to trzeba robić, mnóstwo odpowiedzi.

Przewinął stronę, żebym mógł odczytać komentarze do notatki o policjancie:

Sram na Koran, mają za swoje! Co kraj, to obyczaj, liczy się Dania.

Słuszna inicjatywa. Lewica już zbyt długo ma wolne ręce, by rządzić na Nørrebro.

To banda rozpieszczonych synów bogaczy. Jeżeli chcą mieć Dom Młodzieży, to niech ich nadziani ojcowie za to zapłacą.

Nareszcie policjant, który powiedział „Dość" kryminalnej bandzie dzieci imigrantów i lewicowców. Dobra robota, jest wielu takich, co go popierają.

Treść pozostałych komentarzy była na ogół podobna. Pochwały dla odważnego policjanta i inwektywy pod adresem lewicowców, imigrantów i naiwniaków od integracji. Patrzyłem na te komentarze ogłupiały. Prezes poklepał mnie po ramieniu i ponownie pochwalił. Odwróciłem się do niego i wykrzyczałem mu prosto w twarz.

– Ja tego nie podpiszę! Skróciłeś mój artykuł i zmieniłeś jego sens. Co ty sobie właściwie wyobrażasz?

Popatrzył na mnie, zupełnie nie rozumiejąc, o co mi chodzi.

– Przecież to jest super! Dokładnie to, czego ludzie chcą, popatrz tylko na komentarze czytelników.

– Komentarze bandy psychopatów i chorych z nienawiści półgłówków. Napisałem o policjancie, który łamie prawo, prowadząc prywatną kartotekę obywateli, i o jego szefach, którzy go najwyraźniej kryją. To był ważny tekst, a ty, co z nim robisz? Przycinasz go i przekręcasz w taki sposób, żeby mogły go łyknąć najprymitywniejsze elementy.

Zmrużył oczy i popatrzył na mnie przez szparki.

– Cały ten kit z ważnymi artykułami zostaw sobie na zebranie w stowarzyszeniu dziennikarzy. Ja robię gazetę dla ludzi, a nie dla bandy radykałów i bojowników kultury.

– Właśnie widzę.

Wziąłem z jego biurka „Ekstra Bladet", zwinąłem w rulon i wrzuciłem do jego kosza na śmieci.

– Mój artykuł miał być na pierwszej stronie, a ty, co robisz? Zamiast niego dajesz parę silikonowych cycków jakiejś przypadkowej gwiazdki reality. To obrzydliwe.

– Lina nie jest jakąś przypadkową gwiazdką reality. Ona jest hitem, wszyscy ją znają i wszyscy chcą wszystko o niej wiedzieć, gdzie co ma i czy zrobiła sobie nowe piersi.

– Masz chorą głowę.

– Co powiedziałeś? – Wyprostował się i napuszył jak indor.

– Słyszałeś doskonale, ale chętnie to powtórzę. Masz chorą głowę, ale jedno ci mogę obiecać. Nie pozwolę ci spieprzyć mojej gazety.

Popatrzył na mnie zaskoczony i przybrał kamienny wyraz twarzy, tylko usta mu dygotały. Zagryzł wargę i w ten sposób odzyskał kontrolę, pochylił się nad biurkiem i powiedział szeptem:

– Posłuchaj uważnie, co ci teraz powiem. W ostatnich dniach miałem parę telefonów z Ministerstwa Spraw Zagranicznych i z gabinetu minister rozwoju regionalnego. Wyrażono zaniepokojenie faktem, że ty i Henrietta węszycie w przedsięwzięciach męża pani minister i nie chcecie zdradzić, w jakim celu. Ten stary idiota, Juhler, także nie chce nic powiedzieć, ale ja ci mogę coś powiedzieć, Hilling! Chcę mieć wgląd we wszystko! We wszystko, co robicie! W przeciwnym razie możesz uznać ten temat za zamknięty. Zrozumiałeś?

Nie odpowiedziałem, więc podniósł się z fotela i powtórzył:

– Czy mnie zrozumiałeś?

– Nie, ale zrozumiałem, że jesteś nie tylko chory, ale także niebezpieczny. Lepiej uważaj.

*

Po powrocie do domu zrobiłem vitello tonnato. Maria usadowiła się na kuchennym stole ze swoją nieodłączną towarzyszką – butelką wody mineralnej – i śledziła moje poczynania. Wypiłem łyk ulubionego czerwonego wina, nim przystąpiłem do miksowania kaparów, tuńczyka, anchois i żółtek. Odwróciłem się do niej plecami i poczułem klepnięcie.

– Jestem zmęczona moimi piersiami, John.

Wyłączyłem mikser i odwróciłem się.

– Co ty opowiadasz? Czy ty też chcesz sobie zafundować silikonowe cycki?

– Jak to „też"? Znasz jeszcze kogoś, kto sobie sprawił silikony?

– Mnóstwo kobiet. Teraz jest taka moda, że wszystkie sobie robią silikonowe piersi. Gazety są tego pełne.

Roześmiała się.

– Na razie tego nie planuję, chyba że ci bardzo zależy. Chcę tylko powiedzieć, że zaczynam być śmiertelnie zmęczona tym, że to tylko my kobiety możemy karmić. A mimo to wszyscy twierdzą, że mamy już równouprawnienie.

Telefon zadzwonił, kiedy siedzieliśmy przy posiłku. Odebrała Maria, słuchała przez chwilę, a następnie zaczęła opowiadać o Ester. Mniej więcej po kwadransie przekazała mi, ciepłą jeszcze, słuchawkę.

– To do ciebie, pani Aase.

Juhler o swojej żonie zawsze mówił pani Aase i tak się już przyjęło.

– Pani Aase, dawno nie dzwoniłaś.

– Daj spokój z tą panią, czuję się jak matuzalem, nie możesz mi po prostu mówić Aase?

– Oczywiście, że mogę, coś się stało, Aase? Coś nie tak z Juhlerem?

Martwiła się o męża, ale musiałem obiecać, że nie wspomnę mu o jej telefonie. Powiedziała, że bardzo go martwi to, co się dzieje z „Ekstra Bladet". Najwyraźniej miał kilka poważnych scysji z prezesem w sprawie wytyczonej przez niego linii gazety. Na tyle poważnych – jak zrozumiałem – że zaczął się poważnie zastanawiać nad odejściem na wcześniejszą emeryturę i napisaniem książki.

– A może to nie jest taki zły pomysł? O ile się orientuję, niczego wam nie brak i pewnie dalibyście sobie radę bez kłopotu?

– Owszem, pewnie tak, ale to by się nigdy nie udało. Jeżeli Aage nie będzie musiał co rano iść do gazety, to stanie się coś bardzo złego. Szczerze mówiąc, sądzę, że to mogłoby go kosztować życie.

– Sam się zastanawiałem, czy nie odejść.

– Wiem, mówił mi o tym i bardzo go to zmartwiło. Nie powinieneś tego robić, John. On ciebie potrzebuje. Ciebie i Henrietty.

Maria obserwowała mnie w czasie tej rozmowy i najwidoczniej chwyciła tyle z jej przebiegu, że orientowała się, o co chodzi.

– Juhler chce odejść? – zapytała.

Wycierała sos z talerza kawałkiem chleba.

– Pyszne – dodała. – Akurat takie, jakie powinno być.

– Odgrażał się, że to zrobi – wyjaśniłem jej. – Chyba jednak na groźbach się skończy.

– A co z tobą? Czy już się zdecydowałeś?

Zastanowiłem się chwilę przed udzieleniem odpowiedzi.

– Mnie się tak łatwo nie pozbędą! Ja zostaję i zaraz zadzwonię do Henry. Pozmywasz? Tak tylko, w imię równouprawnienia...

18

HENRIETTA ZGODZIŁA SIĘ ZE MNĄ bez zastrzeżeń. Nie będzie już ani słowa o mężu pani minister w redakcyjnych komputerach. Prezes nie będzie miał możliwości, by zaglądać nam przez ramię. Kiedy uzyskamy wreszcie akta, będą one przechowywane u mnie w domu razem z całą resztą materiału. Dopiero gdy będziemy mieli wszystko gotowe, z podaniem źródeł, z komentarzami i wnioskami, zaniesiemy to do redakcji. Prezes nie będzie wiedział o niczym, dopóki redaktor odpowiedzialny nie przeczyta artykułów. On też chciał swego czasu zostać prezesem i dopisać na swojej wizytówce „Dyrektor zarządzający", więc również oczywiście nie był zachwycony nominacją prezesa. Z całą pewnością nie przepuści okazji, by mu dokopać. Ponadto w momencie gdy obie sprawy: zarówno ta o przedsięwzięciach męża pani minister, jak i ta o dotacji DANID-y dla afrykańskich gangsterów będą dopięte na ostatni guzik, umieścimy je w intranecie „Ekstra Bladet", udostępniając zarówno kolegom, jak i dyrekcji.

– To prawie jak film szpiegowski, będzie pierwszorzędna zabawa. – W słuchawce wyraźnie było słychać zadowolenie w głosie Henrietty. – Ryzykujemy jednak także nasze stołki. Prezes ma całkiem niezłe powiązania.

– Tak, może nawet troszeczkę za dobre, ale chyba nie damy mu prawa sabotowania naszej pracy, co? Jak myślisz?

– Jasne, że nie, jedźmy z tym koksem, ale dyskretnie!

Otyły fotograf demonstrował właśnie swój najszerszy uśmiech. Został zaproszony na kolegium redakcyjne, które miało być poświęcone strategii rozwoju, dającej „Ekstra Bladet" niekwestionowane pierwsze miejsce na rynku. Kolegium zostało oczywiście zwołane przez prezesa, który oczekiwał, że „grupa zadaniowa" redakcji, złożona z fotografów, dziennikarzy i grafików, będzie penetrować sprawę zaginionych dzieci, wspierać policję, da popalić porywaczom, a czytelnikom udzieli pożytecznych informacji. Innymi słowy, będzie dostarczać na co dzień historii, wyprzedzających o krok konkurencję, zarówno na platformie cyfrowej, jak i w wydaniu papierowym.

Musimy po prostu powybijać zęby konkurencji, a potem jeszcze ich wyruchać tak, żeby to poczuli. Pokażemy im, że tu w kraju tylko „Ekstra Bladet", i nikt inny, potrafi unieść taki temat na wszystkich platformach medialnych! Zaczął bić sobie brawo, w czym zawtórował mu niezwłocznie otyły, a reszta, chcąc nie chcąc, dołączyła do aplauzu.

– Ja zagwarantuję środki, reszta zależy od was – obrócił się do Juhlera, wykonał dworski ukłon w stylu Ludwika XVI, i zakończył: – Proszę bardzo, Juhler, scena należy do ciebie.

Juhler wymanewrował fotografa za drzwi, zanim przeszliśmy do następnej części zebrania. Z trudem ukrywał rozczarowanie, ale mimo to dał mu odczuć, że należy do zespołu, podkreślając, iż liczy na nowe zdjęcia, jeśli dojdzie do kolejnego porwania.

Otyły zapewnił, że redaktor może być spokojny, i poklepał go po ramieniu.

– Jestem numero uno. Jeśli ktoś porwie nowego szczeniaka, będziesz miał zdjęcia, staruszku. Możesz się o to nie martwić.

Historia o czworgu porwanych dzieciach, z których dwójka była nadal poszukiwana, wyszła poza Danię. Belgijskie media wyraziły przypuszczenie, że być może zamieszany jest w to gang pedofilów. W innych krajach wiązano sprawę z historią małej Madeleine, angielskiej dziewczynki zaginionej podczas rodzinnego urlopu w Portugalii. Większość zagranicznych relacji zwracała jednak przede wszystkim uwagę na obce pochodzenie dzieci. Szwedzka prasa i programy wiadomości celowały zwłaszcza w podkreślaniu, że bratni kraj Dania znów przeżywa problem, będący skutkiem duńskiej rezerwy wobec wszystkiego, co nie mieściło się w duńskim jadłospisie.

– Dzieci azylantów, sprawa z Mahometem, burki, a teraz porwane dzieci. Źle się dzieje w państwie duńskim!

Dziennikarka TV4, która odwiedziła redakcję „Ekstra Bladet", żeby zrobić reportaż, kiwała głową, zaszokowana rasistowskimi wypowiedziami i zwrotem w stronę radykalnej prawicy w kraju, który przedtem był jej ulubionym celem podróży. Wyliczała nam swoje pozytywne wspomnienia z Chrystianii, Nyhavn, Tivoli i Tuborga, po czym wyjęła notes.

– Właśnie przeczytałam szereg wypowiedzi Duńskiej Partii Ludowej na temat cudzoziemców. Czy to prawda, że porównują mahometan do szczurów?

Juhler potrząsnął głową.

– Do gryzoni, przewodnicząca nazwała ich gryzoniami, nie szczurami.

Dziennikarka zanotowała odpowiedź i znowu potrząsnęła głową z niedowierzaniem.

– Gryzonie czy szczury, to przewodnicząca partii politycznej i nie może innych ludzi nazywać gryzoniami. U nas by to nie przeszło, w Szwecji wylądowałaby w więzieniu.

– Ale nie w Danii. Tutaj nawet zwiększyło to jej popularność.

– Ja tego nie pojmuję, a gdzie duńska otwartość i demokracja? Te wartości, z których słynie Dania?

Juhler spojrzał na nią z udawaną powagą.

– O to chodzi. Przecież to jest dokładnie to, o co ona walczy. Przynajmniej ona tak uważa. „W naszym własnym domu mamy prawo mówić to, co myślimy. Nikt nie może nam tego zakazywać czy nas krytykować". A już najmniej Szwedzi.

Dziennikarka chciała też mieć wywiad ze mną. Uważała, że moje doświadczenie, zdobyte przy pracy nad cyklem o cudzoziemskich niewolnicach w duńskiej branży usług seksualnych, może mieć znaczenie. Po nagraniu poszliśmy napić się kawy.

– Nie znasz przypadkiem tej osoby? – zapytałem, odpalając na moim laptopie filmik ze Słowa Ewangelii z Charlottą Nikolajsen.

– Lotta Molin, kiedyś wielka gwiazda szwedzkich parków ludowych. Oczywiście, znam doskonale. Czy to nagranie ze Słowa Życia?

– Nie, z duńskiego odpowiednika – Słowa Ewangelii.

– Co ona tam robi?

– Wyszła za założyciela.

– Lotta Molin wyszła za mąż? Nie miałam pojęcia. Widziałem ją zresztą w klubie Opera tydzień temu. Razem z Oscarem Nilssonem.

– Jakim Oscarem?

– Oscarem Nilssonem, jej byłym agentem i kochankiem.

– Dawnym kochankiem?

– Dawnym to może źle powiedziane. Całowali się namiętnie.

– Widziałaś Charlottę z innym mężczyzną? – Wstałem z krzesła, a dziennikarka spojrzała na mnie ze zdziwieniem.

– Dlaczego jesteś tym zaszokowany?

– Całowała go?

– A żebyś wiedział, że całowała, chociaż stosunek w ubraniu byłby może trafniejszym określeniem na to, co robili. Czemu ona cię tak interesuje?

Bez naświetlania tła całej sprawy powiedziałem jej, że zetknąłem się z Charlottą przy okazji robienia reportażu, który zamierzałem napisać o Słowie Ewangelii. Słuchała mnie uważnie.

– OK – powiedziała. – A już zaczęłam się zastanawiać, czy nie jesteś zazdrosny. Sposób, w jaki zareagowałeś! – Uśmiechnęła się figlarnie.

– Ja, zazdrosny?! Na pewno nie, jestem tylko zaskoczony. Minęło niewiele czasu, odkąd umarł jej mąż.

– Jej mąż nie żyje?

– Tak, znaleziono go powieszonego miesiąc temu.

Teraz ona na mnie popatrzyła ze zdumieniem, przysłoniła dłonią usta i przez palce wyszeptała:

– O, cholera! Znaleziono go powieszonego?

– Tak, czemu cię to zaszokowało? To chyba dość pospolity sposób popełnienia samobójstwa.

– Björna Molina także znaleziono powieszonego.

– Björna Molina?

– Tak, jej pierwszego męża. Nigdy nie słyszałeś o Björnie i Lotcie?

Zanuciła refren znanego szlagieru. – Byli niezwykli popularni w połowie lat osiemdziesiątych.

– A jego znaleziono powieszonego?

– Owszem, plotka głosiła, że zrobił to z powodu zbyt częstego widywania się Lotty i Oscara Nilssona bez jego wiedzy.

– Czy pisano coś na ten temat?

– Nie, to były tylko przypuszczenia, ale wystarczyło, by Lotta się wycofała i stała się święta. Wkrótce po śmierci Björna zaczęła się pojawiać w Słowie Życia. Odnalazła prawdziwy sens życia i powiedziała, że teraz liczy się dla niej tylko jeden mężczyzna.

– Björn?

– Nie, Jezus.

*

– Co powiedziała na układankę?

Øgaard podciągnął spodnie. Zaproponował, żebyśmy się spotkali przy dworcu autobusowym; powiedział, że nie ma zbyt wiele czasu, ale ma coś ważnego do przekazania.

– Na razie jeszcze wiele nie mówi, ale podobają jej się kolory. Moja odpowiedź wydawała się go satysfakcjonować.

– Niewiele mogłem ci przekazać ostatnim razem, więc powiedziałem sobie, że trzeba ci dać coś więcej. – Podał mi kopertę. – Tu masz nazwisko, adres i trochę danych o człowieku.

Podinspektor policji, który założył kartotekę duńskich lewicowców, nazywał się Jakob Wagner, urodził się trzydziestego pierwszego stycznia w mieście Viborg i mieszkał obecnie, wraz z partnerką Leą Skov, w mieszkaniu spółdzielczym przy Lombardigade pod numerem dziewiętnastym na drugim piętrze po lewej. Dokument własności lokalu wymieniał oboje. Na fotografii, którą dostarczył Øgaard, Jakob wyglądał na miłego, młodego człowieka. Przystojna twarz o regularnych rysach, modna fryzura ze sterczącymi włosami. Gdybym nie wiedział, że jest policjantem, mógłbym go wziąć za sprzedawcę lub pracownika biura nieruchomości. Kiedy pokazałem Marii fotografię i spytałem, czy go zna, powiedziała, że bardzo dobrze. Pracowali jakiś czas razem w Station City i nigdy nie miała mu nic do zarzucenia.

– To przecież Jakob, bardzo miły i uczynny, Lea – jego dziewczyna – także. Spotkałam ją kilka razy, kiedy przyjeżdżała po Jakoba. Dlaczego masz jego zdjęcie?

– Właśnie o nim pisałem. To ten od archiwum.

– To przeciw niemu toczy się śledztwo? Nie mogę w to uwierzyć. Skąd masz to zdjęcie?

– Dostałem od Øgaarda.

– Widocznie się myli. Jakob nie byłby w stanie czegoś takiego zrobić.

– Jak możesz być tego taka pewna?

– Zawsze był taki miły i troskliwy w stosunku do wszystkich, nawet do zatrzymanych. Chyba nie masz zamiaru opisać go w gazecie?

– Jeszcze nie teraz. Muszę mieć na niego coś więcej.

– Mylicie się obaj, i ty, i Øgaard, to po prostu nie może być prawda! Jakob to porządny facet.

Jakob Wagner nie dał się do tej pory poznać szerzej. Niczego nie było o nim w bazie danych Informedia, nie miał profilu na Facebooku. W wyszukiwarce pojawiał się tylko jako uczestnik biegu Eremitage 2008. Został sklasyfikowany jako dziewięćset siedemdziesiąty dziewiąty, z czasem pięćdziesiąt siedem minut i trzydzieści trzy sekundy. Jego partnerka Lea Skov była bardziej kontaktowa. Miała dwustu czterech znajomych na Facebooku, niektórzy mieli znane nazwiska w branży telewizyjnej i rozrywkowej. Uczestniczyła w kilku grupach, takich jak *R.I.P. Michael Jackson*, *Wspieraj policję*, *Dość mordowania wielorybów*, *Zachowaj dwór królewski*, *Ku pamięci poległych duńskich żołnierzy* oraz *Kuchnia Anny Larsen*. Nie było żadnych danych o wykształceniu ani o pracy, miała pocztę na Hotmailu i była fanką Sanny Salomonsen oraz Grannen & Beck. Jako swoje logo umieściła rysunek Smerfetki.

*

Zadzwoniłem do „komendanta z pożyczką".

– Chcę zapytać, czy jest coś nowego w sprawie Jakoba Wagnera. Nie od razu odpowiedział. Słychać było, że przełyka coś, pewnie kawę lub herbatę.

– Skąd masz to nazwisko?

– A czy to nie wszystko jedno? Czy jest coś nowego?

– Nie dyskutuję o sprawach personalnych z prasą.

– To znaczy, że jest sprawa przeciwko Jakobowi Wagnerowi?

– Mogę poinformować, że nie jest prowadzona żadna sprawa przeciwko wymienionemu funkcjonariuszowi.

– I co możesz poza tym o nim powiedzieć? Jakim jest kolegą?

– Wiesz co? W policji kopenhaskiej jest zatrudnionych dwa tysiące sześćset osób i nie mogę znać osobiście każdej z nich. Nawet prasa nie może tego ode mnie wymagać.

– Przed chwilą powiedziałeś, że nie jest prowadzona przeciwko niemu żadna sprawa. Wynikałoby z tego, że jednak go znasz. W każdym razie z imienia i nazwiska. Inaczej nie mógłbyś tego stwierdzić.

– Zaczynasz być męczący. Czy nie powiedziałem przed chwilą, że nie jest prowadzone przeciwko niemu żadne śledztwo?

– Czy to znaczy, że przesłuchanie jest już zakończone?

– O co ci chodzi?

– O sprawę kartoteki lewicowców.

– O ile dobrze pamiętam, informowałem cię już wcześniej, że taka sprawa nie jest prowadzona, i obawiam się, że nie mogę ci poświęcić więcej czasu. Mam nadzieję, że dociera do ciebie, iż policja ma co innego do roboty niż obsługiwanie żądnych sensacji dziennikarzy. Mamy mnóstwo zaginionych dzieci i w najbliższej przyszłości jest ponadto zebranie MKOL oraz szczyt klimatyczny w grudniu.

– To znaczy, że nie jest usunięty ani zawieszony w czynnościach?

– Jakob Wagner jest w służbie czynnej. Za to mogę ręczyć.

19

CAŁA DANIA NIE MÓWIŁA o niczym innym. Sprawa zaginionych chłopców zainspirowała prasę i telewizję do licytowania się w tworzeniu coraz dziwniejszych teorii spiskowych i przypuszczeń. W autobusach i kolei dojazdowej, gdzie ludzie zazwyczaj są wstrzemięźliwi w kontaktach, wymieniano się teraz najnowszymi wieściami. Rodzice w całym kraju brali dni wolne od pracy, by tworzyć prywatne warty przy przedszkolach. Na Facebooku powstawały nowe grupy. Niektórzy żądali interwencji rządu i policji, inni jednoczyli się w sympatii dla rodziców i rodzin poszukiwanych dzieci. Wszystkie siły zostały zmobilizowane. Policja i Obrona Cywilna były w pełnym pogotowiu. Nurkowie przeszukiwali port kopenhaski, na moczarach Utterslev Mose przeciągano sieci. Lasy, parki, w ogóle wszelkie tereny zielone na wyspie Amager zostały przeczesane przez patrole z psami.

Wszystko na nic. Równo miesiąc po krótkotrwałym porwaniu Baltazara nie było żadnych nowych informacji ani o dzieciach, ani o porywaczach. Freja i Baltazar złożyli mi wizytę w redakcji. Freja nie puściła chłopca do przedszkola, ale nie było jej z tym łatwo.

– Nie chodzi o brak zaufania do wychowawczyń – nie chcę przyczyniać się do żadnej nagonki – po prostu nie potrafię się zdobyć na to, by go tam pozostawić.

– A co z twoją pracą? Jak sobie radzisz?

– Jak dotąd, miałam urlop, ale w poniedziałek muszę wracać, a obowiązki wobec Baltazara przejmą moi rodzice. Nie puszczę chłopca do przedszkola, dopóki nie znajdą tych drani.

Starała się wspierać rodziców Ludwika, pomagała im w zakupach i w innych sprawach praktycznych, lecz niełatwo było patrzeć na ich zmartwienie i rozpacz. Niewiele sypiali, siadywali dniami i nocami w pokoju syna, przyglądając się pustemu łóżku i porzuconym zabawkom.

Zachowywali się jak para zombie, poruszających się w zupełnie innej rzeczywistości, zagubieni we własnej bezradności i rozpaczy.

– Wiem przecież, jak to jest, chociaż Baltazara nie było zaledwie kilka godzin. To, co przeżywają, to najgorsza rzecz, jaka może się przydarzyć rodzicom. Nie ma go już od trzech tygodni i nawet nie wiedzą, czy żyje. – Wzięła Baltazara na kolana, przytuliła go i zaczęła płakać. – Wiem, że to brzmi okropnie, ale jestem szczęśliwa, że to nie Baltazar.

*

Prezes nie był zadowolony z rezultatów naszej pracy i żądał, by codziennie było coś nowego na stronie tytułowej, ale wydawało się, że już wszelkie źródła zostały wyczerpane. Mieliśmy wywiady ze wszystkimi rodzicami, dawaliśmy apele do porywacza czy porywaczy w telewizji internetowej, utworzyliśmy gorącą linię telefoniczną oraz służbę SMS w celu zbierania informacji o porwanych. Zgłosiło się ponad tysiąc osób, jednak żadne doniesienie się nie potwierdziło. Jedno zgłoszenie doprowadziło do akcji policji. Emerytowany kolejarz z Tølløse zauważył podejrzaną aktywność w sąsiednim domu. „Nie mają własnych dzieci, a tu nagle zbudowali domek do zabawy w ogródku i jakieś maluchy biegają po trawniku". Informował także, że sąsiadka wykazuje zastanawiającą ostrożność. „To podejrzane, że cały czas je obserwuje. Dzieci jest troje lub czworo i nie wyglądają na duńskie". Miejscowa policja odwiedziła wspomniany dom i okazało się, że nie dzieje się tam nic nadzwyczajnego. Domek do zabawy i dzieci pojawiły się w wyniku zatrudnienia sąsiadki jako dziennej opiekunki dla dzieci w miejscowej gminie. Sąsiada to nie uspokoiło, nadal był zdania, że należy prowadzić obserwację tego domu. „To zastanawiające, że uznano ją za odpowiednią na opiekunkę. Oboje z mężem są trochę dziwni, nie zadają się z sąsiadami i mają zupełnie nowe samochody". Dzieci, które rzekomo nie wyglądały na duńskie, miały typowe duńskie imiona: Mathias, Oliver, Barbara Maria i Laura Ella, trójka miała włosy blond, a jedno było rude.

– Może wyznaczymy nagrodę? To podgrzałoby emocje. – Prezes przechadzał się nerwowym krokiem i sprawiał wrażenie, że się zastanawia. – Coś trzeba z tym zrobić, musimy utrwalić naszą dominującą pozycję.

– Zaszkodzić to nie może. Ile możesz na to poświęcić? – zapytał Juhler, gotów do wpisania odpowiedniej sumy.

– To powinno być coś, o co warto walczyć. Milion to chyba odpowiednia suma?

– To dużo pieniędzy, wystarczyłoby o wiele mniej.

– Nie, nie! To ma być z klasą! Milion i już! Zrób wszystko, co trzeba, Juhler! Własny pomysł wyraźnie go ożywił, uśmiechnął się i raźnym krokiem ruszył w stronę drzwi.

– A więc postanowione! Umieszczasz to w gazecie, a ja porozmawiam z marketingiem, żeby zapewnić koordynację.

*

Skutek był taki, jakby rzucono surowe mięso przed stado wygłodniałych drapieżników. W ciągu kilku dni nagroda zainspirowała talenty detektywistyczne całej ludności Danii. W specjalnie urządzonym sekretariacie lub sztabie wojennym, jak nazwał go prezes, telefony dzwoniły non stop, a łącza elektroniczne były rozgrzane do czerwoności. W ciągu dwóch dni grupa studentów zaangażowana do pomocy przy odbieraniu i sprawdzaniu zgłoszeń odnotowała ich ponad osiem tysięcy. Zdecydowana większość nie zasługiwała nawet na sprawdzenie. Zachęta emanująca z milionowej nagrody, w zestawieniu z zimnym prysznicem zafundowanym ludziom przez kryzys finansowy, uruchomiła falę podejrzeń pod adresem sąsiadów, dalszych krewnych, o niedokładnie znanych źródłach dochodu, i dawnych kolegów szkolnych. Wśród licznych mniej i bardziej niedorzecznych podejrzeń pojawiło się jednak jedno, które mogło dawać nadzieję na jakiś ślad.

– Rzuć okiem na to, co mam tutaj! – Mikkel, student teologii na Uniwersytecie Kopenhaskim, który dorabiał sobie, pracując w sztabie wojennym prezesa, podał mi karteczkę.
– To wygląda interesująco. Co to za jeden, ten, który to widział? Na kartce nie było ani nazwiska, ani adresu, ani numeru telefonu.
– Powiedział tylko, że nazywa się Mały Lars. Przyszedł osobiście do redakcji.
– Co to za gość? Możesz go opisać?
– Wiesz, taki typowy bezdomny. Długie, przetłuszczone włosy i broda, a śmierdział doprawdy nieludzko. Trochę mi przypominał Johnny'ego Madsena, wiesz – tego śpiewaka.
– Jak mogę się z nim skontaktować? Nie zdradził, gdzie go można znaleźć?
– Nie, ale obiecał, że jeszcze zajrzy, i coś mi się zdaje, że znajdziesz go na ławce po drugiej stronie ulicy nieopodal przedszkola. Wyglądał na mocno spragnionego. – Ruchem dłoni do ust i odchyleniem głowy Mikkel zademonstrował, co ma na myśli.

*

Nie miałem problemów ze zlokalizowaniem Małego Larsa. Posługując się opisem Mikkela, zidentyfikowałem go bez trudu w grupce, która obsiadła ławkę w pobliżu przedszkola. Kiedy się przedstawiłem i powiedziałem, o co chodzi, spojrzał na mnie z dezaprobatą.
– Sporo czasu wam to zabrało. Co wy tam właściwie robicie?
Opróżnił butelkę i odstawił ją na ławkę, ale zaraz podniósł z powrotem, żeby się upewnić, że nic w niej nie zostało.
– Przejdźmy może tam – pokazał ławkę oddaloną kilkanaście metrów od tej, przy której staliśmy.

Jakiś mężczyzna o azjatyckim typie urody, w pogniecionym garniturze, z dwoma reklamówkami w rękach, śledził nas ze swojego stanowiska obserwacyjnego za koszem na śmieci. Mały Lars podniósł rękę z zaciśniętą pięścią.

– Trzymaj swoje brudne paluchy przy sobie, Czang Kaj-szek! – upomniał go.

Facet cofnął się dwa kroki, ale nie spuścił oka z pustej butelki postawionej na ławce.

– Musimy bez przerwy uważać na tych chinoli. Jeszcze trochę, a zaczną nam wyrywać butelki z ręki! Tak to wygląda, człowieku.

Jeszcze raz pogroził pięścią zbieraczowi butelek w pomiętym ubraniu, po czym dźwignął swój plecak z ławki. – Tam możemy spokojnie porozmawiać.

– Widziałeś samochód? – Wręczyłem mu piwo, w które zaopatrzyłem się przezornie, wychodząc.

– Tak, to był windstar. – Przetarł szyjkę brudnym kciukiem i szybko opróżnił butelkę do połowy.

– Nie znam tej marki, jak to wygląda?

– To model z fabryki Forda, miał stanowić konkurencję dla voyagera firmy Chrysler. Niewiele tego jeździ w Danii. Wysoki podatek od luksusu i strasznie żre paliwo.

Sięgnął do plecaka, który postawił między kolanami, i wyciągnął spory plik pism motoryzacyjnych. Co najmniej pełny rocznik popularnego magazynu samochodowego. Z widoczną wprawą odszukał odpowiedni numer i szybko znalazł właściwą stronę.

– Popatrz tutaj, ten sam kolor, choć trochę nowszy model. Ten w magazynie to rocznik dziewięćdziesiąty ósmy, mnóstwo problemów ze skrzynią biegów – wskazał na tabelkę, w której wyliczono defekty samochodu. – Gdybym ja miał wybierać, wolałbym sto razy japońca. Mniej się sypią i są znacznie ekonomiczniejsze, jeśli chodzi o zużycie benzyny, o ile w ogóle można mówić o oszczędnym spalaniu w samochodach tej klasy.

Spojrzałem z podziwem na pijaka, który niespodziewanie okazał się ekspertem motoryzacyjnym.

– Najwyraźniej sporo wiesz o samochodach. To twoje hobby?

– Można tak powiedzieć. Z wykształcenia jestem mechanikiem samochodowym. Przepracowałem szesnaście lat w dużym warsztacie SMC w Odense.

– A dlaczego to rzuciłeś?

– Rozwód i za dużo tych tutaj – wymownym gestem podniósł butelkę, którą przy okazji opróżnił. – Masz może tego więcej?

Widział zielonego windstara, kiedy zniknął Baltazar i później, kiedy zaginął Ludwik. W obu wypadkach stał zaparkowany niedaleko przedszkola, a nie pojawił się w okolicy nigdy przedtem ani też nigdy później.

– Przychodzę tam codziennie i na dobrą sprawę znam wszystkie samochody. To nie był nikt stąd.

– Ciekawe. A kto prowadził samochód?

Podrapał się po brodzie.

– Kobieta, koło trzydziestki. Przystojna babka.

Opisał dość dokładnie uczesanie, figurę i w co była ubrana. Kiedy zawieruszył się Baltazar, miała na sobie czerwony żakiet i dżinsy, za drugim razem – jasne spodnie i luźną bluzkę koszulową z motywem kwiatowym.

– Nie musiałaby mnie pytać dwa razy, z całą pewnością doradziłbym jej zmianę samochodu, gdyby... – Wyciągnął rękę po magazyn, ale nie oddałem mu go.

– Nie mógłbyś mi tego pożyczyć? Obiecuję, że oddam.

Zastanawiał się przez chwilę, zanim mi odpowiedział.

– OK, możesz mi oddać razem z nagrodą. Milion koron, jeśli się nie mylę?

– Zgadza się.

– Za to można kupić bardzo przyzwoity samochód i jeszcze zostanie na drobne wydatki.

– Na pewno masz rację. Dziękuję za rozmowę. To były inte-
resujące informacje.

– Nie ma sprawy, człowiek się stara jak może.

– Lecę. Muszę zacząć szukać zielonego windstara. Mówisz,
że nie ma ich zbyt wiele?

– Dokładnie. Jeśli w całym kraju jest pięćdziesiąt sztuk, to
wszystko, i nie każdy ma rozbity błotnik.

– Rozbity błotnik?

– Tak, lewy błotnik, straszny szajs, sam plastik, bardzo łatwo uszkodzić. Powinieneś szukać rocznika dwa tysiące dwa
lub dwa tysiące trzy.

*

Oficjalny dealer Forda na Danię nie miał tego modelu, ale inny
sprzedawca w Hundige na południe od Kopenhagi prowadził im-
port równoległy dużych amerykańskich samochodów. Kiedy go
odwiedziłem i poprosiłem o podanie listy nabywców, odmówił,
zasłaniając się tajemnicą handlową. Ludzie, którzy u mnie kupują,
nie mogą ryzykować, że podam ich dane prasie czy innym oso-
bom postronnym – twierdził. Wszystko odbywa się jednak zgodnie z przepisami, każdy nabywca jest odnotowany. Zaprosił mnie
do kącika kawowego z ekspresem imponującej wielkości. Poklepał
chromowaną obudowę ekspresowego monstrum i pochwalił się:

– Isomac A02, znasz ten sprzęt?

Musiałem przyznać ze wstydem, że widzę taki po raz
pierwszy.

– Kosztuje dwadzieścia osiem tysięcy, ale mogę załatwić za
dwadzieścia dwa tysiące. Interesuje cię?

Nie zgłosiłem chęci zakupu, ale wyraziłem zgodę na napicie
się espresso z wielkiej maszyny. Dealer obsługiwał ją z piety-
zmem kustosza muzeum.

Spróbowałem kawy, była cienka.

– A możesz mi powiedzieć, ile egzemplarzy sprzedałeś? – zapytałem, wyrażając jednocześnie gestem uznanie dla maleńkiej
filiżanki przede mną – dobra, naprawdę dobra kawa.

– Fakt, nawet we Włoszech nie robią lepszej. Napijesz się jeszcze? – Kiwnąłem potakująco głową i wyciągnąłem w jego kierunku swoją filiżaneczkę, ale on już nalewał w dwie czyste, wyjęte z szuflady pod ekspresem. Wyjaśnił, że nigdy nie nalewa do używanych filiżanek.

– Tak mniej więcej, ile ich jeździ w Danii?

– Jeżeli interesują cię roczniki dwa tysiące dwa, dwa tysiące trzy, mogę ci to powiedzieć bardzo dokładnie. Siedem sztuk.

– To niewiele.

– Rzeczywiście, ale to bardzo specyficzny model. Doskonały wybór, bez dyskusji, wyjątkowo mało awaryjny. Nikt nie robi lepszych aut niż Amerykanie. Oni to potrafią, jak wiele innych rzeczy zresztą. Właściwie nie umieją tylko zrobić porządnej kawy.

– A nie było czasem problemów ze skrzynią biegów?

Spojrzał na mnie zupełnie zaskoczony i o mało nie upuścił swojej kawy.

– To już zamknięty rozdział, obecnie nie mamy praktycznie żadnych reklamacji i bardzo rzadko jakąś naprawę. Ten samochód jeździ jak marzenie.

– A co się dzieje w razie uszkodzenia? Czy wszystko da się naprawić, skoro to taki rzadki egzamplarz?

– Co masz na myśli?

– Mogą być problemy z częściami zamiennymi.

– W żadnym wypadku. W razie potrzeby mam zapewnioną dostawę transportem lotniczym od kooperanta we Włoszech.

– A co z karoserią, obcierki i stłuczki?

– To żaden problem, wszystko jesteśmy w stanie zrobić.

– A miałeś może coś takiego w ostatnim czasie? Chodzi mi o to, czy ktoś zwracał się z zapytaniem o naprawę karoserii?

– Ciekawe, że o to pytasz. Właśnie niedawno ktoś dzwonił w sprawie naprawy przedniego błotnika, ale to naprawdę nie jest problem. Będę miał nowy we wtorek. Takie czasy, mamy świat zglobalizowany i wszystko idzie szybciej.

*

Zadzwoniłem do Øgaarda, żeby sprawdził rejestr samochodów. Nie bardzo mu się to podobało.

– Muszę teraz uważać. Po tej sprawie z Jakobem Wagnerem i jego kartoteką zaostrzono kontrolę.

– Nie masz żadnej możliwości sprawdzenia, kto jeździ fordem windstarem? Chodzi zaledwie o siedem samochodów.

– Nie mogę nic obiecać. Nie, naprawdę, John, boję się ryzykować! Nie chcę, żeby mnie przyłapano na gorącym uczynku, rozumiesz? Musisz znaleźć jakiś inny sposób.

*

Ciasto do naleśników było wszędzie. Na stole kuchennym, na wyżętej szmacie do podłogi, na rolce papieru kuchennego, a najwięcej we włosach Baltazara i na jego ubraniu. Winowajca siedział na kuchennym stole i uśmiechał się od ucha do ucha, podczas gdy jego mamusia próbowała ratować resztki ciasta, którego nie udało mu się wyprowadzić z miski.

– Jak widzisz, dobrze się bawimy. – Freja zdjęła patelnię z kuchenki i przeniosła gorący naleśnik na talerz. – Zapraszamy do udziału w posiłku, który składa się z naleśników z konfiturami Misia Puchatka. Sięgnęła po słoik z obrazkiem słynnego misia na etykietce. – To aktualnie ulubione danie, potrafi opróżnić zawartość słoika w dwa dni.

Chłopak uśmiechnął się i wskazał misia palcem.

– Baltazar Puchatek, mały, dzielny miś!

Ojciec Frei pilnował Baltazara, kiedy szła do pracy. Panowie odwiedzili Dworzec Główny, żeby popatrzeć na pociągi. Byli także w remizie straży pożarnej zobaczyć samochody strażaków.

– Szaleje za pociągami i samochodami. Nie wiem, skąd mu się to wzięło, to chyba coś, co chłopcy mają w genach. A może to wpływ dziadka.

– A dziadek interesuje się pociągami i samochodami?

– Niespecjalnie, ale jest bardzo dumny ze swego wnuka. Chwali się, że chłopak na widok škody mówi „auto dziadka". Mam nadzieję, że z tego wyrośnie. Nie chciałabym, żeby został jednym z tych szaleńców od tuningu i zwariowanej jazdy.

– Auta. John widział auto Baltazara? – Chłopczyk wyciągnął do mnie ręce.

– Tak, pokaż swoje auta Johnowi, a ja w międzyczasie spróbuję uporządkować ten bałagan. Freja rozłożyła bezradnie ręce, wskazując na bałagan w kuchni, ale syna obdarzyła mimo wszystko spojrzeniem pełnym dumy.

– Właśnie dostał Błyskawicę McQueen.

– Jaką błyskawicę?

– Błyskawicę McQueen, musiałam o niej słuchać przez kilka miesięcy, wreszcie dziadek się zlitował i kupił to cudo. Staram się nie kupować tego rodzaju zabawek. To nowy pomysł Disneya – samochód wyścigowy, który potrafi mówić i odgrywa główną rolę w jakimś przedstawieniu.

Czerwony samochód, z oczami po obu bokach kratownicy, potrafił sam jeździć, kiedy się go najpierw cofnęło. Baltazar krzyczał z uciechy i wyjaśnił, że Błyskawica przegoni każde inne auto. Bardzo podobał mu się również samochód z dźwigiem. Pozwolił mi spróbować jazdy Błyskawicą, ale szybko mi ją zabrał i zastąpił innym samochodem.

– Mercedes, John jedzie mercedesem. – Wręczył mi białego mercedesa z opuszczanym dachem. – Bardzo szybki, ale Błyskawica McQueen z nim wygrywa.

– To imponujące. Zna nazwy wszystkich swoich samochodów – mercedes, volvo i porsche.

Podziękowałem za poczęstunek i odsunąłem talerz. Freja próbowała mnie namówić na zjedzenie ostatniego naleśnika, ale kiedy poklepałem się znacząco po brzuchu, wzięła dla siebie.

– Nie tylko swoich, na ulicy też rozróżnia i to wcale niemałą liczbę samochodów. Jest mistrzem w wypatrywaniu szczegółów. Czy zauważyłeś na przykład, że niektóre samochody mają odblaski na bocznych lusterkach?

– Nie, nigdy nie zwróciłem na to uwagi.

Przyniosłem teczkę z korytarza, kiedy Freja nastawiała wodę na herbatę.

– Popatrz tutaj, Baltazar! – Wziąłem chłopca na kolana i pokazałem mu pożyczony od bezdomnego magazyn motoryzacyjny, otwarty na stronie z fordem windstarem. – Podoba ci się ten samochód?

Spojrzał zaciekawiony i pokazał samochód palcem.

– Auto z lodami.

Freja odwróciła się w naszą stronę i popatrzyła uważnie na syna. Uśmiechnął się szeroko i ponownie wskazał zdjęcie.

– Auto z lodami. Baltazar duży chłopiec. Lody i film rysunkowy.

Freja, zaszokowana, wsparła się rękami na oparciu krzesła.

– Co to za samochód, John? Skąd masz to zdjęcie? Co wiesz o nim?

– Dostałem je od bezdomnego. Widział taki samochód dwa razy przed przedszkolem. Kiedy zaginął Baltazar i potem kiedy zniknął Ludwik.

Freja zachwiała się, o mało nie straciła równowagi, usiadła w kucki i zaczęła płakać. Baltazar spojrzał przestraszony, zeskoczył z moich kolan i objął matkę.

*

– Postawimy otyłego na czatach. To w końcu jego robota.

Juhler zaczął już szukać właściwego numeru w swoim telefonie komórkowym.

Opowiedziałem mu o Baltazarze i samochodzie, a także mojej wizycie u dealera w Hundige.

– We wtorek ma przyjechać windstar z rozbitym błotnikiem?

– We wtorek albo w środę. Błotnik ma być we wtorek, ale nie chcę mieszać w to grubasa, wezmę Larsa do tej roboty.

– Mnie to nie przeszkadza, ale będziesz musiał sam go przekonać. Lars się odmeldował.

Z fotografem Larsem Nielsenem pracowałem wiele razy. Ostatnio, kiedy obserwowaliśmy biznesmenów na kursie integracyjnym na boisku do paintballu na Amager, gdzie gwałcono młode Afganki. To odporny gość, fotografował już wojny i katastrofy w różnych zakątkach świata, lecz nagle powiadomił, że ma dosyć. Poprosił o urlop bezpłatny, a po uzyskaniu zgody przeniósł się do domku letniego na wyspie Møn.

– Słyszałem, że zaczął medytować i żywić się ziarnami słonecznika – naigrawał się Juhler. – Ostro mu odbiło.

– Jest najlepszy. Jeżeli mam się bawić w śledzenie, to tylko z nim.

*

Wiatr zdmuchiwał pianę ze szczytów fal i rozwiewał mu włosy. Zapuścił je do ramion. Szedł energicznie i nawet nie zauważył, że woda moczy mu nogawki spodni.

– Musimy tylko okrążyć cypel i zobaczysz, jak wygląda prawdziwa przyroda – wskazał ręką punkt wybrzeża oddalony o jakieś sto metrów.

– Co robisz cały czas, czy nie czujesz się tu samotny?

Próbowałem dotrzymać mu kroku. Zatrzymał się i spojrzał na mnie, rozłożył szeroko ręce i roześmiał się.

– Samotny? Pewnie, że jestem tu samotny i od czasu do czasu nawet się nudzę, ale wolę chodzić sobie tutaj, niż wojować z tym nowym prezesem. Słyszałem, że jest na dobrej drodze, by utopić gazetę.

– Tak źle pewnie nie będzie, ale trudno ci odmówić racji. To na pewno zupełnie inny facet. Z pewnością nie w moim typie.

– To rzuć to w cholerę! Zrób tak jak ja.

– A czemu ty to rzuciłeś?

– Widziałem dosyć różnego paskudztwa. Chcę teraz także popatrzeć na coś ładnego. Są w życiu rzeczy ważniejsze niż to, co my dwaj robiliśmy.

– Na pewno. Chodzi ci o coś konkretnego?

– Musi być jakiś sens w tym wszystkim. Coś, co łączy.

– To brzmi dość mistycznie. Czyżbyś stał się wierzący?

Szarpnął brodę, którą zdążył zapuścić od czasu, kiedy go widziałem ostatni raz, i skierował wzrok w stronę morza. Kilku kitesurferów toczyło walkę z żywiołem. Jeden stracił równowagę i spadł z deski. Obserwowaliśmy w milczeniu jego wysiłki, by odzyskać panowanie nad sytuacją, i pokiwaliśmy z uznaniem głowami, kiedy wreszcie udało mu się zapanować nad deską i latawcem. Powstał niczym Feniks z popiołów i pognał dalej po grzbietach fal.

– Wierzący, to może za mocne słowo. Powiedziałbym raczej, że należę do poszukujących. Musi być ktoś, a może coś, co decyduje o tym, co się z nami dzieje. Ktoś, kto dokonuje za nas wyboru. Weź tego tam na morzu. Najwidoczniej ktoś postanowił, że to jeszcze nie koniec.

– A może po prostu opanował technikę na tyle, by dać radę.

– Może, trudno powiedzieć. Zostaniesz na kolację?

*

Podał makrelę, którą sam złowił i przygotował w tradycyjny sposób: filety pokrojone na niewielkie kawałki, posypane natką pietruszki, obtoczone w mące i smażone na złoto w garnku z roztopionym masłem. Do tego młode kartofle z białym sosem, piwo i sznaps. Nie żałowałem, że zdecydowałem się zostać.

– Czy poszło ci o te gwałty na boisku do paintballu? Dlatego zdecydowałeś się odejść?

– Może była to ta kropla, która przepełniła czarę. Znasz to? Nagle w pewnym momencie człowiek ma wszystkiego dosyć. Po prostu nie potrafiłby robić tego samego przez kolejne dziesięć lat. A na dodatek cały ten szum, nowe koncepcje i inne idiotyzmy. Mam tego dosyć. Po dziurki w nosie!

Kiwnąłem głową ze zrozumieniem, bo usta miałem pełne ryby.

– Kiwasz głową, ale popatrz na siebie. Ciągle się babrzesz w tym samym gnoju. Jak ty to wytrzymujesz?

– Wcale nie jestem taki pewien, czy wytrzymuję. Już kilka razy się zastanawiałem, czy z tym nie skończyć, ale akurat w tej chwili nie mogę. Słyszałeś pewnie o zaginionych dzieciach?

Teraz on z kolei kiwnął głową.

– Rozmawiałem z jednym bezdomnym. To chodząca encyklopedia motoryzacji, wie wszystko o samochodach.

Wyciągnąłem magazyn motoryzacyjny i pokazałem Larsowi.

– Widział ten samochód, kiedy porwano obu chłopców. To dość nietypowy samochód i ma wgnieciony jeden zderzak. Wiem o warsztacie w Hundige, w którym zamówiono jego naprawę. My dwaj moglibyśmy się na niego zaczaić.

Znowu kiwnął głową.

– Czy to znaczy, że się zgadzasz?

Ponowne kiwnięcie.

– Tylko dlatego, że to ty prosisz, no i chodzi o te dzieci. Nie robię tego ani dla prezesa, ani dla Juhlera.

– Juhler jest w porządku, jemu też nie jest łatwo z tym wszystkim, co się teraz dzieje.

– Niech ci będzie, więc dla ciebie, dzieci i Juhlera, a teraz nalejemy sobie po kielichu i wrócimy do wspomnień z dawnych dobrych czasów. Naprawdę się cieszę, że wpadłeś, stary! – To mówiąc, odmierzył dwie solidne porcje sznapsa.

– Za tego na górze, jeśli On istnieje!

20

– TYLKO NA PARĘ DNI. Wynajął swoje mieszkanie, a nie może przecież dojeżdżać codziennie z Møn do Kopenhagi.

Próbowałem udobruchać Marię, która była wściekła, że zaprosiłem Larsa, żeby spał u nas na kanapie, jak długo będziemy pracowali nad sprawą zaginionych dzieci.

– Najpierw dzwonisz, żeby powiedzieć, że nie wrócisz na noc, a potem przyłazisz razem z nim i mówisz mi, że będzie u nas mieszkał. Mogłeś przynajmniej zapytać, co ja o tym sądzę.

– Myślałem, że to żaden kłopot.

– Tak myślałeś! I w tym problem, że ze mną się nie liczysz. Ja mam po prostu godzić się na wszystko, co ty wymyślisz. Zastanów się, John! Nie jesteś już kawalerem. Masz rodzinę, o której trzeba myśleć.

– Rety, Mario! Chodzi tylko o parę dni...

– Jestem! – zawołał Lars, otwierając drzwi wejściowe. Zrobił sobie spacer po mieście, żeby poczuć atmosferę po miesiącach życia na odludziu.

– To dla ciebie, mam nadzieję, że ci się podobają – rzekł, wręczając zaskoczonej Marii bukiet kwiatów. – Nie chciałbym być zawadą. Nawet nie jestem pewien, czy John zapytał cię o zgodę. Jeśli ci nie pasuje, to po prostu powiedz.

Maria powąchała kwiaty i uśmiechnęła się.

– Nie ma sprawy, ale mamy tylko kanapę dla ciebie. Wystarczy ci?

– Jasne. Nieraz już sypiałem na kanapie w różnych miejscach. Wpadło mi też w rękę coś takiego – dodał, wyciągając pakunek z plastikowej torby. – Lepiej uważaj, kiedy będziesz rozpakowywać. Może nie jest całkiem nowa, ale jestem pewien, że Ester się spodoba. Sam miałem taką, kiedy byłem dzieckiem.

– O! Na pewno! Jest fantastyczna, a teraz nigdzie się takiej nie kupi! To bardzo miłe z twojej strony! – Maria podała mi starą lampę Ole Zmruż-oczko, odpakowaną z papieru, i uściskała Larsa. – Miło mieć w domu gościa, a nie cały czas tylko myśleć o pieluchach i karmieniu.

*

Henrietta i Juhler ucieszyli się na widok Larsa, chociaż Juhler nie omieszkał skomentować jego wyglądu.

– Gdybym nie wiedział, kim jesteś, mógłbym pomyśleć, że w redakcji pojawił się Jezus z Nazaretu.

– Takie porównanie z pewnością nie może mi przynieść ujmy. – Lars zajął miejsce na krześle przed biurkiem szefa. – Spędziłem ostatnio trochę czasu w jego towarzystwie – dodał.

Juhler wytrzeszczył oczy.

– Co ty? Jesteś teraz świętym?

– To z pewnością przesada. Postanowiłem jednak zastanowić się trochę nad tym, co się właściwie dzieje na świecie – co sprawia, że traktujemy siebie nawzajem tak, jak traktujemy. Jeżeli o to chodzi, to Jezus ma tu akurat propozycje godne uwagi.

– Dobre propozycje, powiadasz? Lepiej się opamiętaj. Religia to wynalazek diabła i wszystko jedno, czy chodzi o chrześcijan, mahometan, hinduistów, czy buddystów. Wiara i religia to podstawowa przyczyna wszystkich wojen i konfliktów. Byłeś w Bośni, Lars, widziałeś to na własne oczy.

– Przesłanie Jezusa to miłość. Gdybyśmy tylko przestrzegali jego przykazań, wiele rzeczy wyglądałoby inaczej.

Juhler nadal spoglądał na niego ze zdumieniem, potrząsnął głową, a potem dodał, że lekcja religii skończona i pora zająć się bardziej przyziemnymi sprawami.

– Mamy tu jakiegoś szaleńca, który porywa małe dzieci. Hilling zdołał, bez pomocy sił nadprzyrodzonych, kierując się tylko zdrowym dziennikarskim węchem, wytropić coś, co ponad wszelką wątpliwość jest co najmniej poważną poszlaką. Hilling, możesz wprowadzić wspólnotę wiernych w sytuację?

Prezes przerwał nasze zebranie, otworzywszy drzwi bez pukania, i rzucił teczkę na biurko Juhlera.

– Ty, ty i ty, możecie mi to wyjaśnić? I to natychmiast! – wskazał Juhlera, Henriettę i mnie, całkowicie ignorując Larsa.

– Jesteśmy w trakcie zebrania redakcyjnego – powiedział szef gniewnym tonem, podnosząc się z miejsca.

– Powiedziałem „natychmiast"! I będziecie musieli poprosić wasze źródło, by poczekało za drzwiami – wskazał na Larsa.

– Lars Poulsen, fotograf, zatrudniony w redakcji od osiemnastu lat, obecnie na urlopie bezpłatnym. Ty pewnie jesteś nowym prezesem, chyba widziałem twoje zdjęcie w wywiadzie dla pisma „Dziennikarz". – Lars wyciągnął do niego rękę. – Podobało mi się to, co mówiłeś o zespołowości. Zawsze mieliśmy tu dobry zespół. Witamy w naszym gronie.

Prezes wyciągnął list z teczki.

– A to co? Wydawało mi się, że zawarliśmy jasną umowę.

Henrietta popatrzyła na niego.

– Trochę trudno jest udzielić odpowiedzi, kiedy się nie wie, o co chodzi. Chyba możesz nam pokazać ten dokument, albo przynajmniej powiedzieć, o co w nim chodzi?

Wyciągnął okulary z kieszeni marynarki.

– To pismo od dyrektora departamentu w Ministerstwie Spraw Zagranicznych. Doszedł do wniosku, że powinien się dowiedzieć, czym zajmują się moi pracownicy.

– No i czym ci twoi pracownicy się zajmują? – zapytałem, stojąc tuż przed nim, akurat kiedy zaczął czytać:

Na podstawie sfingowanych przesłanek zapewnili sobie dostęp do materiału zdjęciowego z pobytu minister rozwoju regionalnego w Ugandzie. Zmanipulowali osobę zatrudnioną przez pismo „Rozwój" w celu uzyskania dostępu do wspomnianego materiału w sposób niedopuszczalny i urągający dobrym obyczajom, pouczając kierownika biura o zasadach publicznego wglądu do akt, dotyczących dyspozycji gospodarczych Funduszu IØ, w związku z projektem rozwojowym na Ukrainie.

Złożył list i schował do wewnętrznej kieszeni marynarki.

– Johnie Hilling! Czy nie powiedziałem, raz na zawsze, że wszystko, co dotyczy tej sprawy, ma przechodzić przez moje biurko?

Nie zdążyłem odpowiedzieć. Lars uruchomił aparat i lampę błyskową, pstrykając z bliska prezesa i mnie.

– Co ty, do cholery, wyrabiasz, hippisie?! – Prezes, wściekły, zwrócił się w stronę Larsa, który nieporuszony fotografował dalej. – Dlaczego robisz te zdjęcia? – Wyciągnął rękę po aparat, ale Lars się uchylił i zrobił kolejne ujęcie.

– To zwykła dokumentacja. Przypuszczam, że moi koledzy będą chcieli mieć fotografie do artykułu.

– Jakiego artykułu? – prezes spojrzał na Larsa, niczego nie rozumiejąc. Lars sprawdził na wyświetlaczu, co mu wyszło, nim odpowiedział.

– Do tego artykułu, który – jak przypuszczam – John i Henrietta będą chcieli napisać do „Dziennikarza", o tym, jak kierownictwo „Ekstra Bladet" utrudnia swoim dziennikarzom ujawnienie i zbadanie ewentualnych nadużyć w rządzie. Może zrobimy jeszcze zdjęcie, jak stoisz koło okna? Takie, na którym nie byłbyś taki wściekły.

Administrator popatrzył na Larsa, obrócił się na pięcie i ruszył do drzwi. Z ręką na klamce odwrócił się ponownie, spojrzał na nas, jakby chciał coś jeszcze dodać, ale nie powiedział nic, tylko wyciągniętym palcem wskazującym wypunktował na pożegnanie po kolei każdego z nas.

– Lars! Sprawiłeś sobie właśnie nowego wroga, ale cholernie skutecznie zamknąłeś mu gębę. – Juhler zatarł ręce i sięgnął po zimne piwo z lodówki. Zdjął kapsle i każdemu wręczył po butelce. – Z przyjemnością obejrzę twoje dzieła.

Fotograf uśmiechnął się krzywo i przechylił butelkę.

– Raczej nie możesz na to liczyć – powiedział – nie ma żadnych zdjęć.

– Jak to? – zdziwiła się Henrietta.

– Tak, jak mówię. – Śmiejąc się, sięgnął do kieszeni i wyciągnął plastikową kartę. – Strzelałem ślepymi nabojami, nie miałem karty w aparacie.

Juhler złapał się za brzuch i bezskutecznie usiłował powstrzymać wybuch śmiechu, w końcu parsknął piwem na całe biurko.

– Ale numer! Lars, zasługujesz na nagrodę roku. Witaj po urlopie! Znowu robi się tu ciekawie.

*

Wiadomość o wyczynie Larsa szybko obiegła całą redakcję. Nie minęło wiele czasu, a wszyscy pracownicy gazety już wiedzieli o wydarzeniu, choć nie o wszystkim. Jedynie obecnych w biurze naczelnego wtajemniczono w to, że w aparacie nie było karty. Prezes zdecydował się na wcześniejsze wyjście z biura, podczas gdy jego zastępca, wprost przeciwnie, został po godzinach. Dźwigając skrzynkę drogiego czerwonego wina, pojawił się w biurze Juhlera i poprosił, by mu opowiedzieć całą historię od początku. Kiedy zaspokoiliśmy jego ciekawość, kazał sobie wszystko powtórzyć jeszcze raz od początku.

Wychodząc, podał mi złożoną kartkę papieru.

– Pomyślałem, że to ci się może przydać, chociaż pewnie sam byś się domyślił. Albo może inaczej: o ile cię znam, prędzej czy później sam byś wpadł na pomysł, by to sprawdzić, więc tylko trochę uprzedziłem twój zamiar. Miłego dnia. – Poklepał mnie po ramieniu i uśmiechnął się tajemniczo.

Rozwinąłem kartkę i odczytałem: „Prezes i dyrektor departamentu znają się doskonale. Nie tylko należeli do tej samej loży przedsiębiorców, ale byli także obydwaj udziałowcami pewnego konsorcjum, które posiada regatowy jacht pełnomorski. Pozostałymi udziałowcami byli dyrektor Funduszu IØ oraz mąż pani minister rozwoju regionalnego".

*

Obudziłem się, bo chciało mi się pić. Był to skutek zbyt wielu kieliszków wina w biurze Juhlera. Próbowałem poruszać się ostrożnie w otaczających mnie ciemnościach. Nie chciałem nikogo obudzić, co wymagało prawidłowej strategii. Ester trzymała ręką pierś swojej matki, a jedną nogę w śpioszkach umieściła na moim ramieniu, podkreślając w namacalny sposób swoje pochodzenie. Zastanawiałem się, co zrobić, i doszedłem do wniosku, że krótkotrwałe uwolnienie się od tego kontaktu stanowi mniejsze zagrożenie niż atak kaszlu, który najwyraźniej sygnalizowała moja wysuszona krtań. Ostrożnie przesunąłem małą nóżkę i wyczołgałem się z łóżka. Ester zareagowała niespokojnym poruszeniem, ale tylko mocniej przyssała się do smoczka i spała dalej. Maria otworzyła na chwilę oczy i zarejestrowawszy, że dziecko znajduje się tam, gdzie powinno, zamknęła je na powrót.

Lars nie spał i siedział z pilotem w dłoni, oglądając lokalny program kopenhaski.
– Siadaj, to ciekawe, co pokazują.
Przesunął kołdrę, robiąc mi miejsce na kanapie obok siebie. Modulowany głos amerykańskiego kaznodziei wyliczał argumenty przeciwko teorii Darwina, ostrzegając przed konsekwencjami jego herezji. „Małpia mitologia Charlesa Darwina jest prawdziwą przyczyną poniżenia, rozwiązłości, tabletek wczesnoporonnych, zapobiegania ciąży, perwersji, aborcji i pornografii. Darwin to diabeł wcielony. Bóg wszechmogący stworzył człowieka na swój obraz i podobieństwo. Ludzie i małpy nie

mają wspólnych przodków. Człowiek nie jest ewolucyjnym produktem goryli i szympansów, lecz czymś unikatowym".

Temu kazaniu towarzyszył w tle obraz wycieczki szkolnej w ogrodzie zoologicznym. Dzieci zatrzymały się przed klatką z małpami i pokazywały palcami siebie nawzajem oraz jedną z małp zajętą energicznym iskaniem wszy pobratymca. Dzieci potrząsnęły głowami z uśmiechem i, ująwszy się za ręce, pobiegły do klatki z misiami.

– Lars, chyba nie wierzysz w te bzdury, które on wygaduje?

Program dobiegł końca i pojawiła się zapowiedź nocnego programu pornograficznego.

– Ach, na to czekałeś? – pokazałem ręką ekran.

Lars potrząsnął głową i wyłączył głos gadającej w tempie karabinu maszynowego spikerki, która próbowała przekonać widzów, by koniecznie zadzwonili pod dany numer telefonu, podając rozwiązanie zagadki, której treść powtórzyła. Obiecywała premię pieniężną, podczas gdy w rogu ekranu szła już przebitka na roznegliżowaną panienkę na leżance. Nie wykazując żadnych oznak podniecenia, demonstrowała seksualną samoobsługę za pomocą różowego sztucznego członka ze skrzydełkami i oblizywała przy tym usta.

– Oczywiście, że nie wierzę, ale mnóstwo ludzi w to wierzy. Nawet u nas, w Danii. Czy wiesz, że w bardzo wielu szkołach chrześcijańskich wykłada się teorie inteligentnego projektu?

– Inteligentnego projektu?

– Tak, to nowa nazwa przekonania, że to Bóg stworzył Ziemię i wszystkie stworzenia. Raczej nie da się już podtrzymać tezy, że zrobił to w niecały tydzień cztery tysiące lat temu, skoro archeologowie i inni badacze znajdują ślady życia sprzed milionów lat. Wobec tego obecnie twierdzi się, że działo się to stopniowo i było realizowane jako inteligentny projekt.

– Ale nadal twierdzą, że Darwin to obrzydliwy kłamca?

– Częściowo. Dopuszczają możliwość pewnego rodzaju ewolucji – na przykład, jeśli skrzyżuje się dwie rasy psów i stworzy mieszańca – jednak nasze pochodzenie od małp jest wykluczone. Jesteśmy tworem inteligentnego projektu.

– Czyli stworzeni przez siłę wyższą?

– Właśnie.

– Ale cały czas właśnie o tym mówisz, czyż nie? Chodzi ci o to, że musi istnieć coś ponad tym wszystkim.

– Owszem, ale to mi nie przeszkadza racjonalnie myśleć. Nie jestem fundamentalistą, tylko człowiekiem otwartym.

– A ja jestem człowiekiem zmęczonym. Ty też powinieneś się przespać. Musimy wcześnie wstać, jeśli chcemy zdążyć do Hundige.

21

LARS KONTYNUOWAŁ TEMAT inteligentnego projektu, przeżuwając kruchego rogalika i zdmuchując okruchy z teleobiektywu, podczas gdy po drugiej stronie drogi młody człowiek w roboczym kombinezonie właśnie otwierał metalową bramkę parkingu przed U.S. Autoimport. Podniósł rękę w geście pozdrowienia, gdy jako pierwszy wjeżdżał na parking jego szef w chevrolecie camaro.

– Jak myślisz, ile takie coś może kosztować? – Lars chwilowo zrezygnował z filozofii na rzecz swojego aparatu, ale odnotował z podziwem scenę na parkingu, gdzie dealer jednym wciśnięciem kluczyka zamienił kabriolet w zamkniętą karoserię. Skierował obiektyw na samochód i właściciela i wykonał serię zdjęć. – Chyba co najmniej milion?

– Nie mam zielonego pojęcia, ale on na pewno zaproponuje ci korzystną cenę, jeśli jesteś zainteresowany.

Dealer rzucił kluczyki człowiekowi w kombinezonie i wszedł do salonu. Chłopak chwycił je w locie, podrzucił jeszcze raz, po czym usiadł za kierownicą, przycisnął pedał gazu i na pełnej prędkości przestawił wóz na miejsce w przeciwległym końcu parkingu. Szef z uśmiechem przyglądał się temu wyczynowi przez okno, po czym nalał sobie pierwsze poranne espresso i usiadł za biurkiem. Odłożyłem lornetkę, łyknąłem letniej kawy z papierowego kubka i sięgnąłem po komórkę, ale Lars przytrzymał moją rękę.

– Myślę, że mamy gościa.

Ustawił ostrość i zrobił serię zdjęć zielonego forda windstara, który skręcił z Hundige Strandvej i zatrzymał się przed bramą do warsztatu. Tuż za nim nadjechało camaro podobne do samochodu dealera. Mężczyzna w średnim wieku z włosami związanymi w koński ogon, ubrany według dawno przebrzmiałej mody, wyskoczył z samochodu i podbiegł, żeby szarmancko otworzyć drzwi przed kobietą kierującą windstarem.

– Przecież to P.S. Krøyer. Nie wiedziałem, że jest w Danii.

Lars położył się na kolumnie kierownicy, aby przyjąć lepszą pozycję do kolejnego zdjęcia. Dealer wyszedł z salonu, wziął kobietę w objęcia, a mężczyźnie z końskim ogonem podał rękę. Zatrzymali się na krótko koło chevroleta i coś chyba mówili na temat samochodu, przyglądając się przedniej oponie. Dealer przywołał młodzieńca w kombinezonie, wydał mu jakieś polecenie, po czym szerokim gestem zaprosił gości do salonu.

– P.S. Krøyer, coś ci się chyba przywidziało? On umarł sto lat temu!

Lars powrócił do normalnej pozycji siedzącej, opuścił aparat na kolana i roześmiał się.

– Nie chodzi o malarza krajobrazów z dziewiętnastego wieku, ale o osobę żyjącą współcześnie. Peter Krøyer to fotograf, który zarobił miliony, fotografując modelki dla męskich magazynów. Zaczął od broszury „Ugens Rapport", ale jego prawdziwa kariera zaczęła się, kiedy „Penthouse" kupił całą serię jego zdjęć. Ostatnio zetknąłem się z informacją na jego temat, gdy zobaczyłem wywiad w jednym z amerykańskich magazynów. To był reportaż z cyklu „W domu u znanych osób" ze zdjęciami państwa Krøyerów w ich posiadłości w Beverly Hills. Posiadłość w stylu Hollywood, z basenem w ogrodzie, i tym wszystkim, czego tacy jak oni potrzebują do szpanowania.

– I on się nazywa P.S. Krøyer? Niesamowite! Czyżby rodzice byli miłośnikami malarstwa starego Krøyera?

– Nie o to chodzi. Rodzice dali mu na imię Peter. Peter Krøyer i tyle. To „S." dodał sobie sam, tak jak Lars Trier dodał sobie „von". To się lepiej sprzedaje.

– Możliwe, ale teraz oboje z żoną są najwidoczniej z powrotem w Danii.

– Jeśli masz na myśli tę, która siedziała w fordzie windstarze, to nie jest jego żona. Jego żonę bym poznał, była na rozkładówce „Playboya". Ta, która teraz siedzi i pije espresso, też by się nadawała, ale to inna kobieta.

*

Staraliśmy się nie zgubić camaro. Peter S. Krøyer przebywał widocznie wystarczająco długo poza krajem, by zapomnieć, jakie ograniczenia szybkości obowiązują w Danii. Stracilibyśmy ich zupełnie z oczu, gdyby nie przyszedł nam w sukurs tir firmy Arla z przyczepą, który utworzył mniejszy korek przed wjazdem do supermarketu Bilka. Fotograf nagości nie oszczędzał klaksonu, ale dostawca mleka był niewzruszony, spokojnie manewrował olbrzymim pojazdem, dopóki go nie ustawił tyłem, przy bramie dostawy towaru. Gdy zwolnił się przejazd, Krøyer dodał gazu, przemknął wzdłuż szeregu zaparkowanych samochodów i wrócił, by zaparkować na kopercie dla niepełnosprawnych blisko wejścia. My znaleźliśmy miejsce nieco dalej i dogoniliśmy parę, która weszła do sklepu.

Wózek popychała kobieta, podczas gdy mężczyzna wybierał produkty. Znalazła się tam, między innymi, zgrzewka kartonów mleka kakaowego, duża paczka kolorowych słomek, siedem pluszowych misiów, garść smoczków w foliowych opakowaniach oraz dziesięć puszek z kremem śmietankowym. Facet wybierał bez wahania, najwyraźniej wiedział dokładnie, co mu będzie potrzebne, tylko w dziale win zamarudził nieco dłużej, nim się zdecydował na kilka dużych butelek czerwonego.

– Zna się na winach i ma sporo dzieci – szepnąłem Larsowi do ucha, podczas gdy on pstrykał dyskretnie fotki małą leicą.

– Rzeczywiście. Nie miałem pojęcia, że P.S. został ojcem.

*

W drodze do Kopenhagi fotograf w ogóle nie schodził z lewego pasa i korzystał bez zahamowań zarówno z klaksonu, jak i długich świateł, by przegnać wolniejsze pojazdy bliżej krawężnika. Staraliśmy się jechać jego śladem i straciliśmy dystans, dopiero gdy opuścił autostradę i zjechał w kierunku centrum. Przy hotelu Radisson Royal skręcił w prawo i, kierując się na wschód, doprowadził nas na Strandlodsvej na wyspie Amager, gdzie skręcił na parking przed przebudowanym dawnym kompleksem przemysłowym. Zdążyliśmy zauważyć, że P.S. Krøyer ze swoją towarzyszką wnieśli zakupy do budynku oznaczonego literą C. Wysokie, fabryczne okna były przysłonięte zasłonami, a na drzwiach widniała mosiężna tabliczka z napisem: Studio I.

*

„Komendant z pożyczką" przyszedł do nas w mundurze, co było pewnym zaskoczeniem. W czasie licznych wystąpień telewizyjnych nosił się przeważnie na sportowo, w kolorowych swetrach i odpowiednich koszulach. Po odrzuceniu propozycji spotkania najpierw mojej, a następnie Juhlera uległ w końcu naleganiom prezesa. Nasz prezes najwyraźniej czuł się doskonale w towarzystwie wysoko postawionego oficera policji i promieniował dobrym humorem.

– Cały czas pracujemy nad tym, by wesprzeć wyjaśnienie tej sprawy, nie dlatego, by wkraczać w kompetencje władzy, lecz wyłącznie po to, by asystować tam, gdzie możemy służyć pomocą. Obecnie jesteśmy w posiadaniu wiadomości, którymi powinniśmy się podzielić – zagaił przymilnym głosem.

Policjant zdjął czapkę i przejechał palcem dookoła tego, co mu zostało z bujnej ongiś czupryny, pokazał swoje końskie zęby w czymś w rodzaju uśmiechu i poklepał prezesa przyjacielsko po plecach.

– No, po to przecież jesteśmy, żeby sobie pomagać – mam na myśli prasę i policję. Co macie ciekawego?

Wziął sobie butelkę wody mineralnej i umieścił na biurku, przy którym usiadł obok swojej policyjnej czapki z dębowym liściem. Zaszczycił mnie lodowatym spojrzeniem i uśmiechnął się ponownie do prezesa, który szykował się do wyjaśnienia powodów naszego przybycia.

– Powiedziałeś windstar? Czy samochód, który został oddany do naprawy w warsztacie, był marki Ford Windstar?

Kiwnąłem potakująco głową.

– I to ten sam pojazd, który bezdomny widział dwukrotnie przed budynkiem przedszkola?

– Wygląda na to, że tak. Nie ma zbyt wielu samochodów tej marki w kraju, zwłaszcza takich, które mają uszkodzony lewy błotnik.

Pokazałem mu zdjęcie z magazynu i kilka zdjęć, które Lars zrobił rano. Policjant wyjął bloczek z kieszeni munduru i coś zanotował.

– A świadek? Ten Mały Lars? Na ile ten świadek może być wiarygodny?

– Ma hysia na punkcie samochodów, potrafi opisać szczegółowo każdy model wszystkich marek i zwraca uwagę na wszystko, co się dzieje w okolicy.

– Rozumiem jednak, że to alkoholik. Czy nie może być tak, że on to sobie wymyślił, żeby zrobić wrażenie? Znam trochę tych gagatków.

– A co by mu to dało?

– O ile pamiętam, wyznaczono nagrodę.

– Która będzie wypłacona, jeśli informacja zostanie potwierdzona i ani minuty wcześniej. Ponadto, biorąc pod uwagę zakupy dużej ilości mleka kakaowego i innych rzeczy dla dzieci w supermarkecie Bilka, mamy podstawy przypuszczać, że jednak się nie mylił. Baltazar, pierwszy chłopiec, który został porwany, także rozpoznał samochód.

Policjant wstał z miejsca i zaczął spacerować po gabinecie. Wszyscy obserwowali go w milczeniu, gdy zatrzymał się koło okna i przez chwilę przyglądał się pojazdom i gołębiom na placu. Po kilku minutach sięgnął po komórkę i wybrał jakiś numer. Nie przedstawiając się, rzucił: „«Ekstra Bladet» za piętnaście minut, będę czekać w recepcji".

Przywołany policjant odnosił się z dużym szacunkiem do swego szefa i nie skorzystał z krzesła, które uprzejmie podsuwał mu prezes, dopóki komendant skinieniem głowy nie udzielił swego przyzwolenia. Słuchał uważnie, nie przerywając, zapisując jednocześnie coś w notatniku, i odezwał się, dopiero kiedy komendant zakończył.

– Proponuję włączenie grupy interwencyjnej – w taki sposób byśmy ich kryli z obu budynków naprzeciwko siebie. – Pokazał, o co chodzi, na jednym ze zdjęć zrobionych przez Larsa. – W ten sposób ubezpieczymy kolegów, którzy wejdą do środka, z obu tych pozycji – jego palec powędrował w odpowiednie miejsca na fotografii.

Szef skinął przyzwalająco głową.

– Ale dyskretnie. Nie będziemy z tego robić przedstawienia. Wkroczymy spokojnie i stanowczo, a akcję kryjemy z wozów na Strandlodsvej. Żadnego porozumiewania się przez radio! Zrozumiano? Nie chcę alarmować wszystkich kopenhaskich paparazzich. Zwołamy konferencję prasową, kiedy już będzie po wszystkim, i proszę pamiętać o dokumentacji, cała akcja ma być filmowana. Telewizja będzie z pewnością zainteresowana.

Wyłamanie drzwi do Studia I okazało się zadaniem dla dwóch funkcjonariuszy. Gdy tylko się z tym uporali, sześciu uzbrojonych w pistolety maszynowe członków patrolu interwencyjnego, w hełmach z opuszczonymi zasłonami i w kamizelkach kuloodpornych, wtargnęło do środka. Zaraz za nim ruszył policyjny kamerzysta. Lars wystartował również, ale przytrzymali go dwaj policjanci, którzy rozbijali drzwi. Próbował im się wyrwać, ale położyli go na podłodze. W trakcie tej szarpaniny nie zauważyli, że ja dostrzegłem swoją szansę, by się przemknąć.

W ciasnym korytarzu było dość ciemno. Miałem problem z orientacją, a dodatkowo oślepiło mnie nagle silne światło. Zasłoniłem oczy i, wymacując drogę, przesunąłem się kilka kroków do przodu. Okazało się, że to leżąca lampa fotograficzna. Wskutek silnego światła wszystko dookoła wydawało mi się czarne. Kopnąłem statyw, który przesunął się ze zgrzytem po betonie, i z tyłu usłyszałem głos:

– Uważaj na mój sprzęt, do cholery!

Odwróciłem się i ujrzałem P.S. Krøyera. Przytrzymywał swój aparat, a drugą ręką kopnięty statyw.

– Co się tu dzieje, psiakrew! Czy ktoś mi to może wyjaśnić?

Musiałem zmrużyć kilkakrotnie oczy, nim znowu mogłem normalnie widzieć. Widok, który mi się ukazał, był nieoczekiwany. Na podium przed fotografem stało olbrzymie łóżko dziecinne, na którym rozmieszczono kupione w markecie misie. Na poduszce kakao, kapiące z przewróconej szklanki, tworzyło rosnącą plamę brązowego koloru. Policjanci, którzy utworzyli krąg wokół łoża, przyglądali się z uniesionymi pistoletami trzem nieruchomym postaciom, pozującym fotografowi. Jedna miała w pomalowanych na czerwono ustach smoczek, druga trzymała w jednej ręce szklankę kakao ze słomką, a w drugiej puszkę z kremem śmietankowym. Pośrodku leżała postać, naga jak wszystkie pozostałe, z wyjątkiem kolorowych pończoch w paski i pary dziecięcych bucików na nogach oraz czegoś w rodzaju bikini z kremu śmietankowego. Z sufitu zwieszały się na linach kolejne dwie nagie postacie, z przypiętymi na plecach kartonowymi skrzydełkami, mniej więcej metr ponad przerośniętym dziecinnym łóżkiem.

Fotograf zdjął aparat ze statywu i umieścił ostrożnie w aluminiowej skrzyneczce wyłożonej gumą piankową. Postąpił krok w kierunku policjanta, który groził mu bronią.

– Co to wszystko ma znaczyć, do cholery? Co tu się dzieje?!

Odsunął od siebie lufę pistoletu i minął zdumionego policjanta, kierując się w stronę łóżka. Dochodząc, klasnął w dłonie i zawołał: „Pięć minut przerwy!". Kobieta, która pomagała mu przy zakupach, zwolniła liny i opuściła obie wiszące anielice na ziemię. Fotograf odsunął jednego z policjantów, i pochylając się nad łóżkiem, zakomunikował: „Pięć minut na filiżankę herbaty!". Trzy nagie kobiety na łóżku i obie opuszczone na linach zeszły z podium i zajęły miejsca na obszernej kanapie w rogu studio, ubrały się w przygotowane tam szlafroki i nalały sobie herbaty z termosu.

*

Juhler objął nas surowym spojrzeniem, kiedy wkroczyliśmy do jego biura, ale natychmiast ryknął śmiechem. Po chwili spoważniał znowu, nabił fajkę i potrząsnął głową.

– No to wpakowaliście się po uszy, chłopcy!

Milczałem, Lars również. Bez słowa podszedłem do lodówki Juhlera po trzy piwa, z których jedno wypiłem prawie duszkiem. Potem zaciągnąłem się papierosem, aż do dna płuc.

– No niestety, ale kto, do diabła, mógł się spodziewać, że facet akurat szykuje kalendarz pornograficzny z elementami pedofilii?

– Nie przesadzaj z tą pedofilią. Modelki były pełnoletnie i tyle – zaśmiał się Juhler. – Wprawdzie wszystkie pochodziły z Węgier, ale to nie jest zakazane. Przyjechały tu dobrowolnie, sprowadzone za pośrednictwem biura w Budapeszcie i zakwaterowane tutaj w jednoosobowych pokojach w Scandic. Nic mu nie można zarzucić.

– A co z policją? Rozmawiałeś z komendantem?

– Nie. Nie chciał rozmawiać ani z tobą, ani ze mną, ale przekazał za pośrednictwem prezesa, że nie życzy sobie żadnych dalszych informacji w tej sprawie ze strony „Ekstra Bladet", nawet jeśli będziemy mieli coś nowego o zakupach mleczka kakaowego – tak to podobno ujął.

– A co na to prezes?

– Że umoczyliśmy i że przejmuje sprawę zaginionych dzieci. Henrietta i Tania otrzymały polecenie, żeby z tymi sprawami zwracać się wyłącznie do niego, a nam polecił nie dotykać tego, nawet przez rękawiczki. To obejmuje zresztą również Larsa.

Obrócił się w stronę długowłosego fotografa, który rozłożył bezradnie ręce. Rozległo się krótkie pukanie i w drzwiach pojawiła się głowa Henrietty.

– Zabroniono mi, ale i tak chcę wam powiedzieć, że właśnie porwano dwóch chłopców z przedszkola w Sundby. Obu naraz. Gruby jest u prezesa z fotkami.

– Dwóch naraz?! – zawołałem i ruszyłem w jej stronę – i obaj obcego pochodzenia?

– Dokładnie. Nabil, trzy lata, rodzice Marokańczycy, i Naghib, też trzyletni, ale rodzice z Afganistanu. Cholerni idioci! Teraz ja się muszę z tym uporać razem z praktykantką.

– Nieprawda, idę cię wesprzeć.

– Odpada, John! Polecenie to polecenie. Nie będzie dobrze, jeżeli prezes się zorientuje, że nie wykonujesz jego poleceń. Możesz jednak spędzić czas pożytecznie, zajmując się tym tutaj. – Z tymi słowami podała mi sporych rozmiarów kopertę. – Dostaliśmy nasze akta.

Byłem już w drodze, gdy zadzwonił telefon. To była Maria. Pytała, czy oglądałem telewizję lub słuchałem radia.

– Dlaczego pytasz?

– Dlatego że porwano dwóch chłopców i to blisko naszego domu. Jestem bardzo zaniepokojona.

– Wiem. Jadę do domu. Mam coś kupić po drodze?

– Nie trzeba, kochanie. Twoja żona już się tym zajęła. – Przesłała całusa przez telefon, na co odpowiedziałem tym samym i pożegnaliśmy się. Od razu wybrałem numer, który znalazłem w adresach jako CN.

– Mówi John... eee... to znaczy John Hilling z „Ekstra Bladet". Przepraszam, że nie dzwoniłem wcześniej, ale miałem mnóstwo innych spraw na głowie. Czy możesz oddzwonić, kiedy odsłuchasz moje nagranie? Muszę się z tobą spotkać lub przynajmniej porozmawiać. Oddzwoń.

22

MARIA PRZYSZYKOWAŁA OBIAD: duże kotlety od ekologicznego rzeźnika na Kultorvet, młody zielony groszek, młode kartofle, biały sos i czerwone wino, ten sam gatunek, który kupował P.S. Krøyer z przyjaciółką.

– Wyglądasz na zmęczonego, kochanie – powiedziała. – Może powinieneś sobie wziąć parę dni wolnych?

Objęła mnie w pasie, tak że poczułem jej piersi na plecach. Pożądanie dało o sobie znać natychmiast. Pachniała tak jak powinna, to był ten słaby znajomy zapach, który zawsze mnie podniecał. Sięgnąłem ręką i przyciągnąłem jej głowę bliżej.

– Tak zrobię. Zamierzam wygospodarować parę dni dla rodziny. Stęskniłem się już za wami – za tobą i Ester.

– A my za tobą – odpowiedziała i sięgnęła po mój kieliszek z winem. Wypiła łyk i westchnęła z rozkoszy.

– Pijesz wino? A co z Ester? Czy to jej nie zaszkodzi?

– To już koniec. Nie mam już więcej mleka. Dzisiaj kupiłyśmy w proszku. Wzięła mnie za rękę i położyła ją na swojej piersi.

– Nie sądzisz, że ciągle jeszcze ujdą? – Pokazała mi, o co chodzi, rozpinając bluzkę.

Godzinę później zjedliśmy odsmażane kotlety z zimnym sosem.

*

Maria spała z głową na moich nogach, podczas gdy ja studiowałem dokumenty. Mąż pani minister i Gregers Sehested byli, zgodnie z tym, co wcześniej ustaliła Henrietta, partnerami w trzech fermach trzody na terenie byłego Związku Radzieckiego – Russian Pork, Ukra Nord oraz Kalinino-Agro. Fundusz IØ wspierał wszystkie te projekty poprzez pożyczki, gwarancje i udziały. Nie były to żadne drobne kwoty. Dwaj obrotni gospodarze uzyskali łącznie około trzystu milionów koron. Natomiast udział duńskiego rządu w działalności pastora Bingo w Ugandzie ograniczał się do skromnych stu dwudziestu pięciu tysięcy, w postaci tak zwanych kosztów implementacji. Grosze w porównaniu ze wsparciem z Funduszu IØ, ale bardzo dużo z punktu widzenia mediów. Demaskujący artykuł w „Ekstra Bladet" z tytułem: *Duńska pomoc zagraniczna dla poszukiwanego gangstera* – można było sobie doskonale wyobrazić taki tytuł, jak również wrażenie i zamieszanie, jakie by wywołał w ministerstwie. Zupełnie niewspółmierne do milionów pochodzących od podatników, inwestowanych przez nazistę i męża pani minister w przedsięwzięcia za dawną żelazną kurtyną, a jednak bardziej bulwersujące opinię publiczną. To pewne jak amen w pacierzu, że o tej sprawie mówiono by najwięcej. Zsunąłem na czoło okulary do czytania i przetarłem oczy, zastanawiając się nad tym, jakie szczególne mechanizmy powodują, że ta sprawa ciągle jeszcze może pobudzać we mnie adrenalinę. Czy nie powinienem się rozejrzeć za jakimś spokojniejszym zajęciem? Napisać książkę kucharską, a w każdym razie zrezygnować z pracy dziennikarskiej? Wypiłem jeszcze łyk wina. Cholera, może i powinienem, ale na pewno nie w tej chwili. Gdy zasypiałem, butelka wina była już pusta.

*

Kiedy się obudziłem, bolała mnie głowa i czułem suchość w gardle. Wygrzebałem się z łóżka, wziąłem zimny prysznic, umyłem zęby, przepłukałem energicznie gardło, ale nie dotknąłem przyborów do golenia. Zamiast tego ruszyłem do kuchni i napełniłem maszynkę ilością kawy odpowiednią do wyleczenia kaca. Maria i Ester już wstały. Na stole kuchennym uformował się imponujący zestaw nowo kupionych i świeżo wyparzonych butelek ze smoczkiem, ale ani butelki, ani ich zawartość nie znalazły uznania w oczach Ester. Pluła sztucznym mlekiem, ile razy zaniepokojona matka podtykała jej smoczek. Maria miała nieszczęśliwą minę.

– Chyba musi się przyzwyczaić. Ma też inny smak.

– Próbowałaś? – zapytałem.

– Oczywiście, że próbowałam. – Spojrzała na mnie jak na kogoś niespełna rozumu. – Nie smakuje jak moje mleko. Ma chemiczny smak.

*

Następne dwa dni zajęło mi opracowanie artykułów o afrykańskim projekcie męża minister rozwoju i pastora Bingo. Henrietta pomagała mi przez telefon. Nadal sprawiała wrażenie, że nie jest w najlepszej dyspozycji, i nie angażowała się zbytnio.

– Nie możesz tego po prostu zrobić sam? To w końcu ty trafiłeś na ich ślad, ja tylko pomagałam zbierać dokumentację.

– To nasza wspólna robota, Henry, i wspólnie to napiszemy.

– Przecież już prawie skończyłeś.

– Co się z tobą dzieje? Czy chodzi o Mogensa?

– Może, a właściwie tak. Jeszcze tego nie przetrawiłam. Daj mi trochę czasu i napisz ten tekst sam.

– OK, dodam cię w podtytule, a kiedy będzie po wszystkim, porozmawiamy. Co powiesz na lunch albo spotkanie w Pinden? Jak za dawnych lat. Właśnie tego ci trzeba, dziewczyno!

– To brzmi zachęcająco, John. Możemy się tak umówić, ale kiedy będziesz gotów, prześlij materiały do mnie, ja już się zajmę resztą. Zgoda?

*

Maria była na spacerze z Ester, skorzystałem więc z okazji, żeby skontaktować się z Charlottą Nikolajsen. Próbowałem już kilka razy i wysłałem wiele wiadomości, ale bez rezultatu. Tym razem również nie udało mi się z nią skomunikować. Zamiast tego połączyłem się z Ejnerem Piilem z lokalnego pisma w Varde. Zdziwił się, że zadzwoniłem.

– Ciągle jeszcze grzebiesz się w tej sprawie z Jørgenem Nikolajsenem? Myślałem, że zrezygnowałeś już dawno temu.

– Czemu tak myślałeś?

– Bo nic się za tym nie kryje, a może się mylę? Nadal sądzisz, że śliczna wdowa maczała w tym palce?

– Prawdę mówiąc, nie wiem. Chętnie bym się z nią rozmówił, ale nie odbiera telefonów.

– Nie, ma teraz mnóstwo innych zajęć.

– A konkretnie?

– Wygląda na to, że wszystko wyprzedaje. Wystawiła Dom Jugend na sprzedaż, a pośrednik odwiedził także prywatny dom, żeby przeprowadzić wycenę. Mówi, że to naprawdę spora posiadłość. Jeżeli ma liczyć na chętnych, to na pewno nie w najbliższej okolicy.

– Pozbywa się wszystkiego? Mnie mówiła, że będzie działała dalej!

– A więc jednak znowu z nią rozmawiałeś?

– Owszem, ale to było jakiś czas temu.

– A teraz nie chce z tobą rozmawiać? Co jej takiego zrobiłeś?

– Co chcesz przez to powiedzieć? Czy coś insynuujesz?

– Chyba trafiłem w jakieś czułe miejsce! Pytałem tylko, czy się czymś naraziłeś piękności, i widzę, że coś jest na rzeczy.

– Nie ma nic, absolutnie! A jeśli coś podejrzewasz, to są to wierutne bzdury. Miłego dnia, Piil! Będziemy w kontakcie.

– Jesteś cały czerwony. Z kim rozmawiałeś?

Maria i Ester właśnie wróciły do domu. Nie słyszałem, jak wchodziły, i zacząłem się zastanawiać, ile Maria mogła słyszeć z rozmowy.

– Z jakimś idiotą.

– Jakimś konkretnym idiotą?

– Nie, zwykłym idiotą. – Wstałem i wyszedłem do przedpokoju po kurtkę. – Idę się przejść. Gdyby trzeba było coś kupić, zadzwoń. Na razie!

– Pusta?

Nie zwróciłem uwagi na to, że ktoś przede mną stoi. Facet miał przy sobie wypchaną reklamówkę.

– Co takiego?

– Pytam o butelkę, czy jest pusta? – Wyciągnął rękę, pokazując butelkę wystającą z kieszeni mojej kurtki. Spojrzałem na niego zdumiony. Kupiłem po drodze butelkę wodę mineralnej, wypiłem od razu, a butelkę bezmyślnie wetknąłem do kieszeni.

– Tak, jest pusta. – Wyjąłem butelkę i podałem mu. – Możesz ją sobie wziąć.

Podziękował i życzył miłego dnia, po czym pochylił się nad koszem na śmieci obok ławki i trochę w nim pogrzebał. Następnie spojrzał na mnie ponownie i zapytał:

– Nie odbierzesz?

– Nie rozumiem.

– Nie odbierzesz telefonu? Twój telefon dzwoni!

*

Ann była jak zwykle w doskonałym humorze.

– Widzę, że próbowałeś się do mnie dodzwonić wiele razy. Sorry, że nie oddzwoniłam, ale byłam strasznie, strasznie zajęta. – Jej wesoły głos wcale nie pasował do przeprosin. – W jakiej sprawie chciałeś ze mną mówić?

– Powiedz mi, co u ciebie? – zacząłem ostrożnie.

– Dziękuję, mam mnóstwo pracy, ale sobie radzę.

– A jak Jeanett?

– Z nią nie jest tak dobrze. – Jej głos od razu się zmienił, tak jak poprzednio, ile razy mówiła o przyjaciółce. – To straszne, co się z nią stało.

– Nadal nie chce ze mną o tym mówić?

– Nie, na to w ogóle nie licz. Nie masz zielonego pojęcia, co oni jej zrobili. Zwłaszcza Jørgen – on był najgorszy z nich wszystkich.

– A co on jej takiego zrobił? Powiedz mi, o co chodzi, to zostanie między nami.

– Słowo?

– Na sto procent! Nikt się o tym nie dowie, jeśli ona się na to nie zgodzi.

– OK, wierzę ci. Dostałam od niej DVD. To zostało nagrane przez Jørgena. Poślę ci któregoś dnia, ale musisz mi obiecać, że nigdy, w żadnym wypadku tego nie opublikujesz. To sprawa prywatna.

23

NIE ODCZYTAŁEM WIADOMOŚCI. Cichy sygnał, który powiadamiał o nadejściu SMS-a, spowodował tylko, że szybko wetknąłem komórkę do wewnętrznej kieszeni marynarki. Grymasem twarzy dałem obecnym znać, że przepraszam za zakłócenie. Prezes i jego wykwintnie ubrany gość nie przejęli się drobnym incydentem, lecz nadal przypatrywali się nam z powagą na twarzy. Juhler spojrzał w moją stronę, po czym ponownie skierował wzrok na prezesa, który zajmował miejsce po drugiej stronie stołu konferencyjnego.

– Chcę podkreślić raz jeszcze, iż nasze obecne spotkanie należy traktować wyłącznie jako nieformalne. Pani minister nie podjęła w tej sprawie żadnej decyzji. Celem jest wyłącznie obustronna orientacja w pewnym zagadnieniach. Gdyby ktoś postronny, w taki czy w inny sposób, dowiedział się, że takie spotkanie miało miejsce, będziemy to konsekwentnie dementować.

– A jakie to zagadnienia, w których mamy się – twoim zdaniem – obustronnie zorientować? – zapytał Juhler, pochylając się nad stołem i próbując nawiązać kontakt wzrokowy z dyrektorem departamentu. Ten jednak unikał jego wzroku, koncentrując się na nalewanej właśnie do szklanki wodzie mineralnej. Następnie upił maleńki łyk i zabrał ponownie głos.

– Dotarły do mnie informacje – rozpoczął i skinieniem głowy w stronę prezesa wskazał źródło, z którego dotarły – iż redakcja, na podstawie udostępnionych do wglądu akt, podjęła decyzję, by opublikować jeden lub nawet kilka artykułów, dotyczących przedsięwzięć gospodarczych, a także prywatnych powiązań pomiędzy mężem pani minister, a jego partnerem biznesowym Gregersem Sehestedem. Czy to jest prawdziwa informacja?

Juhler kiwnął potakująco głową, nie przerywając dygnitarzowi.

– Poinformowano mnie również, że przygotowuje się artykuł omawiający dotację udzieloną pewnemu projektowi edukacyjnemu w Afryce.

– Jesteś doskonale poinformowany – wtrąciłem. – Istotnie, chodzi o projekt, w ramach którego pieniądze duńskich podatników wpłynęły na konto afrykańskiego gangstera. Jest to gangster wielkiego formatu, poszukiwany nie tylko w kraju ojczystym, ale również zamieszany w działalność przestępczą na terenie Danii. Czy kontynuować obustronną orientację w tej sprawie?

Dyrektor departamentu machnął ręką, dzierżącą jakąś kartkę papieru, dając do zrozumienia, że to zbędne.

– Zarówno pani minister, jak i ja sam jesteśmy wystarczająco zorientowani. Wiemy, jak się przedstawiają fakty i podjęliśmy również wszelkie niezbędne kroki dla zapobieżenia nieprawidłowościom.

– Jak mamy to rozumieć? – Juhler ponownie pochylił się nad stołem z miną detektywa, który właśnie zabiera się do aresztowania winnego.

– Należy to rozumieć tak, że podjęto odpowiednie kroki dla zaniechania tej współpracy, a właściwie, należałoby powiedzieć, że ta współpraca już nie istnieje, czyli nie ma już o czym pisać. W ramach rutynowej kontroli i monitorowania projektów natrafiono na pewne nieprawidłowości, w związku z czym nastąpiła likwidacja.

– Tak łatwo się z tego nie wykręcicie! – zawołałem, uderzając w stół trzymaną teczką, zawierającą opis afrykańskich działań pastora Bingo. – Wyciągnęliśmy pewne sprawy, a teraz wy chcecie, żeby to wyglądało tak, jakbyście sami się zorientowali i wcisnęli wasz praworządny hamulec.

– Obawiam się, że nie mogę się zgodzić z takim ujęciem sprawy. W moim przekonaniu wynika z tego, że ministerstwo

w sposób dostatecznie efektywny kontroluje projekty finanso-
wane ze środków publicznych. Zarówno czytelnicy gazety, jak
i wyborcy umocnią się w swoim zaufaniu w wyniku takiej informacji.

– Sam widzisz, Johnie Hilling – wtrącił prezes, odchylając
się w fotelu i składając ręce na karku. – Nie masz już w ogóle
tematu. Nie masz żadnych brudów do wygrzebania. Ministerstwo samo uporało się z nieprawidłowościami.

– Tak, w obawie przed znalezieniem się na stronie tytułowej
„Ekstra Bladet".

Dyrektor departamentu wyjął arkusz papieru ze swojej teczki,
rzucił okiem i przesunął go po stole.

– To dla orientacji – powiedział.

Wziąłem papier do ręki, a Juhler pochylił się, by móc czytać
mi przez ramię. Był to komunikat dla prasy wydany przez
Ministerstwo Rozwoju Regionalnego. Daty nie było, w oczy
rzucał się natomiast wytłuszczony tytuł: **Minister Rozwoju Regionalnego postanowiła wstrzymać projekt afrykański
ze skutkiem natychmiastowym.** Szybko przebiegłem oczami
tekst. Pani minister i ministerstwo postawili sprawę na głowie, wykpiwając się od jakiejkolwiek odpowiedzialności. Ich
zdaniem urzędnicy ministerstwa z własnej inicjatywy przyj-
rzeli się sytuacji, jaka powstała w Ugandzie, i niezwłocznie
zareagowali na krytyczne stosunki, jakie tam zapanowały. Komunikat kończył się stwierdzeniem, że procedury kontrolne,
w które wyposażone są ministerstwo i fundusz DANIDA, należą do najlepszych na świecie i będą nadal doskonalone, aby
skutecznie zapobiegać korupcji i nadużyciom władzy, które
niestety są jeszcze na porządku dziennym w krajach trzeciego
świata. „Stale pracujemy nad tym, by zapewnić całkowitą jaw-
ność wszelkich poczynań i projektów, które wspieramy, aby
uniknąć marnotrawstwa środków publicznych" – miała powiedzieć pani minister.

– A kiedy zamierzacie podać tę bombę medialną do publicznej wiadomości?

Juhler powstał ze swego miejsca za stołem i zbliżył się do dyrektora departamentu. Nienagannie ubrany dygnitarz wyciągnął przed siebie rękę, by mankiet koszuli nie zasłaniał złotego zegarka na nadgarstku, i wyjął z teczki kolejny arkusz papieru.

– Dokładnie za dwie godziny. Chyba że wolicie drugą wersję.

Podał Juhlerowi kartkę. Ten przeczytał i podał go mnie. Był to również komunikat dla prasy, również bez daty i z tym samym tytułem co poprzedni, ale z innym wstępem.

W wyniku opisanej ostatnio przez „Ekstra Bladet" krytycznej sytuacji wokół projektu dotacji w Ugandzie pani minister uruchomiła ze skutkiem natychmiastowym wstrzymanie omawianego projektu. „Nie możemy oczywiście tolerować opisanych stosunków, wobec czego zastosowano niezwłocznie procedurę kontrolną. Ponadto zostaną uruchomione procedury kontrolne wobec wszystkich projektów dotowanych z funduszu DANIDA w ramach programu Business to Business" – powiedziała pani minister.

– Teraz już w ogóle nie wiem, o co chodzi. Czego ten tekst ma dotyczyć? – zapytałem.

Dygnitarz przyjrzał mi się uważnie sponad swoich okularów bez oprawki, zanim udzielił odpowiedzi.

– Pani minister jest gotowa poddać się krytyce. Zaakceptuje napisany przez ciebie artykuł o współpracy między duńskim Kościołem niezależnym a afrykańskim kontaktem. Wyrazi zgodę na wykorzystanie przez ciebie zdjęć z jej afrykańskiej podróży i jest gotowa przyznać, że wymagane jest usprawnienie kontroli. Dostajesz ją na tacy. Wyrazi publicznie swoje ubolewanie. Jest gotowa nawet przyznać się do błędu.

– W zamian za co?

– W zamian za to, że zapomnisz o projektach jej męża.

Poczułem, że Juhler mnie obserwuje, i w milczeniu spojrzałem na obu panów po przeciwnej stronie stołu. Żaden z nich nie drgnął. Najwyraźniej czekali na reakcję z naszej strony. Nie kazałem im długo czekać. Wstałem z miejsca i ruszyłem w stronę drzwi.

– Nie ma mowy. Wiem doskonale, że obaj panowie spotykacie się prywatnie z mężem pani minister. Wiem wszystko o loży przedsiębiorców i milionowej wartości jachcie w porcie Hellerup. Kim waszym zdaniem ja właściwie jestem?

– Człowiekiem, który ma poważne kłopoty.

Prezes powstał ze swego miejsca. Spojrzał najpierw na mnie, a potem na Juhlera.

– Każ swojemu człowiekowi zająć miejsce! – polecił. – W przeciwnym razie...

– W przeciwnym razie co? – zapytałem, patrząc mu prosto w oczy. – Czym chcesz mnie postraszyć? Jeśli chcesz mnie zwolnić, to oszczędzę ci tej fatygi. Sam odejdę, ale i tak opiszę sprawę. W całej okazałości, przyjacielu!

Prezes nie odpowiedział, spojrzał tylko surowo.

– Usiądź na chwilę, Hilling! Posłuchajmy, co to za warunki. – Juhler obrócił się na krześle w moją stronę. – Siadaj!

– Ja już usłyszałem dosyć. Nie mam już o czym rozmawiać z tymi panami – powiedziałem, naciskając klamkę.

– Siadaj, do jasnej cholery! – Juhler odepchnął krzesło, wstał i ujął mnie za ramię. – Jestem całkowicie po twojej stronie, Hilling, ale to, co przed chwilą usłyszeliśmy, wymaga wyjaśnienia.

Nie usiadł, dopóki ja również nie zająłem miejsca. Poklepał mnie po plecach i dopiero wówczas zwrócił się do panów po przeciwległej stronie stołu.

– No to mówcie!

*

Dyrektor departamentu rozdał akta. Były w teczkach bez oznaczeń i bez ministerialnego logo. Prezes wstał, opuścił rozwijany ekran filmowy i uruchomił projektor. Za pomocą pilota wywołał pierwszy slajd. Była to kompletna lista projektów, w których – jak już wiedziałem – mąż pani minister miał udziały. Niczym lojalny sekretarz ilustrował wyjaśnienia dyrektora departamentu, zmieniając slajdy na ekranie, kiedy tamten dawał mu znak. W ciągu półgodziny omówili każdy z projektów, z najmniejszymi szczegółami.

– Jak widać, są to całkowicie legalne przedsięwzięcia, przestrzegane są regionalne ustawy o ochronie przyrody, pracownicy otrzymują – jak na miejscowe warunki – całkiem przyzwoite wynagrodzenia i – co najważniejsze – ani budżety, ani wysokość pożyczek nie są nierealistyczne. Wprost przeciwnie. – Dyrektor wypił łyk wody i pedantycznie wytarł po tym usta. – Mówiąc kolokwialnie – dodał – nie ma się do czego przyczepić. – W tym momencie zdecydował, że może zaryzykować ostrożny uśmieszek.

– Oprócz tego, że prywatnie stanowicie papużki nierozłączki. – Juhler rysował zakrętasy w swoim notesie. – Dziwne jest też, że pani minister jest gotowa poddać się krytyce w związku z afrykańskim projektem, aby uniknąć artykułu o fermach trzody jej męża. To się zupełnie nie trzyma kupy. Co przed nami ukrywacie?

Dwaj panowie wymienili spojrzenia, po czym głos zabrał prezes.

– To jest zbędne...

– Co jest zbędne? – wtrąciłem, przerywając, co spowodowało jego spojrzenie pełne nagany.

– Niecelowe jest pisanie o tym, zarówno z punktu widzenia pani minister, jak i „Ekstra Bladet".

– A co takiego zbędnego jest w tym dla „Ekstra Bladet"? – rzuciłem, bawiąc się długopisem. Dyrektor odchrząknął i skinął na prezesa, który wywołał następny slajd. Było to zdjęcie demonstracji nazistów w Esbjerg.

– Zostaliśmy poinformowani, że będziecie chcieli zilustrować swoje artykuły tymi – jeśli wolno zauważyć – dość dawnymi, choć przyznaję, że mocno niefortunnymi zdjęciami Gregersa Sehesteda. I to wydaje nam się zbędne.

– Niepotrzebne jest informowanie naszych czytelników o tym, że duńskie państwo udziela tanich pożyczek i gwarancji człowiekowi, który uczestniczy w demonstracji i podnosi rękę w faszystowskim geście pozdrowienia? Że wspieramy finansowo nazistę?

– Gregers Sehested nie jest nazistą. Jest utalentowanym przedsiębiorcą, który, na swoje nieszczęście, w młodości flirtował z pewnymi skrajnymi ugrupowaniami. To nie może dyskwalifikować człowieka na całe życie. Zwłaszcza „Ekstra Bladet" powinna o tym wiedzieć. – Mówiąc te słowa, spojrzał znacząco w moim kierunku.

– Co masz na myśli?

– No cóż, wystarczy się rozejrzeć po tym lokalu. Dla poprzedniego właściciela jego młodzieńczy flirt z nazizmem nie stanowił przeszkody dla jego kariery w tym piśmie. To samo dotyczy najechania przez niego na betonowy słup w pijanym widzie.

– Nie widzę związku między tymi sprawami, choć nie znaczy, że usprawiedliwiam naszego poprzedniego prezesa. Wprost przeciwnie.

– Ale inni taki związek dostrzegą. – I wykorzystają go ze szkodą dla was i dla pani minister. Jeśli napiszecie o faszystach, to znajdą się tacy, którzy zarzucą wam podwójną moralność. Mam informacje z bardzo wiarygodnego źródła, że rzecznik Duńskiej Partii Ludowej przygotowuje wystąpienie, które zdemaskuje „Ekstra Bladet", podkreślając jednocześnie, że partia usunęła Sehesteda i jego popleczników po wspomnianym epizodzie w Esbjerg. Mam powody sądzić, że gazeta „Jyllands-Posten" byłaby zainteresowana wydrukowaniem takiego wystąpienia.

– A ja na to gwiżdżę, nie pozwolę się szantażować. Nie będę milczał. Czytelnicy mają prawo wiedzieć, że mąż pani minister ściśle współpracuje z dawnym nazistą.

– Nie współpracuje.

– Co powiedziałeś?

– Nie współpracuje z dawnym nazistą, jak to prozaicznie ująłeś. Gregers Sehested sprzedał swoje udziały. Stało się to właściwie już pół roku temu. – Wyciągnął kolejny dokument ze swojej teczki. Był to list napisany przez męża pani minister do dyrektora Funduszu IØ i nosił rzeczywiście datę o pół roku wcześniejszą. Autor listu wyjaśniał krótko, że wskutek zaistniałych okoliczności przejął udziały swojego partnera.

– Skąd się wziął ten list? Jakim cudem nagle się pojawia w tej chwili? Nie ma po nim śladu w aktach, które dostaliśmy do wglądu.

– Nie ma? Bardzo mnie to dziwi. Ministerstwo jest na ogół bardzo skrupulatne w takich sprawach. – Tym razem dygnitarz zademonstrował nieco wyraźniejszy uśmiech. Dyskretny, ale zdradzający brak wątpliwości. – Pozwól, że sprawdzę tylko listę przesłanych wam dokumentów. – Zaczął przeglądać zawartość swojej teczki. – Istotnie, nie widzę tego na liście. Oczywiście przepraszam za niedopatrzenie. Niezwłocznie naprawimy tę pomyłkę. – Uśmiech stał się szerszy.

Bezradnie miąłem list w rękach i w napadzie złości zgniotłem go w kulkę, ciskając nim w oponentów po drugiej stronie stołu.

– Prawdę mówiąc, nie spodziewałem się, że posuniecie się tak daleko. Okazuje się, że ratując własną dupę, jesteście nawet gotowi fabrykować antydatowane dokumenty! Mój artykuł zapowiada się wręcz sensacyjnie. – Wyciągnąłem rękę po zgnieciony list, który wylądował na środku stołu, rozwinąłem go, przeczytałem ponownie i schowałem do kieszeni marynarki. – Muszę przyznać, że potraficie dbać o sprawy w waszej prywatnej republice bananowej.

– Pozwolę sobie pominąć ostatnią uwagę. Czy możemy uznać, że umowa została zawarta, czy też potrzebujecie jeszcze czasu na wewnętrzną konsultację? – Dyrektor departamentu złożył okulary i schował do etui.

Moja komórka ponownie dała znać o sobie, a dygnitarz wykonał nieokreślony gest, mający dać do zrozumienia, że nie ma powodu, żebym się krępował. Wyjąłem telefon z kieszeni.

Wyświetlacz poinformował mnie, że mam dwie nieprzeczytane wiadomości. Wybrałem ostatnią: „Nadal oczekujemy odpowiedzi, jeśli nie nadejdzie w ciągu godziny, zwrócimy się do innej gazety". Nie zrozumiałem, o co w tym chodzi, otworzyłem poprzednią wiadomość i tym razem się spociłem.

Chłopcy zostaną uwolnieni w ciągu dwudziestu czterech godzin. Godzinę i miejsce podamy SMS-em. Żadnej policji. Skontaktujesz się z policją i chłopcy zginą. Potwierdź umowę na stronie dziewiątej waszego wydania internetowego. Zmień wiek dziewczyny z osiemnastu na dwadzieścia lat.

Nie było numeru nadawcy, żadnego nazwiska ani kontaktu – tylko wiadomość. Pochyliłem się do Juhlera i pokazałem mu SMS-y. Spojrzał na mnie, po czym spokojnie wstał, zwracając się do dyrektora departamentu i prezesa.

– Musimy chwilę porozmawiać na osobności, tylko ja i Hilling. Dajcie nam kwadrans i będziecie mieli odpowiedź.

*

– Akceptujemy bez zastrzeżeń. – Juhler nawet nie czekał, aż drzwi się za nami zamkną. Był cały podniecony. – Hilling, do cholery! Mamy sensację! Trzeba natychmiast powiadomić Larsa.

– Nawet nie wiemy, czy coś się za tym kryje! Może to jakiś wariat, który chce zwrócić na siebie uwagę?

– Musimy zaryzykować. Załatwię zmianę wieku tej panienki. – Wybrał numer w swojej komórce i kiedy odezwał się redaktor wydania *online*, polecił mu zmienić wiek dziewczyny.

– Żadnych pytań, po prostu zrób, co mówię. Ma dwadzieścia, a nie osiemnaście.

Redaktor miał najwyraźniej jakieś wątpliwości, ale Juhler je uciął.

– Zrób to natychmiast, masz to zrobić, nie odkładając telefonu, czy to jasne?!

Czekał, nie wyłączając komórki, po czym uśmiechnął się i rozłączył.

– A więc dziewczyna postarzała się o dwa lata – poinformował mnie.

– Świetnie – powiedziałem – ale co zrobimy z tymi dwoma za drzwiami? – wskazałem na biuro prezesa.

– To co trzeba, akceptujemy! Albo udajemy, że akceptujemy. Potrzebujemy czasu.

Moja komórka odezwała się ponownie. Odczytałem krótką wiadomość:

Otrzymaliśmy twoje potwierdzenie, nie wyłączaj telefonu i czekaj.

Pokazałem tekst Juhlerowi, uśmiechnął się ponownie i otworzył drzwi do biura szefa.

*

Następną wiadomość odebrałem cztery godziny później. Lars dojechał w ekspresowym tempie ze swojej pustelni na Møn. Właśnie przeszukiwał zawartość lodówki Juhlera i narzekał, że jest tylko piwo.

– Całą drogę marzyłem o szklance schłodzonego białego wina. – Otarł czoło z potu, gdyż temperatura w redakcji była wysoka, zarówno w rzeczywistości, jak w przenośni.

– Weź sobie zimne piwo, to ostatnia szansa, zanim nie uporamy się z tą sprawą – powiedział Juhler, wręczając mu otwieracz, po czym wyjął piwo dla siebie i otworzył je nożem do papieru. – A ty, Hilling, nie weźmiesz sobie piwa?

Odpowiedziałem przeczącym ruchem głowy i odczytałem wiadomość z wyświetlacza komórki.

Żądamy miliona. Dostajecie chłopców, my bierzemy nagrodę. Oczekujemy zgody w ciągu dwóch godzin. Potwierdzenie jak uprzednio: zmiana wieku z dwudziestu na osiemnaście.

Juhler podrapał się w głowę.

– Tego nie załatwimy bez pomocy prezesa. Tylko on może podjąć pieniądze.

– Nie możemy tego zapłacić! – zaoponowałem. – Nie wolno nam traktować porywaczy w ten sposób. Musimy powiadomić policję.

– Żadnej policji! Ryzykujemy, że spełnią groźbę i pozbawią dzieciaki życia. Tego nam nie wolno. Muszę pogadać z prezesem. To w końcu on wymyślił tę cholerną nagrodę.

– Nie zrobisz tego, Juhler! Nie możemy na to pójść. Musi być jakiś inny sposób, można wyśledzić komórkę.

Odwrócił się w moją stronę zmęczoną twarz.

– Przysięgam ci, że zrobię! Nie życzę sobie zdjęcia martwych chłopców na pierwszej stronie. A jeśli prezes nie da, to podejmę własne pieniądze z banku.

*

Rozległo się nieśmiałe pukanie do drzwi. Juhler uniósł głowę i powiedział „Tak!", ale pukanie się powtórzyło.

– Wejść, do cholery! Kto tam? – Wstał i szarpnięciem otworzył drzwi. Øgaard cofnął się przestraszony o krok, o mały włos nie wpadając na rowerowego posłańca, który spieszył korytarzem.

– A, to ty. Przepraszam, ale mamy urwanie głowy. – Juhler spojrzał na policjanta, nie zapraszając go do środka.

– Przepraszam, że wpadam tak znienacka, ale akurat przechodziłem... – tłumaczył się policjant i próbował zapuścić żurawia ponad plecami Juhlera, żeby zobaczyć, kto jeszcze jest w redakcji. Dostrzegł mnie i pomachał ręką.

– Myślałem, że może zainteresuje was to tutaj – pomachał brązową kopertą. – To dotyczy zaginionych.

Øgaard upił łyk piwa.

– Przyjemnie znowu być tutaj. I spotkać ciebie – dodał pod adresem Larsa. – Dawno się nie widzieliśmy. – Wygląda na to, że jesteście czymś zajęci. – Obrócił kilka razy kopertę w dłoni, ale nie zdradzał ochoty, by wyjść.

– Akurat w tej chwili jesteśmy bardzo zajęci, ale powiedz, co nam przyniosłeś? – zapytał Juhler, przysiadając na brzegu biurka i przyglądając się popijającemu policjantowi.

– Chodzi o te samochody, o które John pytał. Sprawdziłem. W Danii jest ich siedem sztuk.

Wyciągnął kartkę papieru ze swojej koperty.

– Jak rozumiem, jeden już sobie obejrzeliście – skwitował to uśmiechem. – Cholerna historia. „Komendant z pożyczką" jest wściekły. Zdajecie sobie z tego sprawę?

Juhler i ja pozostawiliśmy to bez odpowiedzi. Lars uśmiechnął się pod nosem.

– Udało wam się przy okazji obejrzeć parę modelek za darmo. Koledzy, którzy byli na miejscu, mieli sporo do opowiadania. Czy to prawda, że dwie wisiały nagusieńkie pod sufitem?

– Tak, to prawda, ale co masz dla nas? – Wyciągnąłem rękę po arkusz papieru. Zamiast puścić, zaczął nam odczytywać treść.

– Designer, którego poznaliście, ma jeden. Trzy zarejestrowano na Jutlandii. Należą do producenta telewizyjnego w Århus – to on zrobił kalendarz wigilijny. Ten ze słowikami. Zanucił jakiś motyw, żeby zilustrować, o co mu chodzi. Na Zelandii są – poza tym, który znacie – jeszcze trzy. Są zarejestrowane na firmę ochroniarską w Kopenhadze.

Juhler zeskoczył z biurka i czytał mi przez ramię.

– Psiakrew! Wygląda na to, że trzeba będzie poszukać zupełnie innych śladów, ale dzięki Øgaard!

Mój telefon odezwał się znowu, wyciągnąłem go z kieszeni i odczytałem.

– Chcą potwierdzenia, że wypłacimy nagrodę.

– Chyba nie wyrzucicie w błoto miliona, nawet się nie upewniwszy, czy mają chłopców? – Øgaard chodził w kółko po gabinecie. Po krótkiej wymianie spojrzeń Juhler i ja postanowiliśmy poinformować Øgaarda o treści SMS-ów.

– Jakoś nie widzę, żebyśmy mieli zbyt wiele możliwości, jeśli chcemy uwolnienia chłopców, a może się mylę? – Juhler wrócił na swój fotel i schował twarz w rękach.

– W jaki sposób się z nimi porozumiewacie? – zapytał mnie Øgaard.

– Przy pomocy panienki z dziewiątej strony.

– Co takiego? Panienki z dziewiątej strony? Ona jest pośrednikiem? Chyba robisz mnie w konia. – Spojrzał na mnie podejrzliwie.

– Nie pośrednikiem, do cholery! Używamy! To znaczy zmieniamy jej wiek.

Dotarło do mnie, jak brzmi to, co właśnie powiedziałem, i nie zdziwił mnie wyraz twarzy Øgaarda.

– Wysyłamy im wiadomość, zmieniając podpis pod zdjęciem na stronie internetowej.

Policjant słuchał uważnie, kiedy wyjaśniałem, w jaki sposób korzystamy z pomocy osiemnastoletniej Melissy z Kastrup i informacji o jej wieku, żeby powiadamiać porywaczy. Juhler śledził naszą rozmowę i kiedy skończyłem, obrócił ekran na biurku, tak by policjant mógł zobaczyć zdjęcie młodej kobiety z tipsami i celtyckim tatuażem.

– Akurat w tej chwili ma lat dwadzieścia. Kiedy zaakceptujemy wypłatę nagrody, znowu zmienimy na osiemnaście.

– Zrozumiałem. – Policjant pochylił się, żeby lepiej widzieć. – Nie rozumiem jednak tych wszystkich tatuaży, które młode dziewczyny sobie teraz robią. To im przecież nie dodaje urody, jak myślicie?

– To pewnie rzecz gustu, ale w tej chwili akurat nie to jest najważniejsze. Ważne jest to, co robimy.

Redaktor obrócił ekran z powrotem i podrapał się w głowę.

– A macie pieniądze?

Policjant obszedł biurko, żeby jeszcze raz przyjrzeć się młodej kobiecie z Amager, która niechcący i zupełnie nie zdając sobie z tego sprawy, stała się istotnym elementem największej afery z porwaniem w historii Danii. – Chyba będzie tego żałować, kiedy będzie starsza – dodał.

– Pieniądze to nie problem, ale – jak sam mówisz – byłoby szaleństwem dawać je, dopóki się nie przekonamy, że nie próbują nas nabić w butelkę.

– Proponuję wobec tego następujące postępowanie. – Policjant wskazał tekst pod zdjęciem. – Napiszecie: „Melissa lat osiemnaście z Kastrup. Udowodnijcie". Powiemy im w ten sposób, że jesteśmy gotowi zawrzeć umowę, jeśli udowodnią, że mają chłopców. To się robi ciekawe.

– To całkiem dobry plan. Tylko, Øgaard, ustalmy jedną rzecz od razu. Nie puścisz pary z gęby. Żadnego informowania przełożonych czy kolegów z komendy. Porywacze poinformowali, że jeśli skontaktujemy się z policją, zabiją chłopców.

Policjant ze Station City spojrzał na mnie z urazą w oczach.

– Myślałem, że znasz mnie lepiej, John! Nie zajmuję się plotkowaniem.

– Nic takiego nie sugerowałem. Chciałem tylko podkreślić, że z nimi nie ma żartów. Obawiam się, że są zdolni do wszystkiego.

– Masz pewnie rację i dlatego będziecie spokojniejsi, wiedząc, że ja jestem z wami. Coś jeszcze?

*

Dowód pojawił się po godzinie. MMS ze zdjęciem jednego z chłopców, trzymającego dzisiejsze wydanie „Ekstra Bladet" i tekstem „Oczekujcie dalszych informacji".

– To Nagib, mały Afgańczyk, uprowadzony dwa dni temu. W porządku. Idę do prezesa. Idziesz ze mną, John? Będziesz mógł pokazać mu zdjęcie. – Juhler już dochodził do drzwi, ale rozmyślił się. – Nie, niech on się pofatyguje do nas.

Wrócił za biurko, podniósł słuchawkę i poinformował krótko: „Mówi Juhler, musisz tu przyjść i to zaraz".

24

MINĘŁO PIĘĆ GODZIN, nim znowu dostaliśmy wiadomość od porywaczy. Prezes przyszedł do biura Juhlera. Juhler porozumiał się w międzyczasie z bankiem i zamówił wypłatę gotówkową, co jednak okazało się nie takie proste. Mimo że kilka razy poinformował pracownicę banku, kim jest i że w końcu uzyskał połączenie z jej zwierzchnikiem, nie udało mu się załatwić sprawy. Nie chodziło o brak pokrycia na koncie wydawcy, ale o to, że bank nie dysponował taką ilością gotówki. Trzeba było najpierw zamówić.

– Marny milion! Te dzisiejsze banki... Dobrze, że mam swoje kontakty. – Prezes cisnął swój drogi telefon komórkowy na biurko Juhlera.

– Kontakty? Załatwiłeś pieniądze w inny sposób? – Juhler zmrużył oczy.

Prezes uśmiechnął się z wyższością.

– Jak najbardziej. Czekają na nas w skrytce banku Absalon.

– Myślałem, że z tego banku korzystają tylko spekulanci giełdowi. Od kiedy to mamy konto w banku Absalon? – wmieszałem się do rozmowy.

– Nie mamy tam konta, ale Jarl Greve jest moim przyjacielem, więc kiedy zadzwoniłem, okazał pomoc.

– Jarl Greve jest twoim przyjacielem?

– Owszem, to dla ciebie niespodzianka? Prezes obdarzył mnie spojrzeniem pełnym wyższości.

– Nie, właściwie nie. To głupia świnia.

– Typowa uwaga w stylu Hillinga. Ktoś, kto ma głowę do zarabiania pieniędzy, jest automatycznie głupią świnią. Tak to widzisz, Hilling, prawda? Taki ci się wydaje świat.

– Niezupełnie, głupią świnią jest tylko ten, kto wykorzystuje innych, a Jarl Greve tym właśnie się zajmuje. Dokładnie to robił, kiedy był pokątnym maklerem giełdowym. Wyciągał pieniądze z kieszeni naiwnych inwestorów. Pisałem o tym kiedyś. W tamtym okresie był przestępcą, a teraz jest gwiazdą.

– To dla ciebie typowe, Hilling! Boli cię dupa, bo inni potrafią zarobić.

– Masz rację, jeśli zarabiają na ludzkiej naiwności za pomocą nielegalnych metod i naciągania.

– Tak jak mówię, boli cię dupa. Bo ty jesteś święty! I w dodatku cholernie patetyczny.

– To z powodu napadów – Juhler przerwał naszą sprzeczkę.

Prezes i ja spojrzeliśmy na niego zdziwieni.

– Napadów?

– Tak, właśnie dlatego. Dlatego duńskie banki nie trzymają już gotówki. W każdym razie oficjalnie. – Redaktor rzucił okiem na komórkę, która wylądowała na jego biurku. – Czy to jeden z tych iPhone'ów?

Prezes przerwał obronę pokątnego maklera, który wdrapał się na szczyty i dorobił własnego banku, podniósł wypasiony telefon z biurka i kiwnął głową na potwierdzenie.

– Tak, przenośne biuro. Potrafi wszystko co trzeba. Mogę przekazać każdy rodzaj danych. – Dotknął ekranu, żeby zademonstrować jego liczne funkcje. Juhler udawał zainteresowanie pokazem nowych zdobyczy elektroniki w wykonaniu szefa. Demonstrował właśnie, ile filmów może zmieścić naraz, gdy mu przerwałem.

– Jest nowa wiadomość – otworzyłem SMS-a i odczytałem treść na głos: „Robimy interes. Odezwiemy się jutro".

– Doskonale, mamy więc czas, żeby spokojnie wszystko omówić.

Juhler pokazał palcem iPhone'a prezesa i zapytał:

– Czy to także potrafi zamówić coś do jedzenia?

*

Zjedliśmy w biurze prezesa. Zamówił sushi na wynos. Øgaard i Juhler dłubali w nim bez przekonania, tylko Lars zajadał z apetytem.

– Pyszne, pyszne, pyszne! – Miał usta pełne jedzenia, co mu nie przeszkadzało, by sięgać po następny kawałek.

Stary redaktor popatrzył na jedzącego fotografa, dobrał sobie ostrożnie kawałek i umoczył w miseczce z wasabi.

– Miło widzieć, że niektórzy z was wiedzą, co to kultura jedzenia, ale dla dwóch z was sushi chyba nie jest najlepszym wyborem. – Prezes wskazał Øgaarda i Juhlera swoimi pałeczkami i roześmiał się. – Nie smakuje wam surowa ryba?

Juhler próbował coś powiedzieć, ale Lars go uprzedził.

– Sushi to nie jest surowa ryba.

– Co ty mówisz? – prezes zwrócił się do fotografa, który wbijał zęby w kolejny kawałek.

– Sushi to ryż z octem.

– Niech będzie. Ryż i surowa ryba, jeżeli już trzeba to narysować dla początkujących. – Prezes wybrał sobie nowy kawałek, sprawdzając jednocześnie, czy wszyscy widzą, jak elegancko posługuje się przy tym pałeczkami.

– Tylko początkujący mówią „sushi" na surową rybę. – Lars powiedział to, ocierając usta i popijając łykiem wody mineralnej.

Prezes upuścił krewetkę tygrysią na stół.

– Co ty mówisz?

– Mówię, że sushi nie ma nic wspólnego z surową rybą.

– Nazywasz mnie początkującym? Jadałem sushi na długo przedtem, nim to się stało modne. Po raz pierwszy piętnaście lat temu w Nowym Jorku. – Zmierzył Larsa zagniewanym wzrokiem. – Nie chce mi się wierzyć, że wszczynasz jakąś idiotyczną dyskusję na niedorzecznej podstawie.

– Nie dyskutuję. Mówię tylko jak jest. Sushi to ryż z octem. Kawałki surowej ryby i skorupiaków noszą nazwę sashimi. Sushi i sashimi to dwie różne rzeczy, jeżeli już trzeba to nakreślić początkującym.

Prezes podniósł się i przybrał agresywną postawę przed Larsem.

– Rozszyfrowałem cię, przyjacielu. Jesteś problemem. Facetem, który szuka okazji do zademonstrowania, jaki jest mądry, ale mnie nie oszukasz! – Z wściekłością wbił jedną z pałeczek w kawałek tuńczyka. – Rozszyfrowałem cię dokładnie i wiem doskonale, co to sushi, a co washimi.

– Sashimi – poprawił Lars, niewzruszony napadem gniewu prezesa – a teraz akurat wykonałeś prawidłowy ruch. – Pokazał swoją pałeczką tuńczyka.

Prezes rozzłościł się na potęgę.

– Co masz, psiakrew, na myśli?

– Właśnie przebiłeś kawałek ryby. Sashimi znaczy po japońsku przebite ciało. Kiedy rybacy wyciągają rybę, wbijają jej zaostrzony patyk prosto w mózg. Nazywa się to *ike jime* – nakłucie. Nie powoduje to natychmiastowej śmierci. Ryba umiera bardzo powoli. Trochę tak jak „Ekstra Bladet", odkąd się pojawiłeś.

Prezes złamał drugą pałeczkę i widać było, jak drżą mu wargi. Odrzucił złamaną pałeczkę na stół. Lars spojrzał mu prosto w oczy.

– Wydajemy gazetę bez mózgu i powoli od tego umieramy.

*

Prezes wygonił nas z gabinetu. Gwałtownie zakończył spotkanie, zabrał płaszcz i opuścił biuro. Øgaard i Juhler uznali, że po przerwanym poczęstunku należy im się uczciwy posiłek, i pałaszowali właśnie z zapałem kiełbaski z rusztu. Zrobiło się wpół do dziesiątej. Uprzedziłem już przedtem Marię SMS-em, że się spóźnię. Jej odpowiedź, zaopatrzona w uśmiechnięty emotikon, brzmiała „Tęsknię".

– Wracasz ze mną? Dostaniesz kanapę do spania.

Zamarkowałem przy tym przyjacielski cios w brzuch. Lars cofnął się błyskawicznie i przyjął postawę bokserską. Ku zdumieniu przechodniów, a także Øgaarda i Juhlera, zaczęliśmy walkę na niby jak dwaj uczniacy.

– Nie – odparł Lars – stary mnie zameldował w hotelu Palace, tak że będziesz się musiał zadowolić Marią. – Zwrócił się do Juhlera, dodając: – I dobrze się składa, bo gdyby prezes mnie potrzebował, będę w pobliżu.

– No skoro tak, to przyjemnych snów. Widzimy się jutro rano.

Uścisnąłem po koleżeńsku mojego przyjaciela i jednocześnie poczułem, że po plecach spływa mi coś zimnego. Puściłem Larsa i sięgnąłem do karku, a coś lub ktoś pociągnęło mnie mocno do tyłu. Po chwili leżałem na płytach chodnikowych placu Ratuszowego, a moją twarz przyciskał czarny but. „Pieprzony pedał" – rozległ się zjadliwy szept. „Dupodajec". Strumień zimnej cieczy trafił mnie w oko, rozlał się po policzku i dotknął wargi. Piwo. Bydlak stał nade mną i polewał mnie piwem. „Zasrany pedzio, lachociąg". But wciskał mój policzek w płytę i rozlewającą się kałużę piwa.

– Puść! Policja! – rozległ się ostry głos Øgaarda. Właściciel buta wahał się przez chwilę, jednak znowu nadepnął. Moja głowa była uwięziona między płytą chodnikową a gumową podeszwą.

– Tu policja! Puśćcie ich, do cholery!

Øgaard powtórzył jeszcze głośniej swoje polecenie i tym razem odniosło skutek. But przestał naciskać moją głowę; znowu mogłem się ruszyć i zobaczyłem, co się dzieje. Dwóch kiboli, z napisem FCK na koszulkach, trzymało Larsa. Jeden złapał go za szyję, a drugi chwycił jego długie włosy i pociągnął do dołu, tak że twarz Larsa skierowana była w niebo. Puścili dopiero wtedy, kiedy Øgaard z odznaką policyjną i uniesioną pałką ruszył biegiem w ich kierunku. Jeden zdążył na pożegnanie kopnąć Larsa w kolano, po czym pognał za kolegą, właścicielem buta, na ukos przez plac w stronę deptaku. Kiedy dotarli do Seven-Eleven, odwrócili się, pokazując środkowe palce, po czym zniknęli w tłumie spacerowiczów, par i grupek nastolatków. Jebać Brøndby i lachociągów! *Fuck, fuck, fuckaaa...*

*

Prezes nie skomentował incydentu przy sushi z poprzedniego wieczoru ani plastra, zakrywającego zadrapania na moim policzku. Odmierzonym ruchem ulokował torbę z logo „Ekstra Bladet" na biurku Juhlera.

– Milion w gotówce. Ciąg dalszy należy do was, ale oczekuję, że będę informowany na bieżąco.

Odpukał palcami jakiś rytm na swoim iPhonie, nim obrócił się na pięcie i opuścił pomieszczenie. Lars zanurzył rękę w torbie i wyłowił paczkę banknotów o nominale tysiąc koron. Przejechał palcem po krawędzi, tak jak to się widuje u wytrawnych karciarzy. Otworzyły się drzwi i Henrietta zrobiła wielkie oczy na widok fotografa bawiącego się pieniędzmi.

– Co się tu wyrabia? Nie zapomnieliście przypadkiem mnie o czymś poinformować?

Podeszła prosto do Larsa i zajrzała do torby, po czym zwróciła się w naszą stronę, sypiąc z oczu skry.

– Co jest, do cholery? Jeżeli to to, czego się domyślam, ciekawa jestem, dlaczego nikt mnie nie raczył powiadomić?

Nikt jej nie odpowiedział.

– Czy to jest nagroda?

Juhler kiwnął głową na potwierdzenie.

– Czy to znaczy, że mamy chłopców?

– Może tak. Usiądź.

Juhler podsunął jej własny fotel z oparciem.

– Siadaj tutaj, zaraz ci wszystko wytłumaczę. Nie próbowaliśmy niczego przed tobą ukrywać, choć z drugiej strony nie byłaś ostatnio w najlepszym nastroju.

W jej oczach znowu pojawił się gniew. Stary redaktor opuścił wzrok i zaczął w zażenowaniu grzebać w puszce z tytoniem.

– Daj spokój Henrietto, ostatnio nikt z nas nie był w najlepszej formie. Tyle rzeczy się dzieje.

*

Przed południem nie pojawiła się żadna wiadomość od porywaczy. Prezes pokazał się po południu, nadal bardzo oficjalny i najwyraźniej poirytowany brakiem informacji. Spojrzał na zegarek.

– Niedługo powinno się coś wydarzyć, jeśli mamy zdążyć do jutrzejszego numeru – uderzył pięścią w ścianę i powtórzył – potrzebujemy tego do jutrzejszego numeru!

Nikt nie skomentował jego wybuchu. Nawet Lars milczał.

Dopiero za kwadrans trzecia pojawiła się wiadomość, dla mnie najgorsza z możliwych.

Dworzec Główny 15:30 przy sklepie z butami – pytać o brązowe buty nr 45. Pieniądze i ty, Hilling. Tylko ty, żadnego telefonu, żadnego walkie-talkie czy GPS-a. Nic w ogóle. Tylko pieniądze i ty. Masz fotogeniczną rodzinkę. Nie próbuj dzwonić do domu. Przerwaliśmy połączenie. Potraktuj to poważnie.

Dodano zdjęcie Marii i Ester w naszej kuchni. Gdy odczytałem SMS-a i zobaczyłem zdjęcie, cały się zatrząsłem i zawołałem głośno: – Nie, nie, nie! Mają Ester. Mają Ester i Marię! Co robić?

Øgaard i Lars podskoczyli do mnie. W oczach zrobiło mi się ciemno, zachwiałem się. Obawiałem się, że stracę przytomność, ale myśl, że ja i tylko ja mogę uwolnić moją rodzinę, sprawiła, że oprzytomniałem. Najpierw Carla, teraz Ester i Maria. Mężczyźni wyciągnęli do mnie ręce.

– Co ty mówisz? – krzyknął Lars. – Porwali Marię i Ester?

– Dajcie mi telefon.

Øgaard wyjął mi telefon z ręki i odczytał treść SMS-a.

– Nie martw się, damy ci obstawę. – Oddał mi telefon i zaczął wybierać jakiś numer na swoim, ale wytrąciłem mu go z ręki i cisnąłem nim o podłogę. Szkło i bateria wyleciały, a ostatecznego zniszczenia dokonałem obcasem.

– Zwariowałeś, człowieku? Nie czytałeś wiadomości? – Ryknąłem tak głośno, że musiano mnie słyszeć w sąsiednich pomieszczeniach. – Mają moją rodzinę i zrobimy dokładnie, w stu procentach to, czego żądają. Jasne?! Nie chcę ich stracić!

Juhler kiwnął potakująco głową. Henrietta stanęła przy mnie i rozłożyła szeroko ręce, jakby mnie chciała bronić przed atakiem, i jednocześnie wysyczała przez zęby:

– Macie zrobić tak, jak John mówi. Dajcie mu pieniądze!

Prezes zabrał torbę i schował ją za plecami.

– Tak się nie będziemy bawić. Zrobisz tak, jak proponuje policja, Hilling, a Lars idzie za tobą i robi dokumentację. Potrzebne nam zdjęcia.

– Zareagowałem zbyt szybko, bez zastanowienia – odparł Øgaard. Zebrał resztki swojego telefonu, spojrzał na nie smętnie i wyrzucił do kosza na śmieci. Kopnął jeszcze kosz i odwracając się do prezesa, dodał: – Uważam, że powinieneś zrobić tak, jak mówi John. Daj mu pieniądze i nawet nie myśl o posyłaniu kogoś za nim.

– Nie ma mowy. Nie negocjuję z terrorystami. Chyba że będę miał zdjęcia. – Prezes cofnął się pod ścianę, nadal trzymając za sobą torbę. Øgaard zrobił krok do przodu, podciągnął spodnie i tak szybko, że nikt nie zdążył zareagować, złapał rękę prezesa, wyłamał ją na plecy i położył go twarzą do podłogi.

– Ruszaj! – polecił, rzucając mi torbę z pieniędzmi. Przytrzymał kolanem powalonego na podłogę i pochylił się nad jego uchem. – Jeżeli usłyszę jeszcze jakieś sprzeciwy z twojej strony, będę niestety zmuszony cię aresztować. Zrozumiałeś, gnido?

*

Musiałem zatrzymać się dla nabrania powietrza i spojrzałem przy tym na zegarek. Było dwadzieścia pięć minut po trzeciej. Całą drogę biegłem, serce waliło mi jak szalone i byłem cały mokry od potu. Jakiś młody człowiek z kolczykiem w nosie zapytał, czy dobrze się czuję. Kiwnąłem głową i pospieszyłem do sklepu z butami.

– Poproszę brązowe numer czterdzieści pięć.

Oddychałem z trudnością. Ekspedient w czerwonej, firmowej marynarce skończył czyścić parę szpilek, odstawił buty, pochylił się i wyjął spod lady bąbelkową kopertę. Spojrzał na informację na kopercie i powiedział:

– Podaj mi jeszcze raz wielkość.

– Czterdzieści pięć. – Wyciągnąłem rękę po kopertę. Nie od razu mi ją oddał.

– Tak dla porządku. Bądź tak uprzejmy i powiedz swoim przyjaciołom, że to nie jest firma kurierska.

– Kto wręczył ten list?

– Nikt nie wręczał, podrzucili mi go i dali figę za usługę. Jeżeli to ma wam wejść w zwyczaj, to powiedz, że podnoszę porto. Jeżeli rozumiesz, o co mi chodzi? Nie wiadomo przecież, co może być w środku!

Wyjąłem mu kopertę z ręki. Wewnątrz bąbelkowej była jeszcze zwykła koperta. Rozerwałem ją i odczytałem wiadomość na odwrocie biletu z reklamą Państwowego Muzeum Sztuki.

Wsiądź do kolejki w stronę Nørreport. Przesiądź się na metro w kierunku Vestamager. Bilet wystarczy raz skasować.

Popatrzyłem z niedowierzaniem na załączony bilet. Przez chwilę to wszystko wydawało mi się koszmarnym snem. Potem ruszyłem biegiem. Biegłem, jak nigdy przedtem w swoim życiu. Za późno zauważyłem kobietę ciągnącą walizkę na kółkach. Chciałem przeskoczyć, ale zawadziłem nogą o uchwyt. Zdążyłem zobaczyć pierwsze spotkanie z Carlą, narodziny Ester i pełną czułości twarz Marii patrzącej na córkę, nim rąbnąłem czołem w wyłożoną płytkami podłogę hali kilka metrów przed wejściem do McDonalda.

– Halo, słyszysz mnie? Halo! – Jakiś głos zabrzmiał z tyłu mojej głowy. Odwróciłem się przerażony i zobaczyłem kobietę, która klęczała obok mnie.

– Ile czasu tu leżę?

– Przed chwilą upadłeś, ale masz dużą szramę na czole. Trzeba to zaszyć, jednak miałeś chyba szczęście – upadłeś na torbę, którą trzymałeś. – Wskazała torbę z pieniędzmi, która leżała pod moją głową jak poduszka.

Z kieszeni wyciągnęła paczkę chusteczek higienicznych.

– Przyłóż to sobie do czoła. Leż i nie ruszaj się, a ja zadzwonię po pomoc. – Podała mi chusteczkę i sięgnęła do torebki po komórkę.

W oczach miałem migotanie i tło za postacią kobiety widziałem niewyraźnie.

– Dziękuję, ale nie mam czasu. Pociąg mi ucieknie.

Uniosłem się na łokciach, mimo że czułem w głowie tępy ból i pulsowanie.

– Muszę złapać pociąg do Nørreport.

Opierając się na ramieniu kobiety, zdołałem się podnieść. Nogi nie bardzo chciały mnie słuchać i czułem świdrujący ból w kolanie. Bolało tak bardzo, że miałem ochotę krzyczeć.

– To chyba nie jest w tej chwili najważniejsze? – Popatrzyła na mnie z niedowierzaniem. – Trzeba to będzie odłożyć, to nie może być aż takie pilne.

– Nawet nie masz pojęcia, jakie to pilne! – próbowałem się uśmiechnąć, dziękując jej za pomoc, ale wyszło tylko zmrużenie oczu w grymasie bólu. Udało mi się jednak wykonać pierwszy krok. Drugi okazał się jeszcze bardziej bolesny i musiałem się na chwilę zatrzymać, żeby zapanować nad sobą. Odetchnąłem kilka razy głęboko i poczułem nagle pomoc z niespodziewanej strony. Przypomniał mi się zapach włosów i skóry mojej córeczki, zdawało mi się, że słyszę jej beztroskie gaworzenie, aż nagle gwar dworcowej hali oddalił się i poczułem, jak wracają mi siły w sponiewieranym ciele. Znowu ruszyłem biegiem. *Tatuś jest w drodze, zaraz będzie.* Z każdym krokiem coraz mniej odczuwałem ból, a kiedy skasowałem bilet i wskoczyłem do czekającego wagonu, nie czułem już wcale bólu. Dopiero gdy usiadłem na ławce, znowu poczułem pulsowanie w całym ciele. Zamknąłem oczy i złożyłem ręce. *Akurat teraz jesteś nam potrzebny* – brzmiało w mojej głowie. Wstałem z miejsca, powlokłem się do wyjścia i trzymając się uchwytu, czekałem, aż pociąg zatrzyma się przy Nørreport. Ester gaworzyła, śmiała się do matki i zapiała z zachwytu, gdy Maria uniosła ją wysoko i podała Carli, która z uśmiechem odebrała małą z jej rąk. Pociąg zatrzymał się z piskiem hamulców i wszystko zniknęło.

Czułem się zagubiony, peron był jednym wielkim falującym tłumem. Z obu stron napierały na mnie tłoczące się grupy. Oczy zalewała mi krew z rozciętego czoła. Przetarłem je ręką i próbowałem zatamować rozcięcie, poczułem jednak, że krew przecieka mi przez palce. W końcu wypatrzyłem tablicę ze strzałką pokazującą, którędy do metra. Znowu zacząłem biec i dotarłem, w momencie gdy drzwi składu do Vestamager zamknęły się automatycznie. Zacząłem walić w nie pięściami, ale to nie pomogło. Skład odjechał na moich oczach. Zrozpaczony rozejrzałem się wokół i uspokoił mnie zmieniający się napis na tablicy informacyjnej: „Lotnisko 1 ½ minuty, Vestmager 3 minuty”.

*

Nikt nie usiadł na miejscu obok mnie. Chociaż w wagonie było pełno ludzi, miejsce koło mnie i obydwa naprzeciwko były wolne. Ludzie woleli stać w przejściu, demonstracyjnie odwracając się plecami, żeby uniknąć przykrego widoku. Zobaczyłem swoje odbicie w szybie i stwierdziłem, że twarz mam zalaną krwią. Wszyscy patrzyli w inną stronę z wyjątkiem małego chłopca po drugiej stronie przejścia.

– Uderzyłeś się? – zapytał, przypatrując mi się uważnie.

– Tak, upadłem.

– Boli cię bardzo?

– Owszem, boli.

– Potrzebny ci będzie plaster.

W tej chwili matka pociągnęła go za rękę.

– Zostaw pana w spokoju!

– Ale, mamo...

– Nie słyszałeś, co powiedziałam? – jej głos nabrał ostrych tonów.

– Ale, mamusiu! Ja mu mogę oddać jeden ze swoich plastrów.

– Zrobisz tak, jak mama mówi, Alfred! Zaraz wysiadamy! – Wstała z miejsca, chociaż pociąg był w pełnym biegu i pociągnęła synka za rękę w stronę wyjścia, a potem do następnego przedziału.

Na stacji Ørestad skład się opróżnił. Ostatnią osobą, która wysiadła, była kobieta w burce. Przechodząc, wręczyła mi egzemplarz gazety z nalepioną żółtą karteczką.

Jedź dalej do stacji końcowej. Poczekaj, aż peron się opróżni, wstaw torbę do windy i czekaj na wiadomość. Żadnych trików, jeśli chcesz jeszcze zobaczyć rodzinę.

25

DRZWI WINDY ZAMKNĘŁY SIĘ POWOLI. Wydawało mi się, że trwa to nieskończenie długo. Ścigałem wzrokiem torbę, jak długo mogłem, a potem zobaczyłem opadający dach windy i liny, na których była zawieszona. Zrobiło się cicho jak makiem zasiał. Przez długie minuty nie działo się nic, potem rozległ się odgłos szarpnięcia i szum elektrycznego silnika, kiedy winda ruszyła ponownie. Powoli uniosła się do góry i wreszcie stanęła w miejscu z dość głośnym szczęknięciem. Pusta winda zatrzymała się przede mną i drzwi otworzyły się automatycznie. Na szklanych drzwiach w głębi wisiała żółta karteczka.

Dzięki za transakcję. Twoja rodzina ma się dobrze. Chłopców znajdziesz w supermarkecie Fields, w Capella Play.

Zakrwawioną ręką włożyłem kartę do automatu telefonicznego. Maria natychmiast podniosła słuchawkę.

– John, czy to ty?

– Tak, to ja.

– Chwała Bogu, John! Dobrze się czujesz?

– Tak. Co z Ester? Co z tobą i Ester? Czy jesteście już bezpieczne? Jak się czujecie? Odpowiedz! – Pytania zadawałem całą serią.

– Czujemy się doskonale. Teraz doskonale. Och, John...

Rozpłakała się. – Tak strasznie się bałyśmy. Tak się o ciebie bałam! Myślałyśmy, że nie zobaczymy cię już nigdy. Nie wiedziałyśmy, na co tych ludzi stać. Kiedy cię uwolnili?

– Jak to uwolnili?

– Porywacze! Powiedzieli, że cię złapali i że cię zabiją, jeśli nie zastosuję się do ich poleceń.

Słuchałem ogłupiały.

– Co powiedzieli?

– Że mają ciebie i że zabiją. Byłam taka... – przerwała z płaczem. Płakała krótką chwilę, potem ucichła i dokończyła szeptem – ...ja myślałam, że już nigdy cię nie zobaczę.

– Jestem cały, Mario. Wracam do domu.

Wyciągnąłem poplamioną krwią kartę telefoniczną, włożyłem ponownie i zadzwoniłem do Juhlera. Podniósł po pierwszym dzwonku.

– Co z Marią i Ester? Masz chłopców?

– Nic im się nie stało. Jadę teraz do domu. Musisz załatwić odebranie chłopców. Są w supermarkecie Fields, w miejscu, które nazywa się Capella Play. To centrum zabaw dla dzieci. Weź lepiej ze sobą Øgaarda. To profesjonaliści. – Odwiesiłem słuchawkę i z ulgi rozpłakałem się.

*

Maria i Ester czekały na mnie w ogródku. Ester spokojnie spała u Marii na rękach, zawinięta w niebieski kocyk, ten sam, pod którym spałem, kiedy byłem mały. Taksówkarz patrzył zdziwiony i jeszcze raz rozejrzał się po wnętrzu samochodu, żeby się upewnić, że nie zabrudziłem go krwią, zanim z uczuciem odrazy na twarzy przyjął dwa banknoty po sto koron, które mu wręczyłem zakrwawioną ręką.

– Zgadza się.

Nogi się pode mną ugięły, gdy wysiadałem, i musiałem się oprzeć o drzwi samochodu, żeby nie upaść. Szofer wyskoczył jak oparzony i stanął przede mną.

– Puść te drzwi! – Wskazał palcem moją dłoń. – Zabierz tę łapę od mojego samochodu, nie widzisz, że krew ci leci?

– Nie widzisz, że mój mąż źle się czuje? – wtrąciła się Maria i objęła mnie jedną ręką w pasie, w drugiej nadal trzymając Ester.

– Oprzyj się na mnie, zabierzemy cię do domu. – Odwróciła się do szofera. – Co z ciebie za człowiek?

– Nie chcę mieć samochodu upaćkanego krwią, to kosztuje ekstra. – Spojrzał twardo na Marię, która potrząsnęła głową i obdarzyła go spojrzeniem pełnym pogardy.

– Możesz tu poczekać. Zaraz przyniosę szmatę i wytrę twoją zasraną taksówkę.

Taksówkarz spojrzał zaskoczony, że tak niepozorna kobieta nie tylko odmawia napiwku, ale w dodatku fachowo przeklina, popukał się palcem w czoło, splunął jej pod nogi i wskoczył za kierownicę.

– Głupia kurwa!

Trzasnął drzwiami, przekręcił kluczyk i od razu dodał gazu, zawrócił, opuścił szybę i powtórzył.

– Głupia, zarozumiała kurwa!

*

– Pobili cię? – spytała Maria, zmywając ostrożnie krew z mojego czoła.

– Nie, upadłem. A co zrobili z tobą i Ester? Co się z wami działo?

Zapukano do drzwi. Na zewnątrz stała kobieta w burce. Trzymając pistolet, podała Marii kartkę.

Zachowaj spokój. Mamy twojego męża. Nic mu się nie stanie, jeśli będziesz wypełniać polecenia.

Kobieta dała znak, żeby Maria weszła do środka, a sama podążyła za nią. Zamknęła drzwi i zaciągnęła zasłony przy oknach. Nie odezwała się ani słowem, ale podała Marii kolejną kartkę.

Mamy sprawę do twojego męża. Jeżeli zrobi to, co chcemy, za kilka godzin będzie po wszystkim. Odłącz wszystkie telefony i nie zadawaj pytań.

Maria zaczęła płakać i przez krótką chwilę zastanawiała się, czy nie spróbować obezwładnić kobiety. W policyjnej praktyce miewała już sytuacje, w których musiała użyć przemocy. Zdecydowała jednak, że lepiej będzie spełnić warunki. Wyłączyła komórkę i odłączyła telefon stacjonarny. Mocno zbudowana kobieta w burce wystawiła krzesło, wskazała kiwnięciem głowy kołyskę, w której spała Ester i pokazała na migi, że Maria ma wziąć dziecko na ręce i usiąść na krześle. Potem zrobiła komórką zdjęcie i wysłała.

Siedziały naprzeciw siebie w milczeniu przeszło dwie godziny. Ester na szczęście przeważnie spała i obudziła się dopiero na sygnał nadejścia wiadomości z telefonu kobiety. Ta odczytała ją i podała Marii kolejną kartkę.

Twój mąż spełnił nasze warunki. Nic mu nie jest i wkrótce będzie w domu. Nie rób nic, dopóki się nie odezwie. Nie próbuj mnie śledzić. Żadnych wezwań, żadnej policji.

Zniknęła równie nagle, jak się pojawiła. Maria włączyła telefony i – płacząc, czekała na mój znak życia.

– Nic nie mówiła?

Maria otworzyła butelkę czerwonego wina. Nalałem sobie szklankę i wypiłem duszkiem. Pomogło na zdenerwowanie i na bóle. Wyjąłem paczkę papierosów.

– Pomożesz mi dojść do drzwi, bardzo bym chciał zapalić.

– Pal tutaj!

Wstała, otworzyła okno i przyniosła popielniczkę.

– Kobieta nie odezwała się ani jednym słowem.

– Myślisz, że w ogóle mówiła po duńsku?

– Może nie, ale wiadomości na kartkach były napisane po duńsku, bez żadnych błędów, więc na pewno był ktoś, kto znał język. – Podała mi wszystkie trzy karteczki. Instrukcje wypisane były tym samym charakterem pisma, co informacja na kopercie i bilecie, który dostałem na dworcu. Drukowane litery, które wyglądały jak narysowane, a nie jak napisane.

– Jak wyglądała? Potrafisz ją opisać?

– To nie jest łatwe, John. Tylko oczy nie były zakryte.

– Ile miała wzrostu, mniej więcej?

– Niezbyt wysoka i prawie tak szeroka jak wysoka. Solidna matrona. Bardzo męska. Właściwie mógłby to równie dobrze być mężczyzna.

*

Z ulicy doszły odgłosy gwałtownego hamowania, a po kilku sekundach załomotano do drzwi.

– Jesteście tam? To tylko my! Możecie otworzyć bez obaw. – Ktoś szarpnął klamką. – Jesteście w domu?

Maria otworzyła niecierpliwym gościom, Juhler minął ją i wpadł od razu do kuchni.

– Rany boskie, jak ty wyglądasz! Co się stało? – Twarz miał zaczerwienioną i sapał z wysiłku.

– Upadłem na Dworcu Głównym. – Pomacałem sobie głowę. Robiła wrażenie rozgrzanej pod opatrunkiem, który założyła Maria.

– Krwawisz, bandaż przemaka. Chyba powinieneś iść na pogotowie. – Juhler pochylił się nade mną i zlustrował uważnie opatrunek. – Lars, zadzwoń po taksówkę i jedź razem z nim – powiedział, zwracając się do fotografa, który stał w drzwiach obok Øgaarda.

– A ty – wskazał Marię – pakuj rzeczy dla siebie i dla małej do jakiejś walizki. Jedziecie do mnie. Pani Aase już przygotowała pokój gościnny.

– Zaraz, moment. Najpierw może wytłumacz, co się dzieje. – Pomacałem bandaż i poczułem, że rzeczywiście krwawię. – Dlaczego chcesz nas zabrać do siebie?

– Dlatego że to nie jest wcale koniec. Potrzebujecie bezpiecznego miejsca.

– Dlaczego? Co się stało? Nie znaleźliście chłopców?

– Znaleźliśmy, ale... Juhler wyciągnął rękę po szklankę, którą
opróżniłem, napełnił ją i wypił haust. – Wydaje mi się, że jeszcze
usłyszymy o tych ludziach. Upił jeszcze łyk. – Bo właściwie...
Zrobił przerwę na kolejny łyk wina. Øgaard odchrząknął.
– Juhler próbuje ci powiedzieć, że było tylko dwóch chłopców, Nabil i Nagib. Po innych nie ma śladu. Podejrzewamy, że
oni się z nami bawią. Dlatego wy troje musicie trafić w bezpieczne miejsce, żeby nie próbowali z wami żadnych nowych
sztuczek.

*

Pani Aase przyszykowała kanapki i herbatę – małe, trójkątne
kawałki ciemnego chleba z wędliną, ułożone na liściach sałaty,
na półmisku pomalowanym w muszelki. Øgaard i Juhler wzięli
sobie po butelce porteru.
– Siadaj, John. – Maria klepnęła dłonią w wolne miejsce obok
niej, na kanapie. – Wyobraź sobie, że Aase ma wędzoną paszte-
tową od Vollstedta; to prawie jak w domu. Wezmę sobie jeszcze
kawałek, jeśli można. – Mówiąc to, sięgnęła do półmiska.
– Jedz, ile możesz, dziewczyno. Potrzebujesz pokrzepienia
po tym wszystkim, co się stało – odpowiedziała pani Aase i ści-
snęła ją za rękę. – Zajrzę do malucha, a ty się tu odpręż. – Wstała
od stołu i wyszła na korytarz.
Øgaard odprowadził ją wzrokiem.
– Duże, piękne mieszkanie. Od dawna je macie?
– Tak, od ślubu, a już sporo lat minęło od tego czasu.
– Ile lat, Aage?
Pani Aase pojawiła się w drzwiach, trzymając Ester na ręku.
– Wyjęłam księżniczkę z łóżeczka, chyba nie może zasnąć.
Maria wstała, żeby przejąć dziecko, ale Aase kazała jej sia-
dać z powrotem.
– Już ja się nią zajmę, nie martw się. Zdążyłyśmy się zaprzy-
jaźnić, prawda? – zapytała małą, łaskocząc ją pod brodą.
– Trzydzieści pięć – powiedział Juhler z ustami pełnymi
pasztetówki.

248

– Co mówisz, kochanie? – spytała pani Aase, zwracając się do męża.

– Mówię, że trzydzieści pięć lat. Wzięliśmy ślub dwudziestego piątego października 1974 roku. W październiku będzie trzydzieści pięć lat. Zaczynałem pracę w gazecie pierwszego września. Dlatego tak dobrze to pamiętam.

Klepnął żonę w pośladki, kiedy go mijała. – I ja się od tego czasu wcale nie zmieniłem. Jestem nadal zabójczo przystojny, tak jak wtedy, gdy mnie poznałaś.

– Dlaczego nie macie dzieci, skoro macie tyle miejsca? – spytała Maria, rozglądając się wokół. Na twarzy pani Aase pojawił się cień.

– Chyba po prostu tak musiało być. Chcieliśmy, ale nie wyszło. Byłam w ciąży, gdy braliśmy ślub, ale poroniłam miesiąc później, a potem...

– Przepraszam, nie powinnam była zadawać tego pytania. – Maria poczuła się zawstydzona. – Naprawdę bardzo mi przykro.

– Nie łam sobie tym głowy – Pani Aase pogłaskała mięciutkie, choć jeszcze rzadkie, włoski na głowie Ester. – Może będę mogła zostać rezerwową babcią dla tej małej? Jej twarz rozjaśnił ponownie promienny uśmiech.

– Z całą pewnością! To by było fantastycznie! Ona nie ma przecież własnych dziadków.

Maria odetchnęła z ulgą po zadaniu niefortunnego pytania. Wspaniała para dziadków, Aase i Aage.

– A nie wystarczy wujek Aage? – wtrącił się Juhler. – Obiecuję za to, że zabiorę ją do ogrodu zoologicznego.

Wyciągnął ręce po Ester, która powitała go radosnym uśmiechem.

– No proszę – powiedział – sami widzicie, że od razu mnie polubiła. Chodź do dziadka, panienko! Opowiem ci, jak należy robić gazetę bez nabijania sobie takich guzów jak twój ojciec.

Założono mi trzy szwy i bandaż dookoła głowy, tak że przypominałem klowna z rewii z powiększonym czołem. Ponadto dano mi garść środków uśmierzających ból, które chyba nie najlepiej działały w zestawieniu ze sporą szklaneczką whisky, którą postawił przede mną Juhler. Zmrużyłem oczy i próbowałem powstrzymać ziewnięcie. Lars to zobaczył i podjął próbę zwrócenia na siebie uwagi Øgaarda, który właśnie opowiadał o krótkim epizodzie w swoim życiu zawodowym, kiedy to był ochroniarzem księcia Joachima i księżniczki Aleksandry.

– To oni mieli własną ochronę? Nie wiedziałem. Ten królewski dwór to nie jest tania impreza. – Juhler upił łyk ze swojego portera. – To anachronizm, w dodatku bardzo kosztowny. Należałoby to zlikwidować.

– Było nas siedmiu, dwadzieścia cztery godziny na dobę. – Øgaard opróżnił swoją szklankę.

– A na co im była ochrona przez dwadzieścia cztery godziny? Wieśniak z południowej Jutlandii i jego chińska księżniczka.

– Z jej powodu. Była taka grupa prawicowych ekstremistów, którzy uważali, że chińska krew w duńskiej dynastii jest nie na miejscu – zresztą w ogóle niepożądana w kraju. Lecz to było kiedyś. Teraz są już rozwiedzeni.

– No tak, pora kończyć te opowieści. Robi się późno, a John już zasypia.

Lars wstał z miejsca i przyniósł kurtkę z korytarza. – Podrzucę cię do miasta, Øgaard.

*

– Przyjdziesz na chwilę do mojego gabinetu, Hilling? Mamy coś do obgadania. Myślę, że dziewczyny i tak już idą spać. – Juhler mrugnął znacząco do żony, która odpowiedziała skinieniem głowy.

– Chodź Mario, musimy was zainstalować. Opróżniłam szafę na korytarzu naprzeciwko drzwi do waszego pokoju. – Wzięła Marię za rękę, a do mężczyzn powiedziała przez ramię: „Dobranoc" i „Nie siedźcie tam za długo".

– Masz zamiar zgłosić to na policję?

Wskazał mi miejsce na kanapie w paski, a sam usadowił się w fotelu z wysokim oparciem. W jego gabinecie półki z książkami zajmowały ściany od podłogi do sufitu. Chociaż znaliśmy się od dwudziestu lat i wielokrotnie odwiedzałem go w jego dużym mieszkaniu przy Kanslergade, po raz pierwszy zdarzyło się, że zaprosił mnie do swojego gabinetu.

– Tutaj wolno palić, ile dusza zapragnie – poinformował, wskazując dużą popielniczkę na stoliku. Otworzył pudełko cygar i wyjął z niego przerośnięte cygaro, wetknął do ust, przejechał po wargach i dopiero wówczas uciął końcówkę.

– Nie wiem. Chyba już wiedzą, co się stało, więc pewnie sami się odezwą jutro?

– Nie byłbym tego taki pewien. Nie dzieliliśmy się zbytnio informacjami.

– Co chcesz przez to powiedzieć?

– Nie wszystko powiedzieliśmy policji, a jutro w gazecie także nie zamieścimy wszystkiego, co wiemy. Ani słowa o tobie czy o Marii i nic o nagrodzie. To pierwsze to moja decyzja, drugie jest poleceniem prezesa.

– W jaki sposób możemy więc wyjaśnić, że znaleźliśmy chłopców w Capella Play?

– Prezes się tym zajmie. Jutro wystąpi w *Wieczorze z TV* z solówką o gruszkach na wierzbie, doskonałych źródłach i utalentowanych dziennikarzach, jakimi dysponuje w „Ekstra Bladet". Tak to się ma odbyć. Masz coś przeciwko?

– Mogę się zgodzić na wszystko, pod warunkiem że idioci, którzy nastawali na Ester i Marię, dostaną za swoje.

– Dostaną, Hilling. Mogę ci to obiecać, a mam też słowo Øgaarda. Ten gość bardzo was lubi, ciebie i Marię, wiedziałeś o tym?

– Øgaard? Tak.

– Sprawa pastora Bingo i męża pani minister jest OK. Damy ją pojutrze.

– Czytałeś to, w jaki sposób...

– Czytałem, Henrietta doszła do wniosku, że już pora.

– A co z prezesem?

Kiwnął głową.

– Zgodził się? Jakim cudem udało ci się go przekonać?

Juhler pociągnął haust cygarowego dymku i wypuścił serię kółek.

– Targowaliśmy się trochę, ale złożyłem mu ofertę nie do odrzucenia.

– A co to za oferta?

– Powiedziałem, że jeśli zablokuje artykuły o mężu pani minister, to w jutrzejszym *Wieczorze z TV* wystąpisz ty, żeby opowiedzieć, jak kierownictwo „Ekstra Bladet" próbuje uciszyć sprawę.

Jeszcze raz zaciągnął się cygarem i zaśmiał się, przerywając sobie kaszlem.

– A co z ich propozycją układu? To powinno także znaleźć się w artykule. Ich sugestia dostarczenia nam pani minister na tacy, jeśli zrezygnujemy z opisania jej męża i Sehesteda?

– To nie ja jestem dziennikarzem.

– Jak mam to rozumieć?

– Tak, że to nie ja będę to pisał, tylko ty. Wybierasz, co ma być, a czego ma nie być w artykule.

– Wiesz co, Juhler?

– No co? Co chcesz mi powiedzieć?

– Myślę, że możesz być wspaniałym dziadkiem.

26

PREZES WYPADŁ DOSKONALE w *Wieczorze z TV*. Zresztą dziwne by było, gdyby wypadł inaczej. Żadnych kłopotliwych pytań, wszystko poszło gładko i prezes opowiadał uśmiechniętej prowadzącej swoją historię o wielkim zaangażowaniu i doskonałych źródłach „Ekstra Bladet", które przyczyniły się do odkrycia miejsca pobytu dzieci.

– Pewnie nie możemy oczekiwać, że zdradzisz nam swoje źródła? – zapytała z życzliwym uśmiechem dziennikarka. Była nowa jak prezes, przeniesiona z programu o urządzaniu domu w TV2.

– Niestety z zasady nie ujawniamy naszych źródeł.

– Rodzice tych dzieci na pewno się ucieszyli?

– Bardzo. Rozmawiałem dzisiaj osobiście z rodzicami dzieciaków.

– Jak się teraz czują?

– Czują się doskonale.

– Miałam na myśli chłopców. Czy oni także czują się dobrze?

– Owszem, tak. Zostali uprowadzeni, ale nie wygląda na to, by ktoś się z nimi źle obchodził. Wyglądają zdrowo i normalnie, ale nie sposób oczywiście wykluczyć, że nastąpi jakaś późniejsza reakcja.

– Cóż, najważniejsze, że się odnaleźli i są już razem ze swoimi rodzicami. Zobaczmy, jak doszło do uwolnienia chłopców. – Nachyliła się i uśmiechnęła bezpośrednio do kamery. – Zobaczymy to na filmie.

Pojawił się drgający obraz z niepewnie poruszającej się kamery. Po chwili zatrzymała się na widoku ogólnym miejsca zabaw w hipermarkecie. W kadrze pojawiła się rodzina z dwojgiem dzieci. Jedno z dzieci – chłopiec – odwróciło się i spojrzało prosto w kamerę.

– Co filmujesz? – zapytał operatora.

– Uciekaj stąd! – zabrzmiał głos kamerzysty. Poznałem głos otyłego z charakterystycznym kopenhaskim akcentem.

– Zabierzcie tego szczeniaka. Jestem z prasy. Ja tu pracuję!

Rodzice chłopca odwrócili się także, żeby zaprotestować, ale kamerzysta ich odepchnął i skierował obiektyw na prezesa i Juhlera. Każdy z nich trzymał za rękę jednego z porwanych chłopców. W tle widać było Larsa z błyskającym aparatem.

– Mamy tak samo prawo być tutaj – wtrąciła oburzona matka – to miejsce publiczne. Ulokowała się pośrodku kadru, ale otyły znowu ją odepchnął. Dzięki temu uzyskał wreszcie upragniony obraz obu panów, którzy razem z chłopcami oddalają się ruchomymi schodami.

– Na filmie zobaczyliśmy ciebie i jednego z twoich podwładnych, po tym, jak odzyskaliście chłopców w hipermarkecie. Co sobie pomyślałeś w tamtym momencie?

Uśmiechnięta redaktorka zwróciła pełne oczekiwania spojrzenie na wybawiciela z „Ekstra Bladet".

Prezes stanął na wysokości zadania i przybrał zatroskany wyraz twarzy. Przed udzieleniem odpowiedzi nalał sobie wody do szklanki i upił mały łyk.

– Pomyślałem, że zadaniem bieżącej chwili jest jak najszybsze połączenie chłopców z ich rodzinami.

– Czy to znaczy, że rodzice niczego nie wiedzieli? Nie poinformowaliście ich o waszej akcji? Czy zrobiliście to z rozmysłem? – Pytania padały szybko, mimo że autorka programu najwyraźniej odczytywała je z wcześniej przygotowanej kartki.

– Dokładnie – odparł prezes. – Nie chcieliśmy stwarzać im fałszywych nadziei, gdyby coś miało pójść nie tak.

– Tak, to jasne. Niemniej musiałeś sobie w tamtym momencie zdawać sprawę, że chłopcy wkrótce spotkają się z rodzicami. Jakie myśli przychodziły ci wówczas do głowy?

Prezes raz jeszcze sięgnął po szklankę z wodą.

– Myślałem, że dano mi rzadki przywilej, że ja i „Ekstra Bladet" uzyskaliśmy szczególne prawo postawienia kropki nad i w tej przerażającej sprawie.

– A więc niech to będzie kropka nad i! Przynajmniej przed wstawką. Mamy jeszcze trochę ujęć ze spotkania dzieci z ich rodzicami.

Pojawiło się kilka statycznych obrazów prezesa wraz z rodzicami zaginionych dzieci. Fotosy zostały zrobione w redakcji, tak żeby w tle widać było duże logo „Ekstra Bladet". Zobaczyliśmy szeroki uśmiech prezesa i uszczęśliwione pary rodziców z bukietami kwiatów i odnalezionymi chłopcami. Prezes dzierżył w dłoniach dużą butelkę szampana.

– Piękny widok, tchnący optymizmem. Trudno się nie wzruszyć, kiedy się to widzi.

Dziennikarka nachyliła się w stronę rozmówcy i położyła rękę na rękawie jego marynarki. – Rozmawialiśmy tu w studio, przed wejściem na antenę, i dałeś jasno do zrozumienia, że nie chcesz występować w roli bohatera, ale to przecież tobie zawdzięczamy, że ci dwaj chłopcy są już teraz z powrotem w swoich domach. Czy w głębi ducha jednak nie mówisz sobie: tak! Tym razem mi się udało?

– Tu nie chodzi o moją rolę w tym wydarzeniu, ale o udaną akcję, która oczywiście mogła nie wypalić.

– Udana akcja, tak, ale akcja, w której przecież odegrałeś główną rolę...

Prezes nic na to nie odpowiedział, tylko z namysłem skłonił głowę. Obdarzyła go szerokim uśmiechem.

– Czy rodzice ci dziękowali? Co powiedzieli, kiedy zwróciłeś im dzieci?

– Byli bardzo szczęśliwi.

– To zrozumiałe. Zobaczysz się z nimi jeszcze?

– To się rozumie samo przez się. To, przez co musieliśmy przejść, bardzo nas zbliżyło. Spotkamy się jeszcze na pewno.

Prezes wbił wzrok w stół, nim podjął ochrypłym głosem:

– Kiedy człowiek przeżyje coś takiego, cała reszta staje się nieważna. Dla takich chwil się żyje. To jedyne, co naprawdę się liczy.

Prowadząca ujęła mocniej jego ramię.

– Rozumiem, że jesteś wzruszony, kiedy o tym opowiadasz. Jestem również przekonana – zwróciła się wprost do kamery – że nie ja jedna zapamiętam te niezwykłe ujęcia z radosnego zjednoczenia rodzin i że wszyscy będziemy oczekiwać dalszych wiadomości o ich losach. Dziękuję, że zechciałeś się podzielić swoimi, jakże osobistymi, przeżyciami z naszymi widzami. – Skierowała spojrzenie na prezesa. – Jeszcze raz dziękuję za udział w programie.

Prezes skinął głową kilka razy, wyrównał rękaw marynarki, uwidaczniając spinkę mankietu, i spojrzał na prowadzącą, która właśnie wzięła ze stolika jakąś książkę. Obraz z innej kamery dał zbliżenie na okładkę, podczas gdy głos w tle zapowiadał następną pozycję programu.

– Nowa książka napisana przez kobiety, dla kobiet. Dziesięć znanych duńskich kobiet dzieli się swoimi doświadczeniami. *Droga do kariery i do satysfakcjonującego seksu*. Poznaj autorkę książki i jedną ze znanych kobiet zaraz po wiadomościach.

– Zapowiada się ciekawie. Może dowiemy się czegoś nowego. W każdym razie z góry się cieszę na ten program.

Druga z dziennikarek współprowadzących program pojawiła się w kadrze i wymieniała luźne uwagi z poprzednią, podczas gdy na pierwszym planie przesuwały się tytuły.

– Może dowiemy się czegoś niezwykłego, kto wie, sensacyjnego? Ja w każdym razie ledwo mogę się doczekać. Zostańcie z nami i do zobaczenia w *Wieczorze z TV* za pół godziny.

– Właśnie oglądałem naszego apostoła dobrej nowiny, widziałeś? – Juhler ciągle jeszcze był w redakcji, więc zadzwoniłem do niego, gdy Aase wyłączyła telewizor.

– Też pytanie! Zdążył też zadzwonić tutaj, żeby zapytać, jak wypadł w telewizji. Zamówił czerwone wino dla wszystkich obecnych w redakcji. Jeśli weźmiesz taksówkę, będziesz mógł się załapać.

– Wolę zostać. Dosyć się go naoglądałem, na parę dni na pewno wystarczy. Jednej rzeczy jednak nie rozumiem: kto powiedział Kenny'emu z *crime.dk* o Capelli i chłopcach?

– Nikt stąd. Jedynymi osobami, które coś wiedziały, był prezes, Henrietta, Lars, Øgaard i niżej podpisany, nie licząc oczywiście ciebie.

– A wyście go oczywiście nie zawiadamiali?

– Pewnie że nie, ale swoją drogą facet ma talent do pojawiania się tam, gdzie coś się dzieje. Pewnie podsłuchał w policyjnym radiu.

– Czyli jednak dzwoniliście na policję?

– Tak, Øgaard zadzwonił.

– Cholera, Juhler, była umowa! Żadnej policji, dopóki nie będzie po wszystkim. Nie przyszło wam do głowy, że wystawiacie życie Ester i Marii na niebezpieczeństwo?

– To było dopiero potem.

– Po czym?

– Po tym, jak się odezwałeś. Po twoim telefonie. Powiedziałeś, żebyśmy wzięli Øgaarda, ale prezes się uparł, że będzie tylko on, ja i Lars. Umówiliśmy się wobec tego, że Øgaard może zadzwonić do kolegów w piętnaście minut po naszym wyjściu. Chodziło o bezpieczeństwo, twoje i twojej rodziny, na wypadek gdyby tamci coś jeszcze szykowali.

– Piętnaście minut po waszym wyjeździe? To znaczy, że ten cały Kenny jest naprawdę szybki. To mu trzeba przyznać.

27

SKOŃCZYŁEM ARTYKUŁ O WYSIŁKACH podjętych przez ministerstwo dla zatuszowania kontaktów męża pani minister i posłałem do redakcji.

Pani minister ukrywa nazistowskie kontakty męża.

Akcja podjęta przez ministerstwo i dyrektora departamentu przyniosła skutek odwrotny do zamierzonego. Głównym tematem nie była już hojna dotacja dla męża pani minister, lecz podjęta przez nią i jej ministerstwo próba ukrycia faktu, że jej mąż prowadził interesy z byłym nazistą Gregersem Sehestedem. To był tytuł na żółtą stronę anonsującą najciekawsze artykuły, która następnego dnia miała powiewać przed każdym kioskiem z gazetami. *Niech się nauczą.* Wyłączyłem komputer, gdy tylko otrzymałem potwierdzenie, że e-mail z artykułem w postaci załącznika dotarł na miejsce.

*

Z *Wieczoru w TV* zadzwoniono, żeby mnie zaprosić do studia. Artykuł o pani minister i jej mężu współpracującym z członkiem Wolnej Danii wywarł spore wrażenie. Radiowe wiadomości od szóstej, a następnie praktycznie wszystkie pozostałe media podjęły temat. Nawet główny konkurent „Ekstra Bladet" – „B.T." – w swoim programie internetowym przerwał na chwilę relację o porwanych chłopcach i dał odpowiednią wstawkę. Odpowiedziałem odmownie na propozycję *Wieczoru w TV* i paru innym mediom, które prosiły o komentarz.

– Nie rób mi tego! Nie możemy zmarnować takiej szansy na zaistnienie. – Juhler bębnił palcami o blat stołu. – Zadzwoń do nich i zgódź się!

– Nie mam na to ochoty. Zastanów się, jak ja wyglądam. – Pokazałem palcem zawój z bandaża na mojej głowie. – Nie zamierzam występować w telewizji z tym tutaj. Poza tym, jak mam to wytłumaczyć, jeśli ktoś mnie zapyta?

– Znajdziesz jakiś sposób, mój chłopcze. Zadzwonisz, czy mam to zrobić za ciebie?

Charakteryzatorka *Wieczoru z TV* stała za mną, wymachując ręcznikiem.

– Zawiążemy ci na głowie tę bandanę i nikt nie zauważy nic niewłaściwego.

– Bandanę? Przecież będę wyglądał jak pirat!

– Albo jak Sidney Lee. Nikt nie uzna, że coś w tym nie gra. Uznają tylko, że jesteś cool i masz swój styl.

– Mam być cool dzięki czerwonej przepasce na głowie? Daj spokój! A kto to w ogóle jest Sidney Lee?

– Nie wiesz, kto to jest Sidney Lee? To gdzieś ty się chował?

– Nigdy o nim nie słyszałem. To jakiś słynny karateka czy ktoś taki?

– Karateka? Nie wiem, czy on uprawia karate, ale bierze udział w bardzo wielu programach. – Jednym tchem wymieniła całą serię programów reality.

– Nie widziałem tego i nie mam ochoty być podobny do tego faceta.

Cofnęła się o krok, żeby mi się przyjrzeć. – To twoja decyzja, ja chciałam tylko pomóc. Przypudrować trochę policzki?

– Owszem, poproszę, ale daj spokój z tą bandaną.

Dokończyła charakteryzację, poprawiła trochę bandaż i westchnęła z rozczarowaniem.

– To tyle, lepiej już nie będzie. O czym masz rozmawiać?

– O artykule, który napisałem dla „Ekstra Bladet".

Ożywiła się, kiedy wymieniłem tytuł gazety i odezwała się już innym tonem.

– To o tych chłopcach? Straszna historia!

– Nie, o pewnym urzędniku ministerialnym, który próbował upiększyć rzeczywistość, żeby ukryć, że mąż pani minister ma nazistowskie koneksje.

Znowu zaczęła poprawiać mój bandaż i próbowała ulokować za moim uchem niesforny kosmyk włosów.

– Uważam, że wy, dziennikarze, powinniście im czasem dać spokój. Przecież oni po prostu wykonują swoją pracę. Dlaczego wyciągacie zawsze tylko negatywne strony?

– Bo to ważne.

– A mnie się wydaje, że ważniejsze jest, żeby się odnaleźli pozostali chłopcy.

Prowadząca ani słowem nie napomknęła o moim bandażu. Nie wspomniała także o próbie wyprodukowania przez ministerstwo fałszywych dokumentów w celu ukrycia prawdy. Wykorzystała natomiast cały czas antenowy, żeby mnie wypytywać, dlaczego ja, a także „Ekstra Bladet", mamy coś przeciwko nabywaniu przez duńskich rolników ziemi w Europie Wschodniej.

– Nie mamy nic przeciwko temu, jeśli postępują zgodnie z prawem.

– A twoim zdaniem mąż pani minister tak nie postępuje?

– Na to pytanie nie potrafię odpowiedzieć. Napisałem artykuł o tym, że on i jego partner, były nazista, otrzymali państwową dotację do swoich nabytków. To podejrzane w sytuacji, gdy osobą, która rządzi kasą, z której płyną pieniądze, jest jego żona.

– Oni przecież tworzą nowe miejsca pracy...?

– Pewnie tak, ale mój artykuł dotyczy nepotyzmu oraz prób zatuszowania przez ministerstwo sprawy dotacji oraz nazistowskiej przeszłości partnera.

– Chyba nie ma nic złego w robieniu interesów, nawet jeśli się ma żonę ministra?

– Oczywiście, że nie, jeśli wszystko jest w porządku i jeśli to się nie odbywa kosztem podatników.

Prowadząca miała twarz pokerzysty. Następnie dramatycznym ruchem, wyciągnęła arkusz papieru i pokazała go.

– *Wieczór w TV* wszedł w posiadanie tego dokumentu. Odwróciła się ode mnie i powiedziała, zwrócona do kamery:

– Dokumentu, który obala wersję „Ekstra Bladet". – Zwróciła się ponownie w moją stronę.

– Co możesz nam na ten temat powiedzieć? – spytała, trzymając dokument w ręku. Sięgnąłem po niego, ale ona nie wypuściła go z ręki.

– Trudno się do tego ustosunkować, skoro nie wiem, co tam jest napisane.

Dziennikarka zwróciła się ponownie do kamery.

– Jest to oficjalny dokument Ministerstwa Rozwoju Regionalnego, który podważa twierdzenia zawarte w artykule „Ekstra Bladet". Proszę zobaczyć.

Fragment dokumentu, który trzymała w ręku, zaczął się przesuwać na ekranie.

Chcę z całą mocą podkreślić, że wszelkie poczynania i inwestycje mojego męża są całkowicie zgodne z prawem. Jednocześnie pragnę zauważyć, iż osobiście nie jestem w żaden sposób powiązana z prywatnymi interesami męża. Dla potwierdzenia tej sytuacji podjęłam kroki angażujące firmę audytorską Deloitte & Touche do zbadania tych zagadnień, które porusza „Ekstra Bladet" w dzisiejszym wydaniu. Poinformowałam o tym dzisiaj premiera.

– I co powiesz na to? – zapytała, ponownie przyjmując twarz pokerzysty.

– Powiem, że czytałem oświadczenie Ministerstwa Rozwoju Regionalnego i że jest to wyłącznie zasłona dymna.

– A czy nie uważasz, że to zastanawiające, gdy pani minister sama zarządza kontrolę?

– W żadnym razie. To typowy zabieg dla zagmatwania sprawy.

– Mamy więc oświadczenie przeciwko oświadczeniu. Ciekawe, które w końcu okaże się prawdziwe. Dziękuję za udział w programie i życzę szybkiego powrotu do zdrowia. – Uśmiechnęła się, wskazując zabandażowaną głowę, po czym odwróciła się do kamery, żeby zapowiedzieć następną pozycję programu.

– Więzień numer sześćset trzydzieści, Peter Brixtofte, miał pod dostatkiem czasu przez ostatni rok, odbywając karę pozbawienia wolności w więzieniu w Horserød. Wykorzystał go do napisania książki pod tytułem *Moje Horserød*, która ukaże się w sobotę. Za chwilę spotkamy się z tym więźniem, byłym burmistrzem Farum.

*

Øgaard czekał na mnie po wyjściu ze studia.

– Zobaczyłem, że jesteś w programie, i postanowiłem, że podjadę.

Poklepał mnie po plecach. – Jak głowa?

– Po tej rozmowie nie najlepiej.

– No, tak. Natarła na ciebie ostro. Widziałem to z charakteryzatorni. Pozwolili mi wejść, bo powiedziałem, że jestem z tobą. Brixtofte też tam siedział. Mam nadzieję, że się nie przejąłeś za bardzo?

– Nie, jest w porządku. Nie wybierasz się do redakcji? Przydałoby mi się piwo.

– To brzmi zachęcająco. Mam zresztą coś, co może ci się przydać.

*

Juhler właśnie się zabierał do wyjścia.

– Poszło całkiem nieźle – powiedział, wskazując wyłączony telewizor.

– Poszło beznadziejnie. Miało być zupełnie inaczej. – Bez pytania wyjąłem trzy piwa z lodówki.

– Spieszysz się czy napijesz się z nami? Øgaard ma coś dla nas.

Juhler wziął piwo i zrobił miejsce na biurku, odsuwając na bok swoją wysłużoną, skórzaną teczkę.

– Pani Aase przyszykowała dla nas obiad – bitki z duszonymi kartoflami – ale jedno piwo zdążę wypić. Mam przekazać pozdrowienia i informację, że młoda dama ma nowe nabytki w garderobie.

– Dawno nie jadłem bitek, jakoś obecnie nie robi się ich zbyt często. – Øgaard odstawił swoją butelkę.

– Czuj się zaproszony, jedzenia na pewno wystarczy – powiedział Juhler do policjanta, uśmiechając się. – Co takiego masz dla nas?

– Dziękuję, ale nie skorzystam. Obiecałem być wcześniej w domu, a zwierzchnikowi nie należy się sprzeciwiać. – Wyciągnął z torby kopertę i położył na biurku. – Przygotowałem zestawienie wszystkich zdarzeń związanych z chłopcami. Czas, miejsce i inne istotne informacje.

28

W DOMU UNOSIŁ SIĘ NIEŚWIEŻY ZAPACH, chociaż nie było nas zaledwie kilka dni. Otworzyłem okna w kuchni i zszedłem do piwnicy po dużą tablicę, którą ustawiłem na dwóch stołkach przy ścianie. Nie widziałem właściwie powodu, żebyśmy dalej mieli mieszkać u Juhlera i pani Aase, ale Maria nadal nie czuła się bezpiecznie sama w dzielnicy willowej Eberts Villaby. Nic jednak nie stało na przeszkodzie, żebym tu pracował. Nawet podobało mi się w jakiś sposób, że jestem sam w mieszkaniu. Spokój i znane otoczenie stwarzały doskonałe warunki do pracy. Wstawiłem wodę na kawę i zacząłem czytać notatki Øgaarda, wypisując na tablicy imiona wszystkich porwanych malców:

Dzieci:

Baltazar – odnaleziony przed mieszkaniem Frei. Matka Dunka/ojciec Boliwijczyk.

Mikołaj – odnaleziony na placu zabaw blisko domu. Matka Dunka/ojciec Egipcjanin.

Marcus – nadal zaginiony. Duńscy rodzice. Adoptowany w Indiach.

Ludwik – nadal zaginiony. Podobny do Baltazara. Duńscy rodzice. Adoptowany w Boliwii.

Jonas – nadal zaginiony. Duńscy rodzice. Adoptowany w Indiach.

Siwert – nadal zaginiony. Duńscy rodzice. Adoptowany w Chinach.

Nabil – odnaleziony (prezes). Rodzice Marokańczycy mieszkający w Danii.

Nagib – odnaleziony (prezes). Rodzice Afgańczycy mieszkający w Danii.

Ślady:
Zielony windstar z uszkodzonym przednim błotnikiem – widziany w chwili uprowadzania Baltazara i Ludwika.

Dodałem informacje, które Øgaard wydobył z rejestru pojazdów. Łącznie siedem samochodów w Danii.

*

– Mam coś zabrać?

Sądząc po głosie, Henrietta była w znacznie lepszym humorze. Przejrzałem już wszystkie notatki i chciałem, żeby ona również się z nimi zapoznała. Henrietta ma niezwykły talent do porównywania wielkiej liczby danych i wyłapywania drobnych różnic, które mogą okazać się istotne. Dostrzegałem jakieś analogie, ale wątpliwe. Czworo z uprowadzonych dzieci było adoptowanych, wszystkie miały po trzy lata, zielonego windstara widziano w przypadku dwóch porwań. Innych punktów zbieżnych nie widziałem.

– Uważam, że możemy spokojnie przyjąć, że nie kryje się za tym żaden zaprzysięgły wróg muzułmanów, choć taka hipoteza mogłaby się w Danii nasuwać jako najbardziej oczywista. – Henrietta otarła usta z okruchów drożdżówki i oparła się wygodniej. – Mamy czworo adoptowanych dzieci, które pochodzą z Chin, Indii i Boliwii. Żaden z tych krajów nie jest muzułmański.

– A co Nabilem i Nagibem? Rodzice pochodzą z Afganistanu i Maroka. W obu tych krajach mieszkają muzułmanie.

– Uważam, że powinniśmy zapomnieć o Nabilu i Nagibie. Nie chodzi oczywiście o to, żeby całkiem o nich zapominać, ale też za bardzo się na nich nie koncentrować. Zostali uwolnieni, a jeżeli chodzi o Mikołaja, to nie wierzę, by został uprowadzony. Matka po prostu o nim zapomniała, plotkując przy kawie z przyjaciółką, a potem zgłosiła jego zaginięcie i miała swoje pięć minut w *Wieczorze z TV* i „Ekstra Bladet".

– A co z Baltazarem, jego przecież uprowadzono?

– Przez pomyłkę. Chcieli porwać Marcusa, drugiego chłopczyka z Boliwii, ale pomylili go z Baltazarem.

– Hm...

– Wiek i miejsce. To najważniejsze. Wszystkie dzieci mają po trzy lata, wszystkie zostały uprowadzone z przedszkola.

– Zgoda, ale dlaczego? Czemu uprowadzono wyłącznie chłopców w wieku trzech lat?

– Chłopców w wieku trzech lat adoptowanych za granicą. Najlepsza poszlaka, jaką mamy, to czterech nadal zaginionych chłopców. Każdy ma trzy lata i każdy był adoptowany.

– A co z zielonym windstarem?

– Tego musimy się dowiedzieć, ale najpierw powinniśmy sprawdzić, czy widziano zielony samochód, gdy porywano pozostałych chłopców. Trzeba też koniecznie porozmawiać z właścicielami wszystkich siedmiu. Biorę to na siebie.

– To ja się przejadę do Fields. W podziemnym parkingu muszą być kamery i będzie można zobaczyć, czy był jakiś zielony samochód w dniu, kiedy Nabil i Bagib się odnaleźli.

*

Cała ściana pokryta była monitorami. Ochroniarz, wygodnie usadowiony w fotelu z wysokim oparciem, mógł za pomocą joysticka sterować obrazem na każdym z ekranów.

– Tutaj masz dolną piwnicę, a tam poziom sutereny. Mogę też przybliżyć lub oddalić obraz.

Pochylił się nad ekranami i wprowadził jakieś polecenie z klawiatury.

– Jak duże zbliżenie?

Nastąpił szybki najazd na jeden z zaparkowanych samochodów, tak że tablica rejestracyjna pojawiła się w całej okazałości.

– Prawda, że doskonały obraz?

– Tak, imponująca dokładność. Jak długo przechowujecie taśmy?

– Przechowujemy? Nic z tych rzeczy. W ogóle nie prowadzimy archiwum. Kamery służą wyłącznie do śledzenia tego, co się dzieje na bieżąco.

Sięgnął po półtoralitrową butelkę coca-coli, stojącą na stole.

– Chodzi głównie o zapobieganie. Kamery są widoczne, więc działają odstraszająco.

– Szkoda! Myślałem, że będziesz mi mógł pomóc w odnalezieniu samochodu, którego szukam. Słyszałeś pewnie o uprowadzonych chłopcach, których odnaleziono trzy dni temu w Capella Play?

– Tak, słyszałem.

– Ale nic podejrzanego tego dnia nie widziałeś?

– Wtedy dyżur miał mój kolega.

– I on też nie nagrywa obrazu?

– Nie, już mówiłem. Tylko dwadzieścia cztery godziny.

– Dwadzieścia cztery godziny?

– Tak, po dwudziestu czterech godzinach wszystko się kasuje. Jaki to był samochód?

Łyknął coca-coli i wyciągnął butelkę w moim kierunku, ale pokręciłem głową.

– To nieważne, skoro wszystko się kasuje.

– No, nie zawsze, czasami coś zostaje, jaka to marka?

– Zielony windstar, podobny do chryslera voyagera. Wiesz, co to za samochód?

– Pewnie, spora maszyna. Znam gościa, który swojego przebudował. Ma w środku kuchnię i spanie. To praktyczne, tyle że trzeba schylać głowę, kiedy się chce coś pitrasić.

Zaczął wystukiwać coś na klawiaturze i pojawiła się datowana lista.

– Chyba mamy szczęście. Wygląda na to, że kolega zapominał przez kilka dni o kasowaniu nagrań.

Zajrzałem mu przez ramię. Zorientował się i szybko przekręcił monitor, ale zdążyłem zauważyć, że lista obejmowała co najmniej ostatnie dwa tygodnie.

– Świetnie! Czy mógłbyś sprawdzić godziny między drugą a piątą po południu? Zielony windstar. Czy mógłbyś też rozejrzeć się za kobietą w burce i dwoma chłopcami w samym sklepie?

– Spróbuję, ale nie mogę zagwarantować, że znajdę samochód, natomiast w sklepie powinno być łatwo.

– Jak to?

– Łatwo będzie znaleźć kobietę w burce. W gazetach ciągle o tym piszą, ale tu w centrum widuje się je bardzo rzadko. Myślę, że w ogóle jest ich znacznie mniej, niż to podają media. Kobiety w chustach na głowie – tak, ale w burce – prawie nigdy.

Zapisałem mu na karteczce numer swojego telefonu komórkowego i adres poczty elektronicznej.

– Pewnie masz rację. Zadzwoń, jeśli coś znajdziesz. Oczywiście zapłacę za twój czas.

*

Od kilku dni nie wyjmowałem poczty ze skrzynki, więc pękała w szwach od reklam. Przejrzałem z grubsza zawartość. Reklamy Kvickly, Føtex, Netto, Jysk i innych sieci wylądowały w śmietniku. Do kuchni zabrałem ze sobą tylko kilka kopert z okienkiem i jedną bąbelkową. Nie było na niej adresu nadawcy, ale na załączonej kartce emotikon z uśmiechem i serduszko. „Masz tu DVD z Jeanett. Posłałam też SMS-a. Uściski. Ann". Wyjąłem płytę i włożyłem do kieszeni komputera, przyniosłem sobie piwo z lodówki i usiadłem w oczekiwaniu na zakończenie buforowania w programie Quick Time.

Wyprostowałem się na krześle, kiedy zobaczyłem pierwsze ujęcia. Męska dłoń z dużą złotą obrączką przesuwała się po nagich kobiecych udach, rozsuwając je. Pojawiło się nieosłonięte i wygolone łono. Kamera poruszyła się, gdy dłoń z obrączką ujęła rękę kobiety i poprowadziła ją między jej nogi, po czym nastąpił najazd na srom i stabilne ujęcie palca pobudzającego łechtaczkę. Kamera poruszyła się ponownie, kiedy fotografujący wysiadł z samochodu i obszedł go naokoło. Przed oknem samochodu po stronie pasażerki stała grupka mężczyzn. Kamera zrobiła najazd i ujawniła, że mężczyźni się onanizują. Kobieta, która miała zawiązane oczy i górną część twarzy, nadal pobudzała się jedną ręką, podczas gdy druga wędrowała w górę uda najbliższego i najśmielszego z mężczyzn. Mężczyzna ujął ją i naprowadził na swojego członka. Kobieta wychyliła się z okna, wzięła członek do ust, przestała się pobudzać ręką i zaczęła nią onanizować młodego mężczyznę, który przysunął się najbliżej jak mógł. Kamerzysta znowu okrążył samochód i zdążył na drugą stronę, żeby sfilmować wytrysk młodego mężczyzny, którego sperma splamiła tablicę rozdzielczą.

Moje piwo stało nietknięte na stole. Spojrzałem na nie, ale zostawiłem je w spokoju i zadzwoniłem do Henrietty.

– Do której będziesz w redakcji?

– Przypuszczam, że jeszcze ze dwie godziny. Obdzwaniam akurat wszystkich właścicieli windstarów. Czy coś się stało? Twój głos brzmi dziwnie.

– Sama zobaczysz. Jadę do redakcji. Powinienem być w ciągu pół godziny.

*

Włożyłem dysk przysłany przez Ann do laptopa.

– Nie chciałem wierzyć własnym oczom, kiedy to zobaczyłem.

Henrietta spojrzała na mnie zdziwiona.

– O czym ty mówisz?

– Nie chciałbym cię urazić, ale po prostu musisz to zobaczyć. – Na ekranie pojawił się pierwszy obraz i wcisnąłem pauzę.

– Widziałam już naprawdę różne rzeczy, John i nie sądzę żebyś mnie mógł zaszokować. Co takiego chcesz pokazać?

– Nie mów, że cię nie ostrzegałem! – Uruchomiłem program.

W czasie odtwarzania filmiku z Jeanett, przyjaciółką Ann, Henrietta nie powiedziała ani słowa, ale zareagowała gwałtownie, kiedy zastopowałem nagranie.

– Czemu zatrzymałeś? Zacisnęła mi rękę na ramieniu tak mocno, że przez koszulę poczułem jej paznokcie.

– Nie rozumiem. – Odwróciłem się do niej i zobaczyłem, że twarz jej pobladła.

Czemu zatrzymałeś w tym miejscu? Jest przecież dalszy ciąg! Dlaczego nie pokażesz po prostu wszystkiego? Czy nie o to ci chodziło?

Patrzyłem na nią, zupełnie nie rozumiejąc, o co jej chodzi. Była cała roztrzęsiona. Nabrała głęboko powietrza i szeptem zażądała:

– Dawaj to! Pokaż wszystko, niech ja to zobaczę! Przecież o to ci chodziło, nie?

– Henry, nie mam pojęcia, co masz na myśli! Co ty chcesz, żebym odtworzył?

Spojrzała na mnie jeszcze raz, kopnęła moją torbę na podłodze i rozwścieczona przeszła do biurka i wybrała stronę na swoim komputerze.

– Sama mogę to odtworzyć. O to ci chodziło? Chciałeś mnie do tego zmusić?

– Henry, nie mam pojęcia, o czym ty mówisz?

– Chodź tu, bo przegapisz początek.

Nie zważając na zakaz, zapaliła papierosa i wysunęła krzesło.

– Proszę bardzo, siadaj sobie, ty skurwysynu!

Strona internetowa była prymitywna. Białe tło i czarny tytuł. *Dogging.dk*.

Na środku strony znajdowały się dwie ikony z opisem. „Młoda napalona laseczka" – brzmiał napis pod nieruchomym obrazem przyjaciółki Ann w samochodzie oraz „dojrzała mamuśka obciąga kutasa" pod zbliżeniem otwartych ust kobiety pełnych spermy. Henrietta najechała na ikonę z ustami, rozgniotła jednego papierosa na spodeczku i zapaliła drugiego.

– Usiądź wygodnie i rozkoszuj się.

Film był amatorski. Chociaż obraz był dość wyraźny i ostry, zbyt szybkie najazdy zdradzały mało doświadczonego kamerzystę, bez specjalnego przygotowania. Wydawał polecenia i wprowadzał poprawki, nie wyłączając mikrofonu, co z pewnością nie dodawało profesjonalizmu, natomiast sprawiało wrażenie autentyczności. To działało, od razu odniosłem wrażenie, że obserwuję coś rzeczywistego, a jednocześnie byłem tylko postronnym widzem. Przypuszczam, że podobne wrażenie robiło to na innych. Licznik na dole ekranu informował, że stronę oglądało siedemdziesiąt dwa tysiące pięciuset osiemdziesięciu dwóch internautów.

Był wieczór. Światło pochodziło od reflektorów wielu zaparkowanych w pobliżu samochodów, odbijających się od ciemnego asfaltu. Oświetlenie znad kamery ukazało idącą kobietę. Miała długie, kręcone włosy, falujące w rytm jej kroków na szpilkach po asfalcie. Ubrana była w płaszcz. Głos kamerzysty miał jutlandzki akcent i brzmiał ostrzegawczo. „Uważaj kochanie, teraz kilka kroków ostrożnie, nie za szybko". Kobieta zwolniła i zaczęła ostrożnie przesuwać nogi. „Jeszcze dwa metry i odwracasz się do mnie". Kobieta wykonała polecenie, podeszła bardzo blisko zarośli i odwróciła się do kamery. Oczy miała zawiązane, płaszcz rozchylony, a pod spodem była naga. „Zrzuć płaszcz, ale zostaw go na ziemi, postąp dwa kroki bliżej i przykucnij". Kobieta ponownie posłuchała, pozwoliła, by płaszcz ześlizgnął się z ramion i przykucnęła w stożku światła samotnej latarni. Uniosła głowę i uwidoczniła obrożę na szyi. „Odpręż się kochanie. Możesz na mnie polegać". To znów głos z jutlandzkim akcentem, bardzo cichy. „Jesteś piękna, podniecasz mnie, jesteś wspaniała, dam ci wszystko, czego zapragniesz, kocham cię, jesteś moja. Czy rozumiesz?". Kobieta kiwnęła głową i pokręciła nią, żeby zorientować się, z jakiego kierunku dochodzi głos, ale zatrzymała się w pół kroku, wyczuwając coś albo kogoś przed sobą. Pojawił się starszy mężczyzna ubrany w kurtkę, zbliżył się bardzo ostrożnie, dotknął jednej piersi kobiety i delikatnie ujął.

Z drugiej strony zbliżył się młodzieniec w dresach i obcisłej koszulce, kucnął obok i sięgnął ręką do jej krocza. Wyciągnęła rękę i natrafiła na jego udo. Kamera zrobiła odjazd i ukazała krąg onanizujących się mężczyzn wpatrzonych w kobietę i dwóch obmacujących. Jeden z nich opuścił krąg i zbliżył się, onanizując, do kobiety, która pochyliła się i wzięła jego członek do ust. Za nim podeszli inni, zbliżając się, by uzyskać dostęp do jej warg i ust. „Dobrze, dajcie jej wszystko, co macie! Ona to lubi! Ona to uwielbia! Dajcie tej napalonej kurewce wszystko, co macie!". Głos z jutlandzkim akcentem nie był już spokojny, lecz podniecony. Zachęcał i podjudzał obecnych mężczyzn, a jednocześnie kierował kamerę w taki sposób, by widać było ich przyrodzenia, ale nie twarze.

Mężczyźni szybko skończyli. Nie odzywając się do kobiety ani do siebie nawzajem, pozapinali spodnie i zniknęli w ciemnościach. Pozostał tylko starszy gość w kurtce. Nadal trzymał kobietę za pierś i ostrożnie próbował pogładzić ją po głowie. Niezgrabnie podejmował próbę kontaktu innego rodzaju niż pozostali mężczyźni. Głos z jutlandzkim akcentem kazał mu się zabierać, a on na pożegnanie pogłaskał ją po ramieniu. Kobieta nadal siedziała w kucki, z zawiązanymi oczami, a kamera najechała na jej usta z rozmazaną szminką i śladami spermy.

Obraz pociemniał, a ja przełknąłem grudę w gardle i nie miałem pojęcia, co począć. Chciałem coś powiedzieć, ale nie miałem pojęcia, co można powiedzieć w takiej sytuacji. W końcu zdecydowałem się na taki sam gest, jak ten starszy mężczyzna. Wstałem i podszedłem do Henrietty, która się rozpłakała.

*

Znalazłem w szafce butelkę czerwonego wina. Wypiła kieliszek jednym haustem i podstawiła mi, żebym nalał jej jeszcze raz. Nie odzywałem się. Dopiero po drugim kieliszku sama przerwała ciszę.

– Sama sobie jestem winna. Zgodziłam się na to, ale nie miałam pojęcia, że on to umieści w sieci.

Henrietta wbiła wzrok w biurko i pstrykała nerwowo zapalniczką.

– Jak to znalazłeś? Kto ci o tym powiedział? Czy wszyscy o tym gadają na korytarzu w redakcji, tylko ja nic nie wiem?

Usiadłem naprzeciwko, ująłem ją za ręce i próbowałem uchwycić jej wzrok.

– Uwierz mi, nie miałem o niczym pojęcia. Widziałem to po raz pierwszy. Nigdy nie widziałem tej strony internetowej, którą mi pokazałaś.

Tym razem podniosła głowę i wreszcie na mnie spojrzała.

– To skąd masz drugą część?

– Dostałem na DVD od Ann. Możesz sama zobaczyć. – Wyjąłem płytę ze swojego laptopa i podałem jej. – To jest nagranie dziewczyny. To, co mi pokazałaś, widzę po raz pierwszy. Ale jakim cudem ty tam jesteś?

Henrietta przekonała się na dość wczesnym etapie znajomości z Mogensem, że jej partner miewa ochotę na o wiele bardziej urozmaicony seks niż tradycyjna pozycja misjonarska. To jej absolutnie nie przeszkadzało. Podniecało ją, że partner tak bardzo jej pożąda, że nie wstydzi się mówić o swoich najśmielszych fantazjach. Zwłaszcza że cały czas umieszczał ją na piedestale.

– Nieustannie mi mówił, jaka jestem piękna i godna pożądania. Zapewniał, że uważa się za szczęściarza i doskonale rozumie, iż nie może mieć mnie tylko dla siebie, że ja mogę również mieć ochotę na innych mężczyzn.

Upiła trochę wina z kieliszka. – Powiedział, że nie ma nic przeciwko temu, o ile tylko on też przy tym będzie.

– Orientowałem się, że mężczyźni na ciebie lecą, ale nie przyszłoby mi do głowy, że możesz mieć tylu naraz, Henry. Chyba coś ukrywałaś przede mną? – powiedziałem, próbując obrócić wszystko w żart, ale ona tego nie kupiła i gapiła się na mnie ponuro.

– Jeśli masz zamiar się ze mnie nabijać, to koniec! Odsłoniłam przed tobą swoje prywatne tajemnice nie po to, żeby się ośmieszać.

– Przepraszam, źle mnie zrozumiałaś – odpowiedziałem, nie bardzo wiedząc, gdzie mam podziać oczy. Ona jednak uspokoiła się i znów relacjonowała w rzeczowym tonie.

– Mogens widział wideo z przyjaciółką Ann. Pokazał mi to kilka razy i przyznaję, że to mnie ruszyło. Bycie obiektem pożądania tylu mężczyzn, siedzieć nago z zawiązanymi oczyma, wiedząc, że mężczyźni jednocześnie się onanizują. To mnie podniecało.

– Więc sama się na to zgodziłaś?

– Oczywiście, że sama, i nie żałuję. To było wspaniałe przeżycie. Zwłaszcza kiedy się to potem oglądało i kochało ze swoim partnerem. To było super.

– Więc na czym polega problem?

Wstała z miejsca, waląc pięścią w stół.

– Nie miałam pojęcia, że ten idiota zamierza podzielić się tym z całym światem – wskazała na licznik strony, pokazujący, ile razy ktoś ją oglądał.

– Tylko daj sobie spokój z gadaniną o tym, jak dobrze mnie rozumiesz. Mam to już za sobą, była to też i moja wina.

– To, że opublikował film w sieci, nie może przecież być twoją winą. To świństwo!

– No i dlatego go pogoniłam. Nie mam z nim już nic wspólnego. Sprawa zamknięta.

– Nie możesz go nakłonić, żeby to wycofał?

– Próbowałam. Wysłałam mu mnóstwo wiadomości, ale nie odpowiedział i nie odbiera telefonu.

– A gdzie on mieszka?

– Nie mam pojęcia.

– Znajdziemy go, obiecuję!

Chwyciła mnie za kołnierz i potrząsnęła, patrząc wrogo.

– Nie, John! Jeśli zaczniesz się w tym grzebać, to ja ci mogę obiecać, że to koniec naszej przyjaźni. Zobaczyłeś nagranie, trudno, ale teraz proszę, żebyś o tym zapomniał. Rozumiesz, co mówię? Zapomnij, nie grzeb się w tym gównie!

– Ale ta strona internetowa *dogging.dk*? Kto za tym stoi? Czy to Mogens?

– Nie wiem i nie chcę wiedzieć. Zostaw to. Ta sprawa jest definitywnie zamknięta.

*

Otworzyłem internet, żeby dowiedzieć się więcej o *dogging*. Maria i Ester spały. Spędziliśmy miły wieczór. Maria pytała o Larsa i o to, co się zdarzyło w redakcji. Opowiedziałem o jego starciu z prezesem, prawdopodobnie w ogóle ostatnim. Rozbawiło ją to i zaproponowała, żebyśmy zaprosili Larsa do nas. O płycie od Ann ani o eksperymentach Henrietty nie wspomniałem.

Stron było mnóstwo. Pomysł narodził się w Anglii, ale szybko się rozprzestrzenił na całą Europę. Pomysł, żeby uprawiać seks na łonie natury z przypadkowymi widzami i uczestnikami, najwyraźniej spodobał się także w Danii. Odkryłem sporo stron z czatem, a także adresy ulubionych parkingów, polanek i lasków, gdzie najczęściej spotykali się uczestnicy. Na stronie *dogging.dk* było miejsce, gdzie zapowiada się następne spotkanie, a z licznych komentarzy i odpowiedzi można było wywnioskować, że praktyki te miały miejsce niemal w całym kraju. Nawet na stronie *tv2.dk* widniała wzmianka na ten temat, gdzie wyjaśniano, że nazwa wzięła się od właścicieli psów i ich seksualnych przeżyć na spacerach z ulubieńcem. Odnalazłem film z Henriettą i obejrzałem go jeszcze raz. Potem najechałem na ikonę z przyjaciółką Ann.

Oglądałem wideo, jednocześnie sprawdzając wiadomości w swoim telefonie. Tak naprawdę byłem dumny z siebie, że potrafię już odbierać i nadawać SMS-y. Nie było nic nowego. Jeszcze raz odczytałem wiadomość od Ann, w której zapowiadała przesłanie płyty.

Hej John. Posłałam ci DVD. To z Jeanett. Pewnie będziesz zaszokowany, jak obejrzysz, ale właśnie do tego zmusiły ją Słowo Ewangelii i Jørgen. Mam nadzieję, że to wystarczy jako dokumentacja do napisania o ich metodach i o tym, do czego zmuszają ludzi. To ważne, żebyś napisał. Jeanett ma problemy. Mówi, że nie potrafi z tym dłużej żyć. Boję się o jej życie. Zadzwoń, kiedy to obejrzysz. Uściski, Ann.

Odłożyłem telefon i spojrzałem na monitor. Film dobiegał końca. Facet, który spryskał spermą tablicę rozdzielczą, wycofał się i właśnie zapinał rozporek. Rozparłem się wygodnie w fotelu, ale znów pochyliłem do przodu, kiedy spostrzegłem, że film ma dalszy ciąg. Ręka ze złotą obrączką chwyciła Jeanett za kark i przycisnęła jej twarz do spryskanej tablicy. „Nie zapominaj, że masz posprzątać po swoich przyjaciołach, ty mała kurewko! Wysuń język i zliż to!". Kamera drgnęła, ale znów się ustabilizowała po tym, jak padł rozkaz dla Jeanett. Kamera oglądała ją teraz od strony pleców i śledziła wykonywanie poniżającego zadania, uwidoczniła przy tym znamię wielkości dużej monety, poniżej prawego barku.

*

Dzwoniłem przez dwie godziny, ale Ann nie odbierała. Nagrywałem się za każdym razem. Prosiłem, by oddzwoniła jak najprędzej i żeby zachowała spokój. „Nie denerwuj się, Ann, damy sobie z tym radę. Obiecuję. Nie rób nic nieprzemyślanego! Koniecznie zadzwoń! Nieważne, o której!".

Chodziłem tam i z powrotem po kuchni i czekałem na jej telefon. Zastanawiałem się, czy nie wyłączyła komórki, jeśli akurat jest w pracy. Zadzwoniłem do informacji i uzyskałem numer do dyskoteki Tropic. Odezwała się szatniarka, którą ledwo słyszałem z powodu głośnej muzyki. Udało mi się w końcu przekazać, że muszę pilnie się skontaktować z Ann. Nie podobało jej się to, ale powiedziała, że poszuka. Po chwili podniosła słuchawkę i powiedziała, że Ann nie przyszła do pracy, nie dzwoniła także, żeby zawiadomić, iż nie przyjdzie. Wszedłem do sypialni, obudziłem Marię i powiedziałem, że muszę z nią porozmawiać. Otworzyła oczy i najpierw spojrzała na dziecko, ale uspokoiła się, kiedy stwierdziła, że Ester śpi spokojnie. Nie całkiem rozbudzona wygramoliła się z łóżka.

– Co się stało, John? – zapytała, przecierając oczy.

Zaprowadziłem ją do komputera i pokazałem jej film. Oglądała zdumionym wzrokiem, po czym przeniosła go na mnie.

– Budzisz mnie w środku nocy, żeby pokazać coś takiego?! Co się z tobą dzieje?

– To jest Ann, ta dziewczyna, o którą byłaś zazdrosna. To ona jest w tym filmie.

– No to co? Czemu mi to pokazujesz?

– Podejrzewam, że ona jest w niebezpieczeństwie! Więcej, jestem tego pewien! Ona chce popełnić samobójstwo.

Maria złapała się za głowę.

– Chyba ci kompletnie odbiło, przecież to nie ma żadnego sensu! To jakiś kompletny odjazd! Budzisz mnie w środku nocy, żeby mi pokazać film pornograficzny, i mówisz mi, że bohaterka filmu chce popełnić samobójstwo. Co to ma ze mną wspólnego? Co to ma wspólnego z nami?

– Usiądź, zrobię herbaty! Siadaj przy stole, to wszystko ci wytłumaczę. Proszę cię, Mario! To naprawdę ważne!

Zachowała milczenie przez cały czas, kiedy opowiadałem, czego dowiedziałem się o Ann. Opowieści o przyjaciółce, która nie istnieje, bo chodziło o nią samą. Pokazałem Marii SMS-a z zapowiedzią samobójstwa i powiedziałem, że dzwoniłem do dyskoteki i dowiedziałem się, że nie przyszła do pracy i wyjaśniłem, że muszę zaraz jechać do Varde, by jej przeszkodzić w odebraniu sobie życia. Prosiłem Marię o to, by zrozumiała, że nie mam żadnego związku z tą młodą kobietą, lecz że ona najwyraźniej od dłuższego czasu próbowała mi przekazać prośbę o ratunek.

– Chciała, żebym zdemaskował Słowo Ewangelii i tym samym pomógł jej wyrwać się z ich szponów. Nie jest jedyna. Oni urządzają ludziom pranie mózgu i doprowadzają ich do ostateczności.

– To wygląda bardzo poważnie – powiedziała, przyglądając się swojej filiżance.

– Cieszę się, że to rozumiesz. Muszę tam jechać.

– Jest jednak coś w tej historii, czego nie rozumiem.

– A co takiego?

– W jaki sposób odgadłeś, że w samochodzie siedzi Ann, a nie jej wyimaginowana przyjaciółka?

– Poznałem po znamieniu. – Pokazałem własne plecy, żeby zademonstrować, w którym miejscu było znamię.

– A jakim cudem wiedziałeś, że ta dziewczyna, Ann, ma znamię w tym miejscu?

To pytanie całkowicie mnie zaskoczyło.

– Widziałem... widziałem, kiedy się kąpała.

– Widziałeś ją nago?

Wstała i podeszła do drzwi od sypialni, zatrzymała się przed nimi, po czym zawróciła, usiadła przy stole i rozpłakała się.

29

– JEDNĄ CHWILĘ, WŁĄCZĘ GŁOŚNIK. Nie mam wolnej ręki, a nie chciałbym, żeby któryś z kolegów mnie ustrzelił. Jakieś trzaski zagłuszyły Jana Bramminga, po czym jego głos zabrzmiał znowu czysto: – Słyszysz mnie teraz?

– Tak, słyszę. A ty mnie dobrze słyszysz?

– Czysto i wyraźnie. Dawno się nie odzywałeś. Gdzie jesteś, podrywaczu?

Ostatnia uwaga przypomniała mi, dlaczego nie przepadałem za nim i jego opowieściami o dupie Maryni. Upiłem łyk kawy i zaciągnąłem się papierosem, rozważając przez chwilę, czy nie wyłączyć po prostu komórki, ale dopadło mnie jego: „Hej, gdzie się podziewałeś?". Zdecydowałem, że opowiem mu o Ann. Słuchał mnie, nie przerywając. Kiedy skończyłem, głośno gwizdnął.

– O kurde, John! Mówisz, że siedziała w samochodzie i obciągała nieznajomym? To dopiero napalona laseczka! Od razu ci mówiłem, ale przecież sam to wiesz najlepiej! – zaśmiał się obleśnie. Gdybym stał przy nim, chybabym go uderzył.

– Została do tego zmuszona! Pastor i jego ludzie zrobili jej pranie mózgu. Najwyraźniej robi teraz wszystko, co jej każą, a takich jest więcej. Widziałem film o ich szkole dla młodzieży. Trzeba z tym skończyć.

– Przecież to nie zbrodnia.

– Pranie mózgu i zniewolenie? To nie jest przestępstwo? Weź się w garść. Ty i twój szef musicie zrobić z tym koniec.

– Tak po prostu? Tego się nie da zrobić. Przecież nikt niczego nawet nie zgłosił.

– Jak to nie? A ja, to co? Właśnie przyjąłeś moje zgłoszenie! Oskarżam ich o stosowanie tortur, pranie mózgu, poniżanie i molestowanie. Ile jeszcze trzeba, żebyście się ruszyli?

– Potrzebna jest oficjalna i uzasadniona skarga. Musisz się zgłosić do komendy w Esbjerg.

– Nie mam na to czasu. Jestem w drodze do Varde i tam możesz mnie znaleźć. – Rzuciłem komórkę na siedzenie pasażera, wygrzebałem kolejnego papierosa i chciałem uchylić okno, ale rozmyśliłem się i wysunąłem popielniczkę. – Żałosny, palący pokątnie gliniarz – powiedziałem sam do siebie.

*

Pijaczkowie czekali przed Netto. Z odległości nie mogłem dostrzec, czy Jim i jego pies też tam są, ale uznałem, że tak. W Domu Rebeki ani śladu życia. Przed lumpeksem widać było starszą panią z wózkiem na zakupy, uważnie badającą zawartość stojaka przed sklepem oraz młodą kobietę, która przymierzała kwiecistą sukienkę, zakładając ją na własne ubranie. W Varde wszystko było jak uprzednio, z wyjątkiem tego, że za ladą w barze nie było Ann. Na jej miejscu tkwił starszy mężczyzna, który rozłożył bezradnie ręce, kiedy o nią zapytałem.

– Nie przyszła ani wczoraj, ani dzisiaj. Nie pozostaje mi nic innego, jak samemu obsługiwać! – Zapytał, w czym jeszcze może mi pomóc. Zamówiłem parówkę z grilla.

– Musztarda czy keczup? – spytał.

– Jedno i drugie. Kiedy widziałeś ją ostatni raz?

Podstawił mojego hot doga pod dozownik smażonej cebuli, ale nic to nie dało, więc przyniósł z zaplecza więcej cebulki i nałożył łyżką. Trochę przy tym przesadził.

– Trzy dni temu – podał mi hot doga, a nadwyżkę cebuli zmiótł z lady ręką.

– I nawet nie zadzwoniła ani nic takiego?

– Nic, żadnego znaku życia! To do niej niepodobne. Nic takiego w przeszłości się nie zdarzało, to obowiązkowa dziewczyna.

– Dziwne. Pojadę do niej do domu, może jest chora.

– Już byłem – wczoraj, ale nie otworzyła. Kim dla niej jesteś?

– Dobrym przyjacielem.

Zapisałem mu nazwisko i numer komórki na serwetce. – Zadzwonisz do mnie, jeśli się czegoś dowiesz? Albo jeśli się pojawi, poproś, żeby do mnie zadzwoniła. To ważne.

Spojrzał na serwetkę i schował ją do kieszeni.

– Nie chcę być w nic zamieszany.

– Dlaczego tak mówisz?

– Dlatego, że nie chcę być zamieszany. Pilnuję swojego interesu i do innych się nie wtrącam.

– Nie rozumiem, o czym mówisz?

– Nie chcę, żeby te typki mi się tu kręciły.

– Jakie typki?

Przyglądał mi się przez chwilę uważnie, po czym zmrużył oczy.

– Powiedziałeś, że jesteś jej przyjacielem, więc musisz wiedzieć, z kim ona się zadaje.

– Nie, nie rozumiem, do czego zmierzasz. Nie możesz powiedzieć wprost, o kogo chodzi? O tych ze Słowa Ewangelii?

– Słuchaj! Coś ci powiem. – Pochylił się nad ladą i szeptem dodał: – Nie mam nic do nikogo, o ile tylko zachowują się porządnie. Nie obchodzi mnie, czy są biali, czerwoni, żółci, czy czarni. Dla mnie to obojętne, byle zachowywali się jak trzeba i szanowali innych ludzi.

– W ogóle nie rozumiem, o co chodzi.

– No to nie ma o czym mówić. Coś jeszcze? Za hot doga należy się dwadzieścia cztery.

*

Nikt nie otworzył drzwi. Obszedłem dom naokoło, żeby zobaczyć, czy nie zastanę w ogródku sąsiada. Znalazłem tylko leżak i pusty stojak na rowery. Wróciłem do drzwi, żeby jeszcze raz zadzwonić, i po raz pierwszy zwróciłem uwagę na odręczny napis pod przezroczystą płytką. Ann Jeanett Skov. Wyjąłem bloczek i napisałem do niej kartkę, którą wetknąłem w szparę w drzwiach.

Droga Ann,
Widziałem płytę, którą mi przysłałaś. Przez kilka dni będę w Varde. Mieszkam w hotelu Arnbjerg. Zadzwoń albo wpadnij lub zostaw wiadomość w recepcji, kiedy możemy się spotkać. Coś wymyślimy. Na pewno!

Pozdrawiam serdecznie,
John

*

Ejner Piil był niezadowolony, kiedy pojawiłem się w jego redakcji. W przeciwieństwie do naszych poprzednich spotkań tym razem nie zaprosił mnie ani na kawę, ani nawet do środka.

– Kilka razy już chciałem do ciebie dzwonić. Wydawało mi się, iż zawarliśmy umowę, że dzielimy się sprawą.

Wyciągnął z szuflady stary numer „Ekstra Bladet" i rzucił go na stół.

– Dajecie całą serię o Sehestedzie, Jørgenie Jezusie i mężu pani minister, a mnie nawet nie zawiadamiacie. „Gazeta Jutlandzka" miała obszerny przedruk tego samego dnia, a ja nic!

– „Gazeta Jutlandzka" niczego od nas nie dostała. Pewnie dostali z serwisu.

– Mieliśmy umowę.

– Tak, przykro mi z tego powodu. Decyzja zapadła bardzo szybko. Działo się mnóstwo rzeczy naraz.

– Nie kupuję tego.

– Będziesz musiał. Jest, jak mówię. Możesz zadzwonić do Juhlera i zapytać. Nie próbowałem cię oszukać, możesz mi wierzyć.

Przyglądał mi się uważnie znad okularów. Skrzywiona mina zamieniła się powoli w uśmiech. Egzemplarz „Ekstra Bladet" wylądował w koszu na śmieci.

– Nie wiem jak ty, ale ja jestem głodny. Uważam, że ty i Juhler jesteście mi przynajmniej winni solidny lunch.

Podniósł słuchawkę telefonu, wybrał jakiś numer i złożył zamówienie, częstując mnie jednocześnie przymilnym uśmieszkiem.

– Dwie osoby za pół godziny. I powiedz, żeby przyszykowali zestaw najlepszych dań.

*

Piil wypuścił z ręki widelec z nadzianym kawałkiem smażonej ryby. Właśnie mu opowiadałem o dwóch kobietach w burkach.

– Cholera! A wyście nie napisali nawet słowa na ten temat?

– Nie i nie napiszemy. Nie będziemy gasić ognia benzyną. Muszę też myśleć o rodzinie.

– Twoja żona i dziecko są nadal u Juhlera?

– Nie, już wróciły do domu, ale pani Aase zagląda do nich codziennie. Maria nalegała. Powiedziała, że chce wrócić do normalnego życia i spróbować zapomnieć o całej sprawie.

– Mądra dziewczyna. O wiele za dobra dla takiego szaławiły jak ty.

– Owszem, jest wspaniała. Wracam do niej, do domu, jutro.

– No to możemy się jeszcze napić, skoro nie musisz teraz jechać. – Ujął butelkę ze sznapsem i nalał dwie solidne porcje. – Ciekawe, czy to się da wyczuć w smaku? – powiedział, gdy wyczytał z etykietki, że butelka dwa razy przepłynęła równik.

– Nie sądzę, ale niezła bajeczka.

Stuknęliśmy się i przełknęliśmy sznapsa bez zakąszania.

– Aaa! – Piil poklepał się po brzuchu, ponownie ujął butelkę i znowu zaczął studiować nalepkę. – Tam czy z powrotem – jedna droga. Kelner! Poprosimy jeszcze o butelkę!

*

Liczne sznapsy i piwo z beczki dały o sobie znać. Kiedy w kilka godzin później znalazłem się w pokoju hotelowym, nie czułem się najlepiej. Nawet nie próbowałem sprawdzić poczty czy SMS-ów, tylko walnąłem się na łóżko, nie zdejmując skarpetek ani koszuli. Sen miałem niespokojny, przerywany pomieszanymi obrazami Carli, Marii, Ester, kobiet w burkach oraz Jima z jego wściekłym psem. Pies szczerzył się do mnie, a z pyska ciekła mu ślina. Wreszcie odbił się od ziemi i zaatakował. Poczułem uścisk w gardle, chciałem krzyknąć, ale nie mogłem wydobyć głosu.

– Już dobrze, John! Jestem przy tobie.

Poczułem coś zimnego na czole. To było przyjemne uczucie. Ściskanie w gardle ustało, kiedy przyjemny chłód ogarnął także moją twarz i szyję. Zacząłem słyszeć wyraźniej i dotarło do mnie, że mówi kobieta.

– Spokojnie, zaraz przyniosę szklankę wody.

Ostrożnie rozchyliłem powieki i usunąłem wilgotną szmatę z mojej twarzy. Zobaczyłem plecy Ann, które właśnie znikały w drzwiach łazienki. Miała na sobie skąpą bluzeczkę z głębokim wycięciem na plecach. Pod prawą łopatką, w miejscu znamienia, miała nalepiony plaster.

– Jak tu weszłaś? – zapytałem.

Uniosłem się na łokciach, żeby wypić wodę ze szklanki, którą mi przyniosła.

– Mam dobre kontakty. Znam Vibsen, która pracuje w recepcji. Powiedziałam jej, że jesteś moim tajemnym kochankiem, więc mnie wpuściła.

Roześmiała się.

– Czy to ci przeszkadza? Że powiedziałam, że jesteś moim kochankiem?

Położyła rękę na kołdrze nad moim udem.

– Cieszę się, że cię widzę i przepraszam, że nie odpowiadałam na twoje SMS-y, ale wyjeżdżałam.

– Martwiłem się o ciebie.

Usiadłem w łóżku i jej ręka się zsunęła. Siadła głębiej na łóżku i znów położyła mi dłoń na udzie. Odsunąłem ją i postawiłem nogi na podłodze.

– Jestem cały przepocony. Może byś zadzwoniła do swojej przyjaciółki w recepcji i zamówiła dzbanek kawy, a ja tymczasem wezmę prysznic.

*

Kiedy wróciłem z łazienki, Ann ścieliła łóżko.

– Znalazłam drugą kołdrę w szafie. Tamta była przesiąknięta potem.

Odsunęła róg świeżej kołdry, zabrała tacę z kawą ze stolika i ustawiła ją na łóżku.

– Idziesz? – zapytała i klepnęła wolne miejsce na łóżku po drugiej stronie tacy. Zastanawiałem się sekundę, po czym usiadłem.

– To zupełnie jak za pierwszym razem – powiedziała, podając mi filiżankę.

– Co jak „za pierwszym razem?" – zapytałem.

– Podaję ci kawę. Nie pamiętasz? To było w barze grillowym, wtedy spotkaliśmy się po raz pierwszy. Prosiłeś o kawę z mlekiem.

Ująłem filiżankę, a ona się uśmiechnęła.

– A teraz siedzimy tutaj, w twoim łóżku.

– Ano, tak.

Opatuliłem się szlafrokiem.

– Gdzie byłaś?

– W szpitalu. Odwiedziłam także rodzinę w Kopenhadze.

– W szpitalu?

– Tak, mam znamię.

Odwróciła się tak, żebym zobaczył jej plecy. – Zaczęło rosnąć i lekarz powiedział, że trzeba to usunąć. – Zdołała sięgnąć ręką akurat na tyle, żeby kciukiem wskazać plaster. – Ciągle jest wrażliwe, więc musisz uważać.

– Będę uważał, ale opowiedz o tej płycie.

– To długa historia i to nie pierwszy raz.

Odstawiła tacę i usadowiła się na łóżku ze skrzyżowanymi nogami.

– To się ciągnie dziewięć lat, odkąd skończyłam piętnaście.

Jej rodzina przyłączyła się do sekty pastora Bingo. Zarówno ojciec, jak i matka zrezygnowali z pracy, żeby służyć Jørgenowi Nikolajsenowi. Sprzedali wszystko, co mieli, w tym również swój dom.

– Zrezygnowali ze wszystkiego, również ze mnie.

– Jak to?

– Przenieśliśmy się do dworu, gdzie o wszystkim decydował Jørgen. Także o mnie i mojej siostrze.

– Nie wiedziałem, że masz siostrę.

– Mam, ale jej się udało. Uciekła od tego wszystkiego, ja nie byłam taka silna, więc zostałam.

– Widujesz się z nią? Wiesz, gdzie ona jest?

– Mieszka w Kopenhadze. Właśnie byłam u niej w odwiedzinach. Rozmawiałyśmy o wszystkim. To mi bardzo pomogło. Nie jestem już teraz tak zdołowana jak wtedy, kiedy ci posłałam DVD. Nie musisz się o mnie martwić.

– Co takiego zrobił ci Jørgen?

– Byłam jego laleczką od seksu. Mówił, że jestem jego kusicielką.

Seks stanowił centrum, wokół którego obracało się życie sekty, a właściwie jej ścisłej elity. Publicznie Jørgen grzmiał przeciwko złym obyczajom, przeciwko nadmiernemu zainteresowaniu seksem w społeczeństwie, homoseksualizmowi i ogólnie dostępnej aborcji, ale w życiu prywatnym małej sekty nie stawiano żadnych ograniczeń rozbuchanym namiętnościom. Podczas sesji przypominających terapeutyczne zmuszano członków do opowiadania o swoich pragnieniach i doświadczeniach seksualnych. Na tym jednak nie poprzestawano. Jørgen wymagał, by uprawiano seks na jego oczach, tak aby miał co potępiać. Jeżeli to, co oglądał, nie było dostatecznie grzeszne, organizował nowe eksperymenty, w których był mistrzem.

– Seks grupowy i praktyki sadomasochistyczne były na porządku dziennym. – Przysunęła się bliżej i położyła dłoń na mojej nodze.

– Uprawiał seks z całą sektą?

– Nigdy. On sam nigdy nie brał udziału. Tylko patrzył i przeklinał to, co widział. Wszyscy byli grzesznikami, z wyjątkiem niego.

– A ty musiałaś też w tym uczestniczyć?

– Tak i to na oczach moich rodziców. Mieli zobaczyć diabelski pomiot, któremu dali życie. – Zaczęła popłakiwać. – Czy mogę oprzeć głowę na twoim ramieniu? – Spojrzała na mnie z prośbą w oczach. Kiwnąłem przyzwalająco i przyciągnąłem ją do siebie.

– Może na tym zakończymy, jeśli nie chcesz o tym mówić.

– Nie, chcę żebyś wiedział! – Przytuliła się do mnie i położyła rękę na mojej piersi.

– Zaczęło się od tego, że miałam być z jego żoną.

– Z Charlottą? Miałaś uprawiać seks z Charlottą Nikolajsen na oczach pastora i rodziców?

Uniosła głowę i spojrzała na mnie.

– Tak. Ta szwedzka dziwka była najgorsza. To ona wpadła na pomysł, żeby wszystko filmować.

– Czy to znaczy, że ona wie o filmie z twoim udziałem w samochodzie?

– Czy ona wie? Jasne, że wie! O tym filmie i wielu innych, kiedy miałam uprawiać seks z obcymi. Oglądałam je potem razem z nią, a ona się przy tym doprowadzała do orgazmu.

Zaczęła płakać. – To było przerażające!

Pogłaskałem Ann po głowie.

– Zabrali mi moją młodość i moją niewinność. Nienawidzę ich!

– Skończmy z tym. Obiecuję!

Uwolniłem się z jej objęć, wstałem i zapaliłem papierosa.

– Przyrzekam, że znajdę na nich sposób. Teraz jednak powinnaś pojechać do domu i się wyspać. Porozmawiamy jutro. Wezwę dla ciebie taksówkę. – Podszedłem do telefonu na stoliku.

– Czy muszę? Bardzo nie chciałabym zostać sama. Czy nie mogę dzisiaj spać z tobą?

287

– Nie, to nie wchodzi w grę, ale możemy zamówić dla ciebie pokój. Twoja znajoma w recepcji na pewno coś znajdzie. Ja zapłacę.

– A nie mogę zostać tutaj? – Uśmiechnęła się nieśmiało. – Jesteś jedyną osobą, na której mogę polegać. Tylko ciebie obchodziło, co się ze mną dzieje! Nie mogę tutaj zostać? Będziemy zwyczajnie spali.

Zastanawiałem się przez chwilę nad sytuacją i pomyślałem o Marii. Potem wyciągnąłem z walizki świeżą koszulę i podałem jej.

– OK, niech będzie. W łazience jest nietknięta szczoteczka do zębów.

*

Kiedy się obudziłem, Ann leżała na plecach. W nocy zrzuciła koszulkę i trudno było nie podziwiać jej doskonałych piersi. Zawstydziłem się jednak tej myśli i odwróciłem się, żeby wstać z łóżka, ale poczułem rękę na udzie, która mnie zatrzymywała.

– Czy uważasz, że nie jestem ładna?

Odwróciłem się do niej.

– Jesteś bardzo ładna.

Uśmiechnęła się. Ręka na moim udzie sunęła w górę, odnalazła moje przyrodzenie pod szlafrokiem i zamknęła się na nim.

– Kochaj mnie, John! – Zaczęła poruszać ręką. – Kochaj mnie powoli i delikatnie.

Wciągnąłem głębiej powietrze, zamknąłem oczy i omal nie poddałem się jej pieszczocie.

– Nie – powiedziałem. Chwyciłem ją za nadgarstek i odsunąłem rękę. – Nie, Ann! Nie będziemy się kochać!

Wyskoczyła z łóżka i spojrzała na mnie zdumiona.

– Nie chcesz mnie? Przecież powiedziałeś, że ci się podobam. Dlaczego mnie nie chcesz?

– To by nie było w porządku. Ani wobec ciebie, ani wobec mnie. Mam żonę, którą kocham.

– A mnie nie kochasz?

– Ciebie lubię, a to nie to samo...

– Nie jestem dość seksowna?

Stanęła przede mną, jedną ręką uniosła piersi, a drugą sięgnęła do majteczek.

– Mogę ci pokazać, jak się onanizuję. Chcesz?

– Nie, nie chcę. Załóż coś na siebie. Nie chcę być z tobą w taki sposób.

Nagle zaczęła płakać i upadła na kolana.

– Ale dlaczego? Dlaczego nie jestem ciebie warta? Czemu? Co ja mam zrobić, żeby ci się podobać?

Kucnąłem obok niej i objąłem ramieniem jej plecy. Drżała na całym ciele.

– Jesteś warta bardzo wiele! O wiele więcej niż to, co mi chciałaś oferować. Chodź, wstawaj! Zamówimy śniadanie i zawiozę cię do domu. Co z twoimi rodzicami? Mam cię może zawieźć do nich? Chciałbym z nimi porozmawiać.

Uniosła głowę i spojrzała na mnie. Pociągała jeszcze nosem, ale zaraz się uśmiechnęła.

– Jeśli tak, to musisz zatankować do pełna. Oni mieszkają w Ugandzie.

– Twój ojciec i twoja matka mieszkają w Ugandzie?

– Tak, kierują tam misją.

30

LAND ROVER GREGERSA SEHESTEDA parkował w tym samym miejscu, w którym widziałem go za pierwszym razem. Za to drzwi domu, w przeciwieństwie od poprzedniego razu, otworzono natychmiast, gdy tylko zastukałem mosiężną kołatką.

– Tak?

Gregers Sehested patrzył na mnie w milczeniu.

– Nazywam się John Hilling, chciałbym mówić z Charlottą, czy zastałem ją w domu?

Sehested zrobił krok do przodu i zmierzył mnie ponurym wzrokiem.

– Ach, to ty jesteś John Hilling! Już od dawna chciałem zamienić z tobą parę słów! Może mi wytłumaczysz te cholerne kłamstwa, które o mnie rozpowszechniasz?

Zagrodził mi drogę, przyjmując groźną postawę. Jego muskulatura wskazywała na to, że bywa częstym gościem w siłowni.

– Napisałem tylko prawdę. Czy zastałem Charlottę?

– Czy zdajesz sobie sprawę, ile pieniędzy przez ciebie straciłem?

– Straciłeś jak straciłeś. Chodzi chyba raczej o pieniądze, które udało ci się wycyganić z państwowej kasy. Czy możesz powiedzieć Charlotcie, że przyszedłem?

– Masz tupet. Pisać takie gówno i jeszcze tu przychodzić. Zabieraj się stąd! – Ruszył jeszcze jeden krok do przodu.

– Pójdę, jak porozmawiam z Charlottą.

– Nie będziesz tu z nikim rozmawiał. Zmiataj stąd, bo...

– Bo co?

– Bo jak nie, to dostaniesz nauczkę!

Złapał mnie za kołnierz i przyciągnął do siebie. Chwyciłem go za nadgarstki i próbowałem się uwolnić, ale zyskałem tylko tyle, że wzmocnił uchwyt i podniósł mnie do góry. Poczułem ucisk na szyi. Sehested miał wściekłą minę.

– Znikaj stąd, mikrusie, bo jeśli nie, to...

Pchnął mnie silnie i zwolnił uchwyt. Zleciałem ze schodów. Zszedł parę stopni, plunął na mnie i dokończył swoją groźbę: – ...zrobię z ciebie miazgę. – Zacisnął przy tym pięść tak mocno, że pobielały mu kłykcie. Na serdecznym palcu miał grubą złotą obrączkę.

– Tak jak to zrobiłeś z Jørgenem Nikolajsenem?

– Co ty wygadujesz?

– Wiem, że to ty zamordowałeś pastora. Zaplanowaliście to wspólnie z Charlottą. Zimny drań z ciebie. Mało że zabrałeś mu żonę, to jeszcze paradujesz z jego obrączką na palcu.

– Masz chorą głowę. – Podniósł nogę do kopnięcia, ale zsunąłem się niżej i stanąłem na nogi.

– Pozdrów Charlottę, powiedz jej, że tu byłem, i oczekuj dalszego ciągu w „Ekstra Bladet". Obiecuję, że znajdziesz się ponownie na pierwszej stronie.

Wycofałem się przez podwórko tyłem, nie spuszczając z niego oczu. Złożył palce jak do strzału w moim kierunku.

– Jesteś już trupem, Johnie Hilling!

– Może, ale twoja kariera pomocnika pastora jest skończona. Miłego dnia!

Wyglądało na to, że Myrna Nikolajsen mnie nie poznaje. Pod wpływem nagłego impulsu podjechałem do niej do lumpeksu. Wprawdzie Dom Rebeki czy Dom Jugend dawały większą szansę na spotkanie tam Charlotty, ale po spotkaniu Gregersa Sehesteda i jego groźbach nie miałem większej ochoty na odwiedzanie zamkniętych posiadłości sekty. Wolałem rozejrzeć się po okolicy.

Myrna była w trakcie sortowania nowej dostawy i oglądała właśnie wyciągniętą z paczki męską koszulę. Przyjrzawszy się wytartemu kołnierzykowi, cisnęła ciuch na stos na podłodze.

– Nie wszystko, co przysyłają, się nadaje. Szuka pan czegoś określonego?

– Można tak powiedzieć. Chciałem porozmawiać z pani córką i byłem u niej w domu, ale jej nie zastałem.

– To mnie nie dziwi.

Zrezygnowała z lustrowania pary spodni, które właśnie miała wyciągnąć i spojrzała na mnie.

– A kim pan jest?

Przedstawiłem się.

– A więc pan jest tym dziennikarzem, który nas opisał! Jak pan śmie tu w ogóle przychodzić?

– Chcę uzyskać odpowiedź na kilka pytań.

– Niczego pan się tu nie dowie. Już pan wystarczająco zaszkodził.

– Pisząc o tym, że uzyskaliście dotację do projektu za granicą i realizujecie go razem z afrykańską organizacją przestępczą?

– Pomagamy.

– To chyba wymaga jakiegoś wyjaśnienia? Komu i w czym pomagacie, jeśli mogę spytać?

– Tego ktoś taki jak pan nigdy nie zrozumie. Wynika to zupełnie jasno z artykułów, które pan napisał.

– Niech pani spróbuje.

Spojrzała na mnie przenikliwie, zostawiła sortowanie ubrań, podeszła do lady i położyła na niej dłonie.

– Czy pan w ogóle był kiedyś w Afryce?

– Owszem, byłem.

– Wobec tego orientuje się pan także, z czym my tam mamy do czynienia.

– Czy może pani to określić dokładniej?

– Ci ludzie bardzo się różnią od nas. Wegetują.

– Wegetują?

– Tak, dla nich liczą się tylko najbardziej elementarne potrzeby. Kiedy te zostaną zaspokojone, nic więcej ich nie obchodzi. Są leniwi i nie mają żadnej kultury.

– Powiedziałbym, że to co najmniej duże uproszczenie.

– Ale to prawda. Oni nie są na tym samym etapie co my i to się nigdy nie zmieni. Mają to w genach.

– Uważa pani, że Afrykanie to podludzie?

– Proszę mi nie wmawiać rzeczy, których nie powiedziałam. Powiedziałam jedynie, że są inni. Proszę tylko uświadomić sobie, co się tam dzieje, odkąd przepędzono białych. Chaos i anarchia. Sodoma i gomora.

Przeżegnała się i podeszła ponownie do paki z ubraniem, żeby podnieść spodnie, rzucone na podłogę wtedy, kiedy wygłaszała przeznaczony dla mnie wykład o kulturze czarnych, a raczej jej braku. Wywróciła je na lewą stronę, obejrzała i rzuciła w końcu na stertę na podłodze.

– Nie pojmuję, jak ludzie mogą przysyłać coś takiego. Nawet nie wypiorą ich przed oddaniem!

Kiwnąłem głową, przyznając jej rację, i rzuciłem:

– Gdzie mógłbym znaleźć pani synową?

– W piekle. – Powiedziała to bez emocji, nie przestając sortować ubrań. – W każdym razie tam, na pewno, kończą kobiety jej pokroju.

– A przedtem? Czy orientuje się pani może, gdzie mógłbym ją znaleźć dzisiaj?

– Nie mam pojęcia, gdzie ta dziwka się podziewa, i nie interesuje mnie to.

– Dlaczego nazywa ją pani dziwką?

– W księdze Ezechiela Pan mówi, że najgorsza jest ta kobieta, która daje miłość innym mężczyznom zamiast swemu mężowi.

*

Moja komórka zadzwoniła, akurat kiedy ją odkładałem. Właśnie wjechałem na most nad Małym Bełtem. Po wyjeździe z Varde rozmawiałem z Ann. Przepraszała za swoje zachowanie w hotelu i prosiła, żebym zapomniał o tym incydencie. Zapewniłem ją, że nie ma o czym mówić. Wciąż jestem jej przyjacielem, może na mnie liczyć i nadal chcę jej pomóc, a do tego nie jest potrzebne żadne seksualne zadośćuczynienie z jej strony. Zapaliłem papierosa i odebrałem komórkę. Dzwonił ochroniarz z marketu Fields.

– Zielonego samochodu nie znalazłem, ale udało mi się namierzyć kobietę w burce z dwojgiem dzieci oraz inny samochód, który, być może, cię zainteresuje.

– Doskonale, czy możesz mi przesłać zdjęcia?

– Wyślę MMS-em.

– Wspaniale, ale wyślij też na mój adres mailowy, bo nie jestem mocny w tych SMS-ach i MMS-ach.

– Że co?

– Co mówiłeś?

– Pytałem, czy nie potrafisz odczytać MMS-a?

– Potrafię, oczywiście! Ale chciałbym też mieć to na e-mailu, na wszelki wypadek.

– Wyślę na e-mail i MMS. Za dwie minutki.

*

Zjechałem na pierwszy parking za mostem. Dwóch kierowców furgonetek przeładowywało towary. Facet w białym kitlu otrzymał skrzynkę żelków Haribo w zamian za skrzynkę mrożonych krewetek. Kiedy się zatrzymałem, zapukał w moją szybę.

– Mam świeżo wędzone węgorze.

– Nie, dziękuję.

– Mam też makrele.

Pomachałem przecząco ręką i otworzyłem MMS-a, jak się okazało, bez problemów. Były trzy zdjęcia. Dwa z kobietą w burce i dwoma chłopcami przed Capella Play oraz jedno z podziemnego parkingu, gdzie ta sama kobieta wsiadała do czarnego minivana. Aż podskoczyłem, kiedy zobaczyłem ten samochód. Na drzwiach miał nazwę firmy: *Crime.dk*.

*

Juhler nie odezwał się ani słowem, gdy opowiadałem mu o tym, co zobaczyłem na zdjęciach, ale eksplodował natychmiast, kiedy skończyłem.

– Cholerny zasraniec! Różnych rzeczy mogłem się po nim spodziewać, ale nie tego. Facet jest skończony. Absolutnie!

– Musisz powiadomić Øgaarda.

– A żebyś wiedział! Prześlij mi te obrazki.

– Musisz trochę poczekać, aż dojadę do stacji benzynowej z dostępem do internetu.

– Mówiłeś, że masz je w telefonie.

– Mam je także na e-mailu. Na pewno są lepszej jakości.

– Do diabła z jakością, wysyłaj z telefonu!

– Nie mam zasilania w komórce. Słychać sygnał ostrzegawczy. Znajdę internet i nadam.

*

– Zabrało ci to trochę czasu!

Juhler poklepał mnie po plecach i wysłuchał opowieści o przebitej oponie, która spowodowała moje opóźnienie. Uśmiał się, kiedy wyjaśniłem, że nie udało mi się zdjąć koła samodzielnie i musiałem czekać sześć godzin na pomoc drogową z Middelfart.

– Majster-klepka to ty nie jesteś, ale poradziliśmy sobie bez ciebie, Øgaard, prezes i ja.

Zostaliśmy sami w biurze. Øgaard i prezes właśnie wyszli. Kenny z *crime.dk* również. Jako wolny człowiek, ale bez szans na dalszą działalność jako paparazzi w Danii. Juhler pokazał mi oświadczenie.

– To dzieło prezesa. Różne rzeczy można mu zarzucić, ale zna się na papierkowej robocie.

Przeczytałem szybko dokument. Otyły fotograf przyznawał się do wszystkiego. Oświadczał, że chłopców uprowadzili on i jego żona, zażądając wypłaty nagrody. Przyznał się też, że przebrany w burkę groził i zatrzymał Marię i Ester jako zakładniczki, podczas gdy jego żona, również ubrana w burkę, zaprowadziła chłopców do Capella Play, a potem towarzyszyła mi w metrze.

– I pozwoliliście mu po prostu odejść?

– Tak, musieliśmy tak zrobić. Uprowadził dwóch chłopców, żeby narobić szumu i zdobyć okup, ale nie ma nic wspólnego z uprowadzeniem pozostałych dzieci. Razem z żoną zainicjował całą sprawę, a jego zdjęcia wykorzystaliśmy w gazecie. Pomyśl tylko, co by było, gdyby wyszło na jaw, że te zdjęcia robił sam winowajca? Nasza wiarygodność ległaby w gruzach. Øgaard się z tym zgodził i nikomu nic nie powie.

– Nie pojmuję. Uprowadził dwóch chłopców, a wy puszczacie go wolno? A jak się wyda?

– Właśnie. Dlatego zamknęliśmy sprawę. Kenny dostał dziesięć dni na zlikwidowanie aktywów swoich i żony w Danii i przenosi się do Szwecji. Mamy na to jego podpis.

Juhler pokazał odpowiednie miejsce w umowie między „Ekstra Bladet" a otyłym fotografem.

– Nigdzie się nie przeniesie, powinien siedzieć. Trzymał Marię i Ester jako zakładniczki. Zniszczę tego bydlaka!

Wstałem i walnąłem pięścią w stół. – Nie dbam o renomę „Ekstra Bladet". Powinien trafić do więzienia.

– Zastanów się, Hilling. Naprawdę chcesz, żebyśmy wywlekli całą tę historię? Naprawdę chcesz narazić swoją rodzinę na to, co zechcą zdziałać pozostałe media? Chcesz tego?

– Jesteśmy to winni rodzicom tych chłopców.

– Nimi już się zajęliśmy.

– Co masz na myśli?

– Prezes ich kupił. Otyły zwraca naturalnie milion, więc rodzice otrzymują po pięćset tysięcy za straty materialne i moralne.

– Zgodzili się na to?

– Są bardzo zadowoleni i chcą jak najszybciej zapomnieć o całej historii. Nie wiedzą nic o tym, co się działo, nikt inny też nie wie. Tak jest najlepiej. Nie zgadzasz się z tym?

– Jak możesz mieć pewność, że nie pójdą do „B.T." albo do *Wieczoru z TV*, kiedy skończą im się pieniądze?

– To także jest załatwione. Prezes i Øgaard.

– Jak?

– Øgaard zajrzał do paru baz danych i znalazł argumenty na to, by rodzice Nagiba zachowali milczenie. Ojciec nie jest szczególnie zainteresowany ujawnieniem jego przeszłości. Ma na sumieniu kilka wpisów w kartotece kryminalnej, ale kiedy starał się o pracę w klubie na Nørrebro, najwyraźniej przedstawił czystą kartotekę, chociaż nie wiadomo, skąd ją zdobył. Co do rodziców tego drugiego chłopca, Nabila, to wyraźnie zmiękli, kiedy prezes zapytał, dlaczego chłopak na matkę mówi Khala.

– Mówił Carla na swoją matkę?

– Nie Carla, tylko Khala, to po arabsku i oznacza ciotkę.

– To prezes zna arabski?

– Nie na tyle, żeby mówić – studiował chyba jeden semestr – ale wystarczyło, żeby się zorientować, że chłopiec nie mówi mama, tylko ciotka, a to nie bardzo się zgadza z tym, że uzyskała obywatelstwo w ramach łączenia rodzin jako matka dziecka.

31

PANI AASE ZOSTAŁA Z ESTER. Był to nasz pierwszy wolny wieczór od jej narodzin. Poszliśmy do kina Grand na film Almodovara *Przerwane objęcia* i zjedliśmy kolację w Les Trois Cochons przy Værnedamsvej. Potem, kiedy spacerowaliśmy, trzymając się za ręce, Vesterbrogade, opowiedziałem Marii o Ann. Pominąłem szczegółowy opis incydentu w hotelu, ale opowiedziałem o seksualnym terrorze, jaki panował w Słowie Ewangelii. Maria słuchała w milczeniu, od czasu do czasu mocniej ściskając moją rękę.

– Biedna dziewczyna, co się z nią teraz dzieje?

– Myślę, że relacja o tym, co się stało, była jej potrzebna, żeby mogła pójść dalej, ale łatwo nie będzie.

– Dobrze, John, ale ona jest sama! Dlaczego jej nie zaproponowałeś, żeby pobyła trochę u nas?

– Nie sądzę, żeby to był dobry pomysł. Ma zresztą siostrę.

– Dlaczego? Miejsca u nas dosyć!

– Nie mamy przecież gościnnego pokoju.

– To nie ma znaczenia. Gościła u nas Petra, Lars też był, chociaż krótko. Nie było żadnych kłopotów. Uważam, że powinieneś do niej zadzwonić. Zadzwoń jutro.

– Może. Sam nie wiem. Nie podoba mi się to.

*

Zostałem w domu do południa. Poprzedniego wieczoru położyliśmy się późno. Kiedy odprowadziliśmy panią Aase do taksówki, otworzyłem butelkę czerwonego wina. Ester nie budziła się już w środku nocy, tak że mieliśmy dla siebie wieczór i noc. Popijając wino, Maria rzuciła pytanie:

– Jak było?

– Co takiego?

– Jak było z Ann? Jak to było siedzieć obok młodej, ładnej kobiety i słuchać o jej seksualnych przeżyciach? – Spojrzała na mnie przenikliwie.

– Szczególne doznanie.

– Byłeś pod wrażeniem?

– Jasne, że tak.

– Rajcowało cię to?

– Do czego zmierzasz, pytając o to? – Czułem rosnące napięcie. Bałem się, czy nie czeka nas kolejna kłótnia.

– Nie podnieciło cię ani trochę słuchanie jej historii?

– Może dajmy temu spokój, wiesz przecież, czym się kończą takie rozmowy.

– Tak, wiem. – Wstała z kanapy, uśmiechnęła się uwodzicielsko i zdjęła sukienkę przez głowę. – Kończą się w sypialni. Chodź! – Podała mi rękę. – Chodź ze mną, potrzebuję cię. Chcę, żebyś pokazał, co potrafisz, i dał z siebie wszystko.

*

Henrietta przywołała mnie ręką, kiedy wszedłem do redakcji.

– Chyba coś mam! – Podała mi kartkę papieru. Była to lista właścicieli zielonych windstarów. – Znalazłam windstara z wgniecionym zderzakiem. Parkuje przed urzędem wojewódzkim w Kopenhadze.

– Jesteś pewna? – zapytałem, siadając przy niej.

– Na sto procent. Mam też listę osób, które korzystają z auta. Pięć osób zatrudnionych w wartowni. – Podała mi kolejną kartkę z nazwiskami. – Trzeba się porozumieć z Juhlerem i Øgaardem. Tym razem ich mamy!

*

– Nie mogę robić nic na własną rękę. Wiesz przecież, że „komendant z pożyczką" zrobił co mógł, żeby sprawę wyciszyć. Oficjalnie nie ma żadnej sprawy.

– Teraz już jest – poparł mnie Juhler. – Przecież słyszałeś, co powiedzieli John i Henrietta.

Redaktor wskazał na tablicę, na której wypisałem nazwiska. – Prowadził archiwum lewicowych ekstremistów, nienawidzi imigrantów, ma u siebie materiały Demokratów Szwecji, a jego narzeczona jest zatrudniona w urzędzie wojewódzkim.

– Wszystko to widzę, ale może to być również zbieg okoliczności. Nie mamy żadnych dowodów. – Øgaard wstał, podciągnął spodnie i podszedł do okna. – Potrzebujemy cholernie dobrych dowodów, zanim wciągniemy w to komendanta. Nie zapomniał o tych panienkach w dziecinnym łóżku.

– Musimy sobie zatem poradzić bez niego. Co z Gertem? Myślisz, że on nas wysłucha? – Podszedłem do Øgaarda. – Już nam kiedyś pomógł.

*

Podinspektor Gert Andersen słuchał uważnie, kiedy referowałem nasze odkrycia. Czasem coś notował, ale najczęściej przygryzał koniec ołówka.

– Sprawa wygląda poważnie. Jego sympatie i jej możliwości dotarcia do listy adoptowanych dzieci. Trzeba to w każdym razie sprawdzić.

– Chcesz przeszukać mieszkanie? – zapytał Juhler. – Bo jeśli tak, to chciałbym mieć tam swoich ludzi, fotografa i Hillinga.

– Przeszukanie to lekka przesada. Może najpierw złożymy im po prostu wizytę?

Wetknął ołówek między zęby, przygryzł go i uśmiechnął się. – Całkiem nieoficjalnie, ja i Øgaard, John i fotograf – Lars. Sprawdziliśmy się już jako zespół.

– To wygląda na doskonały pomysł. Zadzwonię zaraz do Larsa, żeby się ruszył, a potem moglibyśmy się przejść do Tivoli na jakąś przekąskę. Parę porcji duńskiego sushi z sałatką carry i islandzkim sztokfiszem. Co panowie na to?

– Co z prezesem? Nie powiadomimy go? – zapytałem Juhlera, który właśnie wkładał marynarkę.

– Prezes? Nie, to nie dla niego sprawa. Może sobie jeść sashimi, czy jak on to nazywa, w swoim biurze. I popijać wodą mineralną.

32

– KLUCZNIK ZAŁATWIA DRZWI.

Gert Andersen ponownie ujął klamkę, ale nadal bez rezultatu. Drzwi były zamknięte, a w środku najwyraźniej nie było nikogo, kto by chciał nam otworzyć.

– Klucznik? – spojrzałem na niego, nie rozumiejąc, a Gert się roześmiał.

– Właśnie – Klucznik! Tak nazywaliśmy Øgaarda, kiedy chodziliśmy razem w patrolu. Jest specjalistą od zamkniętych drzwi.

Poklepał kolegę po plecach. – Mam nadzieję, że nie zapomniałeś, jak się to robi, Kluczniku?

– A jak myślisz?

Øgaard wyciągnął z kieszeni niewielkie skórzane etui.

– Narzędzia nadal noszę przy sobie – dodał. Pogrzebał chwilę w zamku i, po cichym kliknięciu, uśmiechnął się z zadowoleniem, otwierając drzwi mieszkania przy Lombardigade 19/2.

– Zapraszam – powiedział, chowając narzędzia do kieszeni i podciągając spodnie.

Mieszkanie było urządzone w stylu Ikei. Prawie wszystko, meble i ozdoby, pochodziło z sieci szwedzkich sklepów. Żadnych pamiątek rodzinnych czy rzeczy świadczących o bardziej osobistym guście. Wyłącznie produkcja seryjna, ograniczonej trwałości i jakości.

– Widocznie tak też można mieszkać – skomentował Øgaard, przyglądając się szmacianej lalce, którą podniósł z półeczki. – Wygląda na model właściciela – tak słaby kręgosłup, że potrzebny drut do podtrzymania. Co powiecie na to?

– Powiemy, żebyś przyszedł tutaj! – zawołał Lars z kuchni, gdzie otworzył drzwi do niewielkiego pomieszczenia. – Chyba znalazłem magazyn – dodał i zaczął pstrykać zdjęcia swojemu odkryciu.

– O, do diabła! – dodał Andersen, zaglądając mu przez ramię. – Mamy wszystko podane na tacy!

Na ścianie nad stolikiem komputerowym wisiały zdjęcia wszystkich chłopców. Pod każdym zdjęciem był opis, zawierający podstawowe dane i szereg dat. Daty dotyczyły terminów porwania, a także „neutralizacji". Wszystkie kratki przy datach obok Marcusa i Ludwika były zaznaczone, a obok Jonasa i Siwerta tylko niektóre.

– Czego dotyczą te pozostałe daty? – zapytał Gert Andersen, który przepisywał je do notesu. Øgaard pochylił się do przodu i wyciągnął dłoń po jedną z kartek. Gert odsunął jego rękę.

– Nie dotykaj! Niech Lars to wszystko sfotografuje, ale dotykać nie wolno. Nie mogą zobaczyć, że myśmy tu byli.

Wyciągnął z kieszeni parę lateksowych rękawiczek i zaczął, mimo wszystko, ostrożnie przerzucać papiery na biureczku. Po chwili wyciągnął jedną z kartek i zawołał do Larsa:

– Możesz zrobić zbliżenie, żeby można to było odczytać?

Do duńskiego narodu.
Imigracja to przede wszystkim problem biologiczny, ale powoduje również zaburzenie równowagi w społeczeństwie. Wolna Dania sprzeciwia się wszelkiej imigracji, obcej rasowo, i uważamy, że adopcja dzieci z najuboższych krajów świata to najbardziej tragiczna i niebezpieczna forma imigracji. Nie chcemy, by te obce rasowo elementy zapładniały duńskie kobiety i powodowały skażenie duńskiej krwi. Dlatego uczyniliśmy obecnie pierwsze kroki w kierunku czystej rasowo Danii. Będą następne.
Wolna Dania, 30 sierpnia 2009

– Trzydziestego sierpnia, za trzy dni!

303

Gert Andersen spojrzał na kalendarium w swoim zegarku. – Co, do cholery, mają zamiar robić trzydziestego sierpnia? Pozabijać te dzieciaki, czy jak?

Kiedy tylko opuściliśmy mieszkanie, podinspektor zaczął działać. Gdy jechaliśmy z powrotem na plac Ratuszowy, rozmawiał już przez telefon z „komendantem z pożyczką", żeby go wprowadzić w sytuację.

– Nie mam innego wyjścia – wyjaśnił. – W tym wypadku musimy działać w porozumieniu z górą. Obserwacja mieszkania przez dwadzieścia cztery godziny. Musimy się dowiedzieć, gdzie trzymają chłopców. Wy teraz musicie zostawić sprawę nam.

– Co chcesz przez to powiedzieć? – zapytałem, odwracając się.

– To, co powiedziałem. Nie może być żadnych przecieków. Nikomu ani słowa, nawet żonom, kochankom czy domowym zwierzętom, jeśli takie macie. Cholera! Nie powinienem był was w ogóle ze sobą zabierać!

– Może sobie przypomnij, że gdybyśmy cię nie poinformowali, nie wiedziałbyś w ogóle o sprawie.

– Nie odbieraj tego w ten sposób, John. Staram się tylko, żeby niczego nie zawalić, rozumiesz?

*

Nie pozostało mi nic innego, jak pojechać do domu. Nie miałem powodu do narzekania. Chciałem pobyć z Marią i Ester. Odczuwałem już skutki ostatnich wydarzeń i tęskniłem trochę za normalnym, rodzinnym życiem. Poprosiłem taksówkarza, żeby mnie wysadził przed Kvickly na Englandsvej. Miałem ochotę przyrządzić ogromną porcję makaronu ze świeżymi warzywami, wypić do tego szklankę schłodzonego białego wina, pobawić się z Ester i popieścić z Marią.

– Wróciłem, zrobiłem zakupy! Będzie makaron! – zawołałem już od wejścia, ale nikt mi nie odpowiedział.

– Świeża włoska pasta!

Żadnej odpowiedzi.

– Hej, czy jest tam kto? – Wniosłem torbę z zakupami, postawiłem na kuchennym stole i zajrzałem do pokoju. Nie było nikogo. Zawołałem ponownie. – Gdzie się podziewacie? – Zacząłem już się pocić. – Gdzie, do cholery?

Przeszukałem wszystkie pokoje. Nie było Marii ani Ester. Zawróciłem do przedpokoju po komórkę, ale po drodze zauważyłem list pod torbą, którą postawiłem na stole. Rozerwałem kopertę. Nadawcą była Maria.

John,

wyjechałam z Ester, z pewnością wiesz dlaczego. Twoje kłamstwa do tego stopnia zatruły nasze życie, że mam już dosyć. Po prostu nie chcę. Nie mogę żyć w przekonaniu, że zdradzasz mnie z innymi kobietami, a tym bardziej, gdy nieustannie zaprzeczasz. Dzisiaj uzyskałam niezbity dowód na to, że nie mogę ci już ufać. Twoja szwedzka kochanka zadzwoniła, żeby się z tobą umówić. Nie pojmuję, jak możesz robić to mnie i Ester. Jak zrozumiałam, najwyraźniej jesteście na bardzo zażyłej stopie. Bo jak inaczej wytłumaczyć, że wiedziała rzeczy o tobie i Carli, o których mi nigdy nie mówiłeś. Zamarłam, kiedy powiedziała, że musimy zaakceptować, iż to Carla jest twoją wielką i jedyną miłością. Że żadna inna kobieta nigdy nie będzie się mogła równać z twoją cholerną, zmarłą byłą żoną. Może to prawda, ale miałam nadzieję, że ja stanowię ważne miejsce w twoim sercu. Myliłam się. Zdradzałeś mnie i obmawiałeś. Czy taki jesteś naprawdę, John? Opowiadasz o poprzednich kobietach, kiedy uprawiasz seks z nową znajomą? Opowiadasz może też o mnie, że jestem humorzasta i beznadziejna w łóżku? Czy to właśnie wypełnia ci czas podczas twoich wyjazdów na Jutlandię? Powinieneś się wstydzić. Nawet nie zasługujesz na to, żeby zobaczyć Ester.

Maria

PS. Dla twojej orientacji: przeniosłyśmy się do Poula, ale nie kontaktuj się z nami.

*

– Narozrabiałeś John. Ona nie chce w ogóle z tobą rozmawiać. – Telefon odebrał Poul i nie robił wrażenia zadowolonego. – Prawdę mówiąc, ja też nie mam na to ochoty, skoro w ten sposób traktujesz moją siostrę. Zostaw je w spokoju. Rozumiesz, John? Możemy się tak umówić?

– W żadnym wypadku. To wszystko jest tylko strasznym nieporozumieniem. Nie jest tak, jak ona myśli.

– Może jednak tak, John. Znam dobrze swoją siostrę. Maria nie robi z igły wideł.

– Daj mi z nią porozmawiać, Poul!

– Nic z tego, ja też już nie mam dla ciebie czasu. Musimy urządzić tu dla nich miejsce. Żegnam.

Odłożył słuchawkę, a ja gapiłem się bezmyślnie na głuchy telefon, po czym rzuciłem go na podłogę. Potem sam się rzuciłem. Zacząłem głośno krzyczeć i walić pięściami w deski. Zadzwonił telefon.

– Maria? – zapytałem, podnosząc komórkę – to ty?

– Nie, to Gert. Gert Andersen. Coś nie tak? Twój głos brzmi. jakby coś się stało.

– Nie, wszystko OK. Co chciałeś? – Wstałem z podłogi i usiadłem przy stole, nadal trzymając list Marii w ręku i słuchając tego, co mówi inspektor.

– Chciałem tylko przeprosić, byłem trochę podenerwowany, wiesz...

– Wszystko w porządku.

– Przyjrzałem się bliżej temu komputerowi, który zarekwirowano poprzednio, jak była sprawa przeciwko Jakobowi Wagnerowi.

– A więc jednak była sprawa? „Komendant z pożyczką” mówi co innego.

– To mnie nie dziwi. Znasz go przecież. Biuro bezpieczeństwa wystąpiło w tej sprawie w niezbyt fortunnej roli, a nasz przyjaciel pełnił przecież funkcję szefa tego biura.

306

– Znalazłeś coś ciekawego w komputerze?

– Tak mi się wydaje. Jest sporo korespondencji w skrzynce pocztowej na temat adoptowanych dzieci i obcych rasowo elementów.

– Z kim ta korespondencja?

– To wymiana e-maili między Jakobem Wagnerem a członkiem Demokratów Szwecji, który nazywa się Oscar Nilsson. Jakiś impresario tym się w każdym razie zajmuje, kiedy nie pomstuje na imigrantów. Prowadzi agencję organizacji imprez w Sztokholmie pod nazwą Nilsson Music.

– Możesz powtórzyć, jak się nazywa?

– Oscar Nilsson, Nilsson Music.

– O kurde, Gert, słyszałem o nim! Ma także inne kontakty w Danii. Zna nie tylko Wagnera.

Powtórzyłem policjantowi to, czego się dowiedziałem od reporterki TV4 na temat Nilssona i Charlotty Nikolajsen. O ich niedawnym spotkaniu w klubie Opera w Sztokholmie i stosunkach w przeszłości.

– Myślisz, że ona może mieć z tym coś wspólnego?

– Nie zdziwiłbym się.

– Jak dobrze znasz tę osobę?

– Na tyle dobrze, że z jej powodu właśnie opuściła mnie żona z dzieckiem.

– Współczuję, John. Rozmawiałeś z nią?

– Niestety, gdybym rozmawiał, pewno by nie wyjechała.

– Nie pytałem o twoją narzeczoną, tylko o Charlottę Nikolajsen.

– Dzwoniła jeszcze dzisiaj, żeby się ze mną porozumieć.

Zagwizdał w telefonie.

– A co byś powiedział na złożenie jej wizyty i odbycie małej rozmowy? Całkiem prywatnie. Żadnego artykułu ani nic. Po prostu spróbuj wyczuć atmosferę.

– Bardzo chętnie. Tak się składa, że akurat mam z nią do pogadania.

– Możesz pojechać jutro?

– Nie mam samochodu, Maria zabrała nasz.

– Nie przeszkadza ci automatyczna skrzynia biegów?

– Nie ma problemu.

– Skoro tak, to zajrzę do ciebie. Mam starego mercedesa, którego mogę ci pożyczyć. Za pół godziny?

33

W DRODZE NA JUTLANDIĘ kilka razy o mało nie zasnąłem za kierownicą. Byłem mocno niewyspany. Większość nocy spędziłem na siedząco, patrząc na puste łóżeczko Ester, a także przeglądając szafę Marii, żeby się zorientować, ile rzeczy ze sobą zabrała. Wyglądało to poważnie. Większości ubrań nie było. Kiedy przejeżdżałem przez Kolding, zawahałem się, czy nie zrezygnować z Varde i nie pojechać dalej na południe – do Haderslev, żeby je zabrać do domu, ale się opamiętałem i zadowoliłem się telefonem. Niestety, telefon ponownie odebrał Poul.

– To znowu ty, John? Przecież powiedziałem, żebyś je zostawił w spokoju.

– Nie mieszaj się do tego, Poul. To sprawa między Marią a mną, daj ją do telefonu.

– Nie ma jej, a gdyby nawet była, to nie chciałaby z tobą rozmawiać.

– A gdzie jest?

– To naprawdę nie twoja sprawa, John, ale pojechała do weterynarza w Haderslev.

– Do weterynarza? A po co?

– Pojechała z kotkiem.

– Jakim kotkiem?

– Pręgowana kocica Bjarnego ma małe. Jednego podarował Ester. Bardzo ładny, mały biały kotek.

– Ester dostała kotka? Jest na to o wiele za mała.

– Będą dorastać razem. Przyda jej się ktoś, kto ją kocha, a wierz mi, że koty też potrafią się przywiązywać.

– Ale po co do weterynarza? Czy kot jest chory?

– Chory? Nie, jest zdrowy i pełen życia, ale trzeba go zneutralizować.

– Co takiego?

– Wysterylizować. Jeśli się kota nie wykastruje, to chodzi i popuszcza wszędzie, a kocie siuśki nie pachną najmilej.

*

Zaparkowałem wielkiego starego mercedesa Andersena na najbliższym postoju i wybrałem numer Gerta w komórce. To, co Poul powiedział, spowodowało, że poczułem, jak zimny pot ścieka mi po plecach. Czy to się działo naprawdę? Miałem nadzieję, że się mylę, ale coś mi mówiło, iż wiem, o co chodzi.

– Domyślam się, co zamierzają. Neutralizacja oznacza to samo co sterylizacja. Te bydlaki chcą chłopców wykastrować.

– Co mówisz? – Gert krzyczał mi prosto do ucha. – Co ty gadasz? Gdzie to słyszałeś?

– Nie słyszałem, doszedłem do takiego wniosku. Niestety obawiam się, że wniosek jest właściwy. W swojej ulotce do duńskiego narodu piszą, że dzieci adoptowane są zagrożeniem dla duńskości i nie można dopuścić, by płodziły potomstwo z duńskimi kobietami, żeby nie skazić duńskiej krwi, a na kartach chłopców jest rubryka zatytułowana „Neutralizacja". Słyszysz mnie?

– Wolałbym nie, ale tak, słyszę i obawiam się, że masz rację. A daty i ptaszki?

– Przypuszczam, że to ma być zabieg medyczny. Niedawno rozmawiałem z hodowcą, który opowiadał o szczepionce stosowanej u prosiąt. Szczepienia powtarza się kilka razy i w efekcie chłopcy staną się impotentami.

– Niech to szlag trafi. To nie może być prawda, Hilling!

– Może, trzeba ich powstrzymać, i to już. Jak obserwacja? Pojawili się już?

– Ani śladu. Jakby się zapadli pod ziemię.

*

W hotelu Arnbjerg Vibsen uśmiechnęła się, rozpoznawszy mnie, gdy się meldowałem.

– Witamy ponownie, panie Hilling. Często pan tu bywa, ale w końcu Varde to ciekawe miasto!

– Tak, sporo się tu dzieje. Widziałaś może ostatnio Ann?

– Owszem, spotkałam ją w sklepie Rema 1000 wczoraj wieczorem, ale zamieniłyśmy tylko kilka słów. Była trochę spięta, bo szykowała obiad dla siostry i szwagra. Mieszkają chwilowo w domku letnim w Vejers.

– To dobrze, że ma kogoś bliskiego. Przekaż jej pozdrowienia, kiedy ją zobaczysz.

Recepcjonistka puściła do mnie oko. – Pozdrowię, ale chyba sam będziesz miał okazję?

– Mam nadzieję, ale pozdrów ją tak czy inaczej.

Rzuciłem rzeczy w pokoju i zadzwoniłem do Charlotty. Jak zwykle nie było odpowiedzi i przerwałem połączenie, w chwili gdy włączyło się nagrywanie wiadomości. Wróciłem do samochodu, wyszukałem CD z zespołem Ten C Seven, przez chwilę słuchałem utworu *The One*, a potem zmieniłem na U2. Ciągle myślałem o Marii i Ester, tęskniłem i bałem się, że nie uda mi się odzyskać rodziny. Tekst piosenki *The One* nastroił mnie lirycznie, wzmacniając ból rozstania.

– Gert z tej strony, gdzie jesteś?

Przyciszyłem piosenkę Bono, zanim udzieliłem odpowiedzi.

– W Varde, w drodze do Charlotty Nikolajsen. Nie odpowiada na telefony, więc zdecydowałem, że spróbuję...

– Posłuchaj teraz – przerwał mi Gert. – Wysłali swój komunikat. To niedaleko. Agencja Ritzau odebrała. Sygnał pochodzi z Esbjerg.

– Co takiego? Kto wysłał co?

– Z tego, co nam wiadomo, sygnał nadano z kawiarenki internetowej. Prawdopodobnie ktoś w tej chwili przepytuje właściciela kawiarenki. Zależałoby mi jednak na tym, żebyś tam pojechał jak najszybciej. Mój kolega z policji w Esbjerg nie był specjalnie kontaktowy, boję się, że może bardziej zaszkodzić, niż pomóc.

– Czy to inspektor Frost?

– Co ty mówisz?

– Czy może policjant, z którym rozmawiałeś, to Helmer Frost Olsen?

– Tak, to on. Znasz go?

– Zetknąłem się z nim raz czy dwa. Niezbyt lotny facet, z wielkim mniemaniem o sobie. Co chcesz, żebym zrobił?

– Porozmawiaj z właścicielem kawiarenki i sprawdź, czy nie ma u siebie kamer. Musimy wiedzieć, kto nadał wiadomość. Wysłano ją o godzinie trzynastej dwadzieścia siedem, więc ustalenie tego nie powinno być specjalnie trudne.

– Załatwione, a co z Charlottą Nikolajsen?

– Może poczekać. Nawiasem mówiąc, policja w Sztokholmie odwiedziła jej kochanka w jego prywatnej posiadłości w Lindingø.

– Świetnie! I co mówi o korespondencji z Jakobem Wagnerem?

– Twierdzi, że nic konkretnego nie pamięta. Dopiero po dłuższym przesłuchiwaniu przez kolegów ze szwedzkiej policji przyznał, że korespondował z bliżej nieznanym Duńczykiem na temat integracji. Uważał, że to bez znaczenia. Tego rodzaju korespondencję prowadził z wieloma ludźmi, zwłaszcza Duńczykami zorientowanymi w temacie.

– Co teraz z nim zrobią?

– Obiecali, że zatrzymają go u siebie jakiś czas, żeby nie mógł uprzedzić duńskich kompanów, że jesteśmy na ich tropie.

– Mają prawo?

– Owszem, znaleźli u niego listę kobiet lekkich obyczajów i wnieśli przeciw niemu oskarżenie o czerpanie korzyści z prostytucji. W Szwecji to jest nielegalne.

– A Ritzau? Czy rozesłali wiadomość? Jeżeli tak, to niedługo wszyscy będą poinformowani.

– Nie, nie rozesłali i nie mają takiego zamiaru. Wyjaśniliśmy, że pewnie chodzi o jakiegoś pomyleńca, który chce zdobyć popularność. Dali się przekonać i umieścili komunikat w archiwum.

*

Właściciel kawiarenki internetowej właśnie wycinał rozkładówkę z nową dziewczyną na stronie dziewiątej „Ekstra Bladet". Kiedy skończył pracę, podniósł się z fotela i oderwał z rolki dwa kawałki taśmy klejącej.

– Dziewczyna jest z Tjæreborga, więc sporo klientów z pewnością ją zna. – Uśmiechnął się obleśnie, umieszczając wycięte zdjęcie na ścianie za kontuarem. – Niezła laska, co nie?

– Owszem, niebrzydka – zgodziłem się – na pewno będzie się podobała. Ja jednak przyszedłem zapytać, czy nie zauważyłeś tu czegoś szczególnego między pierwszą a drugą?

– Już dawałem odpowiedź na to pytanie twojemu koledze – odpowiedział, nie odwracając się, bo kończył wieszać zdjęcie na ścianie.

– Mojemu koledze?

– Tak, innemu policjantowi. Był tutaj niedawno.

– Nie jestem policjantem. Co mu powiedziałeś?

– Nic szczególnego. Jeśli nie jesteś policjantem, to kim?

– Jestem dziennikarzem z „Ekstra Bladet"?

– O rany!

Odwrócił się i obdarzył mnie spojrzeniem pełnym podziwu.

– Jesteś z „Ekstra Bladet"? Zawsze się zastanawiałem, skąd bierzecie te dziewczyny do rozkładówek. Same się zgłaszają czy robicie jakieś poszukiwania?

– Różnie.

– Masz fajną robotę, chciałbym mieć taką. Napijesz się kawy?

Powiedziałem, że chętnie, i weszliśmy do salki z komputerami. Na ścianie zobaczyłem dwie zamontowane kamery.

– Czy one działają? – zapytałem.

– Oczywiście, że działają. Nagrywają cały czas, także kiedy jest zamknięte. Wszystko jest rejestrowane – nawet to, że teraz tu weszliśmy.

– A nie było na taśmach nic, co zainteresowało policjanta?

– Nie mam pojęcia, skąd miałbym to wiedzieć?

– Jak to?

– Ja tego nie oglądam.

– Ale policjant?

– On też nie oglądał.

– Nie obejrzał nagrań z kamer? Bujasz! To niemożliwe?

– Nie prosił o nic, a proponowanie mu tego nie należy do moich obowiązków.

Wyjął dwie szklaneczki i nalał z dzbanka kawy do obu. – Cukier, śmietanka?

– O rany! To ona!

Patrzyłem na zdjęcie kobiety, która o godzinie trzynastej dwadzieścia cztery zwróciła się do właściciela z prośbą o stanowisko. Postawiła torbę obok monitora, chwilę w niej pogrzebała, aż znalazła pendrive i wetknęła go do portu USB. Spędziła przed monitorem raptem cztery minuty. O godzinie trzynastej dwadzieścia osiem opuściła kawiarenkę.

– Potrzebujesz jeszcze czegoś? – zapytał właściciel.

– Bardzo by mi się przydała kopia tego, co właśnie obejrzałem. Możesz mi to załatwić?

– Weź sobie oryginał, ja go do niczego nie potrzebuję. Znalazłeś coś?

– Owszem, dokładnie to, czego mi potrzeba. – Cofnąłem film. – Ta osoba! To jej szukałem. Dziękuję bardzo.

Właściciel rzucił okiem na obraz bez szczególnego zainteresowania. Wyjąłem płytę i włożyłem do kieszeni, wstałem i podałem mu rękę.

– Stokrotne dzięki. Nawet nie wiesz, jak bardzo mi pomogłeś. Dziękuję i do zobaczenia.

– Już idziesz?

– Muszę pędzić. Nie mogę tego odkładać. Miłego dnia.

Spojrzał na mnie zdziwiony.

– Nawet mi nie opowiedziałeś o tych dziewczynach.

– Innym razem. Przepraszam, ale się spieszę. Zadzwonię albo wpadnę jeszcze.

– A kawa? Nie wypijesz nawet swojej kawy? Jest świeżutka, dopiero co zaparzyłem.

*

Ledwo było słychać głos w telefonie. Zagłuszył go uporczywy hałas i dopiero po chwili zorientowałem się, że to silnik policyjnego helikoptera. Gert był w drodze razem z Øgaardem.

– On tutaj... będzie cię pilnował. – Gert usiłował przekrzyczeć łopot wirnika. – ...a u ciebie?

– Widziałem na filmie kobietę, która wysłała wiadomość do agencji, i wiem, kto to jest. – Ja również krzyczałem, próbując zrozumieć jego przerywany głos.

– ...jestem głuchy. Kto? Kim ona...? Jak się nazywa?

– Nazywa się Myrna Nikolajsen. To teściowa Charlotty. Wiem, gdzie ją można znaleźć, i właśnie tam jadę. To sklep z używanymi ubraniami. Zadzwoń, kiedy wylądujecie, to podam adres.

*

Sklepik już zamykano. Myrna Nikolajsen przytrzymała drzwi dla ostatniego klienta, który wychodził obładowany ogromną, białą torbą, po czym zamknęła i włączyła alarm. Na koniec szarpnęła jeszcze raz klamką, żeby się upewnić, że drzwi są odpowiednio zamknięte, po czym odwróciła się z uśmiechem do młodszej kobiety, czekającej obok. Niczym matka i córka powędrowały, trzymając się pod ręce i rozmawiając, do oczekującego niedaleko samochodu i zastukały w szybę, żeby zwrócić

315

uwagę kierowcy. Do tej pory siedział z pochyloną głową, zapewne wpatrzony w wyświetlacz swojej komórki. Z pozycji po drugiej stronie ulicy, gdzie zaparkowałem starego mercedesa Gerta, widziałem bardzo dobrze jego twarz. Była gładka, bardzo regularna i bez wyrazu. Ludzie, którzy gustują w tym typie urody, nazywają taką twarz marzeniem teściowej. Nie mogą oczywiście wiedzieć, że w tym wypadku za tą twarzą kryła się postać człowieka, który nadużywał swoich uprawnień policjanta do prowadzenia rejestru ludzi lewicy i brał udział w porwaniu i sterylizacji czterech małych chłopców obcego pochodzenia. Najchętniej przeszedłbym na drugą stronę ulicy, żeby go wyciągnąć z samochodu i spuścić mu porządne manto, ale nie ruszyłem się z miejsca. Z konfrontacją trzeba było poczekać, aż Gert i Øgaard wylądują. Myrna Nikolajsen zajęła miejsce z tyłu i klepnęła Jakoba Wagnera w ramię. Młodsza kobieta wskoczyła z przodu na siedzenie pasażera i powitała kierowcę całusem w policzek. Doszedłem do wniosku, że jest to jego partnerka i kochanka, Lea Skov, ta, która na Facebooku kryła się pod ikoną Smerfetki. Wagner uruchomił silnik, włączył migacz i skręcił powoli w Ribevej, kierując się ku centrum. Potem przez Storegade dalej do Nørrevold i za miasto ulicą Vestre Landevej. Pojechałem za nim.

Gert nie odebrał telefonu. Może po prostu nie słyszał sygnału na skutek hałasu w kabinie helikoptera. Natomiast Jan Bramming odezwał się od razu.

– Bramming.

Sądząc po głosie był lekko poirytowany tym, że ktoś mu zawraca głowę.

– John z tej strony, posłuchaj mnie uważnie.

– Nie możesz zadzwonić później? Jadę właśnie do domu. Mam za sobą naprawdę ciężki dzień.

– Słuchaj uważnie! – powtórzyłem. – To bardzo ważne. Jadę w tej chwili za ludźmi, którzy uprowadzili czterech małych chłopców. Chyba o tym słyszałeś.

– Oczywiście! Odsyłano mnie dzisiaj od Annasza do Kajfasa, dlatego że kopenhaska policja twierdzi, iż porywacze wysłali jakąś wiadomość z Esbjerg.

– Owszem, wysłali z kawiarenki internetowej.

– A więc ty też się na to nabrałeś. Byłem to sprawdzić u właściciela i żadnego porywacza tam nie było. Zwykła strata czasu.

Słuchałem oniemiały tego, co mówił, ale nie wyraziłem żadnej opinii o jakości jego pracy policyjnej. Zamiast tego nabrałem głęboko powietrza i spróbowałem wyjaśnić mu na spokojnie powagę sytuacji.

– Zastępca komendanta kopenhaskiej policji, Gert Andersen, leci właśnie helikopterem do Varde. Próbowałem się z nim skontaktować, ale nie odbiera. Podaję ci jego numer. Dzwoń do niego do skutku, a kiedy uzyskasz połączenie, powtórz mu to, co ci teraz powiem. Zrobisz to?

– Słucham.

Opowiedziałem o spotkaniu Myrny z dwójką podejrzanych porywaczy z Kopenhagi.

– Wyjeżdżają z miasta Vestre Landevej w kierunku na Oksbøl. Zadzwoń do Kopenhagi i dowiedz się, gdzie zamierzają lądować helikopterem, i postaraj się, żeby czekał na nich samochód policyjny, którym będą mogli przemieszczać się dalej. To ważne. Nie wolno nam marnować czasu.

– OK, coś jeszcze?

– Tak. Zawróć do Esbjerg i złap inspektora Frosta. Musi zapewnić wsparcie dla Gerta.

– To mi się bardzo nie podoba, John.

– Co ci się nie podoba?

– To zawracanie mnie z drogi. Obiecałem Helenie, że przyjadę do domu. Twoja była i dziecko przychodzą do nas na obiad. Helena będzie wściekła, jeśli się spóźnię.

Jego ostatnia uwaga wyprowadziła mnie z równowagi. Podniosłem głos.

– Coś ci powiem, kolego! Jeżeli nie zrobisz natychmiast tego, o co cię proszę, to obiecuję, że jutro „Ekstra Bladet" zamieści na pierwszej stronie opowieść o beznadziejnej niekompetencji twojej i twojego szefa. Rusz więc dupsko i rób, co mówię.

Nie otrzymałem żadnej odpowiedzi. Dopiero kiedy ponownie się odezwałem i zapytałem, czy zrozumiał, czego od niego chcę, potwierdził.

– Ale muszę najpierw zadzwonić do Heleny.

*

Udali się do Vejers Strand, ale skręcili do lasu i jechali dalej leśnymi drogami. Trzymałem się kilkaset metrów z tyłu, dopóki nie zjechali z drogi. Powoli podążyłem ich śladem. Między drzewami dostrzegłem ich samochód zaparkowany przed norweską chatą z bali, w głębi sporej działki porośniętej sosnami. Chata było sporo większa od otaczających ją domków letniskowych, które minąłem. Miała piętorko i sporą dobudówkę. Można by ją prawie uznać za leśną willę. Dwoje młodych wynosiło z samochodu torby z zakupami i kartony. Myrny nigdzie nie widziałem. Zaparkowałem na polance nieopodal i ponownie spróbowałem wywołać Gerta. Bez skutku. Wysiadłem z samochodu i ruszyłem w stronę budynku, klucząc między drzewami, żeby mnie nie zauważono.

Znalazłem pieniek i usiadłem. Byłem przekonany, że z podjazdu nie jestem widoczny, sam zaś miałem doskonały widok na chatę. Przypomniałem sobie o komórce, wyjąłem ją z kieszeni i wyłączyłem dźwięki, przestawiając na wibracje, po czym włożyłem ją tym razem do kieszeni na piersi. Na dworze nie było już nikogo, nie widziałem też żadnego śladu aktywności w środku. Okna miały małe szybki i ocieniały je rosnące w pobliżu drzewa. Samochód stał tam, gdzie go zaparkowali. Wygrzebałem papierosa i paliłem spokojnie, nadal obserwując chatę. Dym wydmuchiwałem w ziemię, a ręką rozpędzałem wznoszącą się chmurkę.

– Lądują na polu golfowym za dziesięć minut. Zabezpieczyłem dla nich samochód policyjny.

Kiedy powiedziałem, że siedzę na czatach przed miejscem pobytu porywaczy, Jan Bramming zaczął mi przekazywać wiadomości szeptem.

– Możesz śmiało mówić głośniej, *ciebie* na pewno nie usłyszą!

Podałem mu adres i zaproponowałem, by wyciągnął szczegółową mapę okolicy, żeby Gert i Øgaard mogli się lepiej zorientować.

– Tak zrobię – odpowiedział, ciągle szeptem – coś jeszcze?

– Złapałeś Frosta?

– Tak, ale on nie podejmie żadnych działań, dopóki nie porozmawia z tymi z Kopenhagi. Kiedy mu powiedziałem, że informacje pochodzą od ciebie, przybrał dziwny wyraz twarzy.

– O, cholera!

Klepnąłem się ręką w łydkę, wypuściłem przy tym komórkę i zacząłem podskakiwać dookoła pniaka. Potrząsnąłem nogawki, znowu klepnąłem ręką, starając się przy tym nie rozdeptać telefonu. W końcu udało mi się go podnieść i z ulgą stwierdziłem, że się nie rozłączył.

– Przepraszam Gert, dopadły mnie mrówki! Te duże, czerwone!

– Spokojnie! Jesteśmy już w drodze. Twój przyjaciel, Jan Bramming, jedzie z nami. Zna drogę, miał dla nas samochód i mapę okolicy. Helikopter także leci, nie jesteś więc sam.

– To nie jest mój przyjaciel.

– Co ty mówisz?

– Jan Bramming nie jest moim przyjacielem.

Znalazłem sobie miejsce poza terytorium leśnych mrówek, przykucnąłem i zacząłem rozgarniać krzaki jeżyn, żeby ponownie obserwować rozwój sprawy. Nadal nic się nie działo, sięgnąłem więc po następnego papierosa i miałem właśnie zapalić, kiedy spostrzegłem ruch na leśnej drodze. Był to mercedes kabriolet,

319

jadący powoli. Kiedy ostatnio widziałem ten samochód, Jim Vamdrup właśnie pakował do niego dwie torby z zakupami i w podzięce otrzymał piwo od właścicielki, Charlotty Nikolaj-sen. Teraz siedział obok kierowcy i spoglądał w kierunku chaty wskazywanej palcem przez Charlottę, która podjeżdżając, nie-co zwolniła. Jim kiwnął głową na znak, że zrozumiał, po czym samochód ponownie przyspieszył. Niedługo potem pojawił się raz jeszcze, jadąc w przeciwnym kierunku.

*

Strasznie mi się chciało siusiu i zdecydowałem, że w tym celu wrócę do pnia oblężonego przez mrówki. Zbliżyłem się na bez-pieczną odległość i rozpiąłem rozporek. Mrówki się rozpierzch-chły, uciekając przed strumieniem na wszystkie strony.

– To się wam należało – oznajmiłem.

Zajęty odwetem, nie zwróciłem uwagi na kobietę, dopóki się nie odezwała.

– Tylko tyle masz do pokazania? Doprawdy, nie pojmuję mojej siostry.

Przestraszony wypuściłem narzędzie zemsty i obsiusiałem sobie nogawkę.

– Ręce na kark i marsz przede mną. – Pokazała kierunek do chaty trzymanym w ręku pistoletem. – No, już!

Zawahałem się na moment i sięgnąłem rękami w dół, żeby się zapiąć.

– Powiedziałam, ręce na kark! Ten drobiazg może sobie wi-sieć. Ruszaj!

34

– TRZEBA SIĘ BYŁO TRZYMAĆ Z DALEKA.

Stanęła tuż przy mnie, położyła dłoń na mojej piersi i zsunęła na podbrzusze, chwytając za to, co tam wystawało. – Najwyraźniej trzeba ci trochę dopomóc!

Obrzuciła mnie wzrokiem pełnym pogardy i ścisnęła mój członek, wykorzystując do tego celu paznokcie.

– Przestań, to boli!

Próbowałem się wyrwać.

– Dość tego, rozwiążcie mi ręce i wypuście. Skończcie tę zabawę!

– To nie jest żadna zabawa. I bardzo mnie rozczarowałeś, John. Trzeba będzie teraz za to zapłacić!

Zwolniła chwyt i uderzyła mnie mocno w to samo miejsce, po czym ponownie zgarnęła moje zmaltretowane przyrodzenie.

– Rozczarowałeś mnie, chociaż bardzo na ciebie liczyłam.

– Nie mam pojęcia, o czym mówisz ani dlaczego uważasz, że cię rozczarowałem?

Z powodu bólu z trudem wymawiałem słowa.

– Miałeś zniszczyć Słowo Ewangelii i tę szwedzką dziwkę, ale ci nie wyszło. Miałeś tysiąc możliwości, mogłeś ich opisać w „Ekstra Bladet", a nie zrobiłeś absolutnie nic. Nie napisałeś ani słowa, tylko głupoty o całkiem udanym projekcie w Afryce. – Cofnęła rękę i zacisnęła ją w pięść.

W pomieszczeniu panował półmrok. Paliła się tylko jedna lampa w odległym kącie pokoju. Otwarty kominek był zimny

321

i pusty. Tak jak jej oczy. Lodowate i bez wyrazu. Nie było śladu ciepła i życia, które widziałem tyle razy przedtem.

– Po co się wtrącałeś do tej sprawy? Na swój sposób nawet cię lubiłam. Wystarczyłoby, żebyś trzymał się z daleka. – Przez chwilę wydawało mi się, że widzę w jej oczach coś w rodzaju współczucia. Pięść przygotowana do nowego ciosu w moje podbrzusze nie zacisnęła się.

– Nie daj się zwieść uczuciom, siostrzyczko!

Kobieta, która zaskoczyła mnie w lesie, miała teraz w ręku zamiast pistoletu ostry nóż. Podłożyła ostrze pod moje jądra i śmiejąc się, spojrzała na siostrę.

– Potraktujemy go tak samo jak tych małych smoluchów?

Podsunęła nóż wyżej, podnosząc ostrzem mojego wacka. Zachłysnąłem się, zamknąłem oczy i próbowałem napiąć mięśnie w oczekiwaniu na to, co się ma wydarzyć.

– Rób, co chcesz, ja z nim skończyłam. – Ann odwróciła się ode mnie. – Możesz z nim robić, co ci się żywnie podoba, on nie jest mi już do niczego potrzebny.

Dwa szybkie klaśnięcia w dłonie spowodowały, że obie kobiety odwróciły się. W drzwiach pojawiła się Myrna Nikolajsen. Objęła wzrokiem całą scenę i ponownie klasnęła w dłonie.

– Nie pora teraz na te rzeczy, dziewczęta, mamy ważniejsze sprawy do załatwienia.

Siostry podeszły posłusznie do starszej pani i stanęły obok siebie, wyrównując szereg jak żołnierze na musztrze. Pochyliły głowy i złączyły dłonie.

– Pan obdarzył nas zaufaniem, wybrał nas i nakazał wypełniać jego wolę. Amen! Czy Jakob jest gotów?

– Tak, matko. Wszyscy są przygotowani do spełnienia.

Ann podniosła głowę i spojrzała na Myrnę z szacunkiem.

– A co zrobimy z tym tutaj? – zapytała, wskazując na mnie.

– Zabierz go ze sobą, Ann. Niech będzie świadkiem, jak wypełniamy rozkazy niebios. Niech zobaczy spełnienie woli Boga.

To będzie ostatnia rzecz, którą zobaczy, nim stanie przed sądem bożym.

*

Czterej chłopcy patrzyli przerażeni na strzykawkę w ręku Jakoba. Dwóch tuliło się do siebie, cicho popłakując. Pozostali dwaj krzyczeli głośno, jeden próbował schować się za krzesło, wołając: „Nie chcę, nie chcę być kłuty, nie kłuty!". Wagner wyciągnął go zza krzesła i podniósł za jedną nogę do góry. Chłopiec szarpał się niczym zwierzę prowadzone na rzeź.

– Pomóż mi i ściągnij mu spodnie. – Jakob zwrócił się do swojej narzeczonej, która szybko ściągnęła chłopcu spodenki i mocno przytrzymała obnażoną pupę.

– Teraz dobrze? – zapytała, a Jakob odpowiedział potwierdzającym kiwnięciem głowy.

– Zatrzymajcie się? Co z was za ludzie?!

Jedyne, co mogłem zrobić, to wołać. Moje ręce były obwiązane taśmą i przymocowane do kaloryfera. Nie mogłem w żaden sposób ruszyć się z miejsca. Myrna odwróciła się i spojrzała na mnie.

– Jesteśmy dziećmi Boga, należymy do jego wybranych.

– Jego wybranych? Czy ty w ogóle słyszysz samą siebie!? Kastrujecie małego chłopca. Odbiło wam kompletnie! Bóg głosi miłość do ludzi.

– Nie do wszystkich. Naprawiamy błędy, które zostały popełnione. – Podeszła bliżej i stanęła dwa kroki przede mną. – Wszystkie gatunki, jakie Bóg stworzył, zostały uratowane w Arce. Krzyżówki, mieszańce, które nie były dziełem Boga, poginęły w potopie. Bóg nie chciał pomieszania ras. Krzyżówki nie są jego dziełem.

– Człowiek to człowiek, niezależnie od rasy czy koloru.

– Bóg stworzył najlepszy rodzaj ludzi na własny obraz i podobieństwo. Był zadowolony, kiedy siódmego dnia spojrzał na swoje dzieło. Poprawianie tego dzieła nie należy do ludzi.

– Czyli że Bóg jest białym człowiekiem?

– Łabędzie są białe!

– Owszem, z wyjątkiem tych czarnych. Wypuść chłopców. Nikomu nic nie zrobili. To niewinne dzieciaki.

– Ale będą rosnąć, a wraz z nimi diabelstwo, które w nich mieszka. – Odwróciła się ode mnie i skinęła głową na Jakoba. – Rób to, co trzeba. Wykonaj to, co Bóg ci powierzył.

Chłopiec wrzasnął, kiedy Wagner wbił igłę strzykawki. Z płaczem przywoływał matkę. Po zastrzyku skurczył się na podłodze i popłakiwał, prosząc o litość: „Nie chcę, nie chcę być kłuty, proszę, nie chcę już więcej!". Spojrzał błagalnie na kobietę, ale ta nie zareagowała. Przesunęła go po podłodze i upchnęła nogą w kącie.

– Dać następnego? – zapytała, zwróciwszy się do Jakoba Wagnera. Jakob kiwnął głową.

– Stop, przestańcie! Zastanówcie się chwilę! Myrna, jak możesz? Sama miałaś przecież syna!

Myrna Nikolajsen zadrżała i odwróciła się do mnie ze wściekłym wyrazem twarzy.

– Nie przywołuj tu imienia mojego syna! Poniósł ofiarę, wielką ofiarę, tak jak ja poniosłam ofiarę.

– Jaką ofiarę?

– Ofiarowałam mojego syna. To był wyrodny syn, ale w końcu posłuchał, kiedy matka poprosiła, by zakończył swój grzeszny ziemski żywot.

– Co to znaczy? Czy to ty go nakłoniłaś, żeby się powiesił?

– Tak, okazał posłuszeństwo swojej matce. Sprzeniewierzył się swemu Bogu. Opętały go demony i zaraziły grzesznym pożądaniem. Bóg stworzył mężczyznę i kobietę, żeby spłodzili potomstwo i zaludnili ziemię. Jeżeli mężczyzna ma stosunek z mężczyzną, tak jakby to była kobieta, to obydwaj popełniają straszny grzech.

– Straszny z ciebie człowiek, Myrna. Czy naprawdę namówiłaś własnego syna na samobójstwo, dlatego że był homoseksualistą?

– Nie wymieniaj tego strasznego słowa. Zszedł na manowce i zapłacił za swój błąd.

Ann przywlokła do Jakoba kolejnego chłopca. Myrna ukucnęła przed przerażonym dzieckiem.

– Czy wyrzekasz się diabła i wszelkich jego uczynków? Chłopiec nie odpowiedział. Chwyciła go za ramię i potrząsnęła energicznie. – Czy wyrzekasz się...

Rozległ się głośny huk. Wszyscy się odwrócili. Drzwi wejściowe otwarto kopniakiem. Myrna, wytrącona z równowagi, usiadła na podłodze i jak sparaliżowana patrzyła na drzwi, chociaż nie puściła chłopca, trzymając go nadal za ramię.

– Puść go, ty diablico! – Jim Vamdrup celował w starą z dubeltówki. Pojawił się nagle w drzwiach, a za jego plecami widać było Sally ze zjeżoną sierścią. Suka zaszczekała. Myrna nie posłuchała, tylko przyciągnęła chłopaka bliżej do siebie.

– Zabierz tego szczeniaka, bo rozwalę ci łeb. – Jim skierował lufę strzelby na Jakoba Wagnera, który zaczął drżeć, jakby dostał napadu choroby Parkinsona.

– Odsuń go w cholerę! – Jim powtórzył rozkaz przerażonemu mężczyźnie. Jakob spojrzał na swoją narzeczoną, która obserwowała go bez emocji.

– Mięczak! – skwitowała, odpychając go.

Kucnęła koło Myrny i uwolniła chłopca z jej ręki.

– Daj mi ten diabelski pomiot, matko. Pozwól, że uwolnię cię od niego.

– Wracaj na miejsce! – ryknął Jim, obniżając lufę broni i kierując ją na nią. – Nie podchodź do niej, ty wiedźmo!

Odbezpieczył broń.

– Mam dla ciebie pozdrowienia od mojej matki. Pamiętasz ją może? Inge Vamdrup – kobieta, którą pozbawiłaś życia.

– Inge była chorą kobietą. – Myrna patrzyła na uzbrojonego mężczyznę stalowym wzrokiem. – Chorą i zagubioną, tak samo jak ty! Odłóż swoją strzelbę, Jim, zwróć się do Boga i przyjmij jego łaskę.

– Pozdrów go ode mnie, jak go spotkasz! – Odparł i nacisnął spust. Przez ułamek sekundy wydawało mi się, że widzę wszystko. Widziałem Jima z dubeltówką, ale on nie widział rzucającej się na ratunek Ann. Wylądowała na linii strzału akurat w najgorszym momencie i przyjęła na siebie cały ładunek śrutu, przeznaczony dla starej.

*

Jim został rzucony na ziemię. Gert wykręcił mu ręce i zostawił Brammingowi skucie go. Øgaard przeciął moje więzy i uścisnął mnie, szepcąc: – Tivoli jest otwarte.

– Co ty mówisz?

– Mówię, że możesz sobie coś przyciąć. – Skinął głową w stronę rozpiętego rozporka, więc pospiesznie go zapiąłem. Ann patrzyła na mnie. Rękami trzymała się za brzuch, z którego lała się krew.

– Czy ja...? – mówiła szeptem i musiałem uklęknąć obok niej, żeby coś usłyszeć.

– Trzymaj się, pomoc jest w drodze! – powiedziałem i usunąłem kosmyk włosów z jej czoła, które było zimne i spocone. W kąciku ust pojawiła się krew.

– Czy nadal myślisz, że jestem piękna? – zapytała, układając usta w coś na kształt uśmiechu. Usunąłem delikatnie krew z jej podbródka.

– Tak, jesteś piękna, Ann, ale teraz spokojnie, pomoc nadejdzie lada chwila.

– Przepraszam... nie chciałam... ty nie jesteś taki jak Gregers.

– Gregers? Gregers Sehested?

– Tak, tam... w samochodzie... to był on.

– Zmuszał cię?

– Zmuszał? Nie, ja wabiłam. On był łatwy. Dostarczył nam szczepionkę.

– Ale dlaczego? Dlaczego, Ann?

– Dlatego... Myrna... i Bóg... – Zadrżała nagle i na jej twarzy pojawił się grymas bólu. Wciągnęła powietrze trzy razy i spojrzała na mnie.

– Boję się, John. Trzymaj mnie!

– Trzymam!

Przysunąłem się, jak mogłem najbliżej, i szepnąłem jej do ucha: – Jesteś pod moją opieką. Wszystko będzie dobrze.

Odpowiedzi nie było. Przestała oddychać.

*

– Dasz sobie radę? Jesteś cały?

Gert objął mnie za ramiona i uścisnął.

– Tak, poradzę sobie.

– Już po wszystkim.

– Niezupełnie. Nie macie Charlotty Nikolajsen. Widziałem, jak tu była z Jimem. To wspólnicy. To ona zleciła zabicie Myrny.

35

INSPEKTOR FROST PRZYWOŁAŁ GESTEM Jana Bramminga. Ten nie od razu zareagował. Stał nieco z boku i wyjaśniał starszemu koledze, co się tu zdarzyło.

– Jeżeli sierżant zechce się łaskawie pofatygować, to jest tu dla niego zadanie. – Helmer Frost Olsen zmierzył Bramminga piorunującym wzrokiem. – Trzeba odwieźć panią Nikolajsen do domu.

Charlotta została dowieziona do komendy w Esbjerg, gdzie przez godzinę była przesłuchiwana przez Gerta i Frosta. Najwyraźniej przerwano jej jazdę konną, bo na posterunku zjawiła się w stroju jeździeckim i wyglądała w nim równie olśniewająco jak wtedy, kiedy ją widziałem. Nie wyglądała na osobę, na której to, co się wydarzyło, zrobiło jakiekolwiek wrażenie. Była w świetnym humorze i flirtowała ze wszystkimi policjantami. Frost pożerał ją oczami i próbował być dowcipny.

– Bo przypuszczam, że konia zostawiła pani w domu.

Roześmiał się z własnego dowcipu i był zachwycony, gdy ona w odpowiedzi poklepała się po pośladku i odparła: – Oczywiście, inaczej ucierpiałaby moja pupa. Czyż nie?

Odpowiedział głośnym śmiechem, podał jej szarmancko ramię i podprowadził do drzwi, ściskając jej rękę.

– Nie będziemy już pani zajmować więcej czasu. Skontaktujemy się, gdyby było coś jeszcze, ale nie sądzę.

Ujęła jego dłoń i dygnęła jak mała dziewczynka, która właśnie przyniosła królowej bukiecik kwiatów.

– Zawsze może pan zadzwonić albo po prostu wpaść. Johna to też dotyczy. – Zwróciła się w moją stronę i dodała: – Zapomniałeś przecież wziąć to, po co przyjechałeś ostatnim razem.

*

– Co ona chciała przez to powiedzieć? – Øgaard obrzucił mnie pełnym zaciekawienia spojrzeniem. – Coś zgubiłeś?

– Kompletnie nic i na pewno nie będę szukał.

– Maria pewnie się ucieszy, gdy się dowie, nie sądzisz?

– Owszem. Wybieram się do niej i Ester. Nie zabrałbyś się ze mną? Mógłbyś przy okazji jej wyjaśnić, że nie jestem taki zły, na jakiego wyglądam.

– Myślę, że będziesz to musiał zrobić sam, ale zważywszy na istniejące dowody w sprawie, przewiduję, że uzyskasz przebaczenie.

36

W KILKA GODZIN PO DRAMATYCZNYCH wydarzeniach w norweskiej chacie na Vejers Strand szwedzka policja i antyterroryści zatrzymali grupę neonazistów w Osby, w południowej Szwecji. Grupa była od dłuższego czasu pod obserwacją policyjnych komputerowców, a po zatrzymaniu Jakoba Wagnera w Danii zyskali uzasadnienie dla przeszukania ich siedziby. Wagner i prowodyr szwedzkiej grupy Olle Persson od dawna prowadzili korespondencję e-mailową. Tematy wyglądały z pozoru niewinnie – głównie heavy metal i piłka nożna, ale przy okazji wymieniano także informacje innego rodzaju. Podczas rewizji u Olle Perssona policja, poza ulotkami w rodzaju „Szwedzka Strefa" i „Nie dla wielokulturowości", znalazła w sejfie także szczegółowe dane, dotyczące terminów szczepień, powodujących trwałą sterylizację u ludzi.

Prasa przez kilka dni zajmowała się głównie wykrytym sojuszem między neonazistami w Danii i Szwecji, a także grupą fanatyków Myrny Nikolajsen pod nazwą Słowo Ewangelii. Podczas przesłuchań Myrna odpowiadała na zarzuty cytatami z Biblii. Musiała jednak przekonać się na własnej skórze, że wyznawany przez nią Bóg, któremu tak wiernie służyła, nie przyszedł jej z pomocą. „Ekstra Bladet", a za naszą gazetą wiele innych mediów w kraju i za granicą, skojarzyła jej twarz z postacią Czarnego Anioła.

*

Prezes postukał łyżeczką w swój kieliszek do szampana. W sali stopniowo się uciszyło. Wszystkie oczy zwróciły się w stronę mówcy, gdzie wysoka postać górowała nad zgromadzeniem dzięki prowizorycznemu podium.

– Każdy z tu obecnych – powiem więcej – każdy Duńczyk, a także liczni zagraniczni czytelnicy, którzy w ostatnich dniach zapoznali się z rewelacjami naszego przodującego pisma, poświęcili chwilę współczucia czterem nieszczęśliwym chłopcom i ich rodzinom. Wielu poczuło gniew na winowajców i oburzenie wobec tych wydarzeń, które miały miejsce i które nigdy nie powinny się już powtórzyć.

Odchrząknął. – W pełni solidaryzując się z falą oburzenia i pogardy dla zwyrodnialców oraz współczucia dla ofiar, Marcusa, Ludwika, Jonasa i Siwerta, my w naszej gazecie mamy też prawo do uzasadnionej dumy. Dlatego właśnie zaprosiłem was tu dzisiaj. W zaproszeniach, które wam wysłałem, nie wspomniałem o nagrodzie, teraz jednak nie będę już ukrywał, że to jest główny powód naszego spotkania.

– Co jest? Dostał jeszcze jakąś nagrodę? – Juhler pochylił się ku mnie i dodał: – Zbiera mi się na wymioty. Ten facet jest zachwycony sam sobą. Dwa razy był w *Wieczorze z TV*, raz w *Dzień dobry, Danio*, raz w Lorry, nie licząc stacji zagranicznych. To wszystko w trzy dni, a teraz jeszcze nagroda. Wiesz, Hilling? Chyba stąd wyjdę.

– Czekaj, daj mu szansę! Niech powie, co ma do powiedzenia.

Prezes odchrząknął ponownie i objął wzrokiem obecnych. Przyglądał się przez chwilę zgromadzonym, by wreszcie zatrzymać wzrok na Juhlerze oraz na mnie.

– Kilka dni temu, pierwszego września, jeden z członków naszego zespołu obchodził trzydziestopięciolecie pracy w redakcji. Sam jest zbyt skromny, by o tym mówić, może nawet nie zauważył tej rocznicy. Prosimy tutaj, Juhler.

Juhler wytrzeszczył oczy.

– Co, do cholery? – Rozejrzał się wokoło. Pani Aase posłała mu szeroki uśmiech i kiwnęła głową w kierunku podium i prezesa.

– No rusz się, staruchu! – zachęciłem.

– Nigdzie się nie wybieram – popatrzył, jakby szukał u mnie pomocy.

– Idź, przyjmij to po męsku!

Poklepałem go przyjacielsko po plecach i popchnąłem lekko w stronę sceny. Poczłapał wreszcie do przodu, a jego miejsce przy moim boku zajęła Maria, która, uśmiechając się, oparła mi głowę na ramieniu.

– Wszystko będzie dobrze. – Odnalazła moją rękę i ścisnęła. – Wszystko się dobrze kończy, a Aage dostanie w dodatku nagrodę.

Prezes potrzebował jeszcze dobrych paru minut na wyszczególnienie zasług Juhlera dla „Ekstra Bladet". Objął nawet jubilata ramieniem. Redaktorowi nie sprawiło to szczególnej przyjemności, ale zaniechał protestu.

– Ty i „Ekstra Bladet" to jedno. Dlatego pozwoliłem sobie na ufundowanie nowej nagrody, nagrody twojego imienia, nagrody Aage. Nagroda ta będzie przyznawana raz do roku dziennikarzowi lub fotografowi naszej gazety. Nie każdy jednak będzie mógł ją otrzymać. Żeby zasłużyć na nagrodę i pięćdziesiąt tysięcy koron, trzeba się będzie wykazać czymś szczególnym – pracą dla dziennika w duchu Juhlera. Z tego też powodu jestem przekonany, że zgodzisz się ze mną w pełni, gdy oznajmię, iż pierwszym laureatem tej nagrody jest twój protegowany i przybrany syn, John Hilling. Hilling otrzymuje nagrodę za serię artykułów o działalności męża pewnej pani minister w Europie Wschodniej oraz reportaże o zbrodniczym sojuszu prawicowych ekstremistów i fanatycznych chrześcijan – sprawie, o której dzisiaj mówi cały świat. John, gratuluję nagrody!

*

Maria zamknęła ostrożnie drzwi do dziecinnego pokoju, przeszła na palcach przez kuchnię i stanęła za moimi plecami.

– I co zamierzasz z tym zrobić?

Pokazała palcem pokaźnej wielkości kartonowy czek, wystawiony przez bank Absalon. Prezes nalegał, żebym go zabrał ze sobą na pamiątkę, zszedł nawet, żeby nas odprowadzić do taksówki.

– Nie wiem. Za pięćdziesiąt tysięcy można kupić to i owo, masz jakąś propozycję?

– Właściwie to nie, ale myślę, że Ester mogłaby mieć... – Uśmiechnęła się podstępnie.

– Ester? A czego jej brakuje?

– Towarzysza zabaw.

– A co mają do tego pieniądze? Mam jej kupić przyjaciela?

– No, niezupełnie to miałyśmy na myśli. Trochę pieniędzy przyda się pewnie na kilka samochodzików i kolejkę.

– Przepraszam, ale nic nie rozumiem – spojrzałem pytająco, a ona roześmiała się głośno.

– Naprawdę, nie jesteś dzisiaj zbyt pojętny. Mam ci to narysować? – Ujęła mnie za ramię i pociągnęła tak, że musiałem wstać.

– Ester potrzebny jest braciszek – wyjaśniła. – A jeśli nie wiesz, jak to zrobić, to może już pora, żebyś się nauczył.

TRYLOGIA POLICYJNA LEIFA GW PERSSONA

Trylogia policyjna Leifa GW Perssona przedstawia jedno z możliwych rozwiązań największego, nierozstrzygniętego wciąż śledztwa w sprawie morderstwa szwedzkiego premiera Olafa Palmego, zabitego w Sztokholmie w 1986 roku.
Niezwykle wciągająca i bogata w fakty kombinacja satyry, thrillera, dramatu psychologicznego i powieści policyjnej o największym śledztwie kryminalnym we współczesnej historii Szwecji.
Nie są to zwykłe powieści kryminalne, lecz pod wieloma względami dzieło fundamentalne o największej traumie Szwecji. To skandynawski odpowiednik zabójstwa prezydenta Kennedy'ego. Persson sprawnie przedstawia kulisy pracy policji i sił specjalnych oraz często nieskuteczny sposób pracy policjantów śledczych.

I
Między tęsknotą lata a chłodem zimy
W Sztokholmie w tajemniczych okolicznościach ginie amerykański dziennikarz John Krassner. Śledztwo, w którym na początku wszystkie poszlaki wskazywały na samobójstwo, zaczyna się gmatwać...

II
W innym czasie w innym życiu
Zakrojona na szeroką skalę powieść, która zaczyna się od okupacji przez Czerwone Brygady zachodnioniemieckiej ambasady w Sztokholmie w 1975 r. Akcja powieści przeskakuje szybko do 1989 r. do nierozwiązanej zagadki zasztyletowania urzędnika cywilnego, a następnie do 1999 r., kiedy to szwedzki wywiad sprawdza nowo powołanego ministra obrony i znajduje nieoczekiwane związki z dawnymi zbrodniami.
Data wydania: luty 2011

III
Swobodny upadek, jak we śnie
Arcydzieło suspensu i klasycznego spisku, w którym Leif GW Persson rozwiązuje zagadkę zabójstwa szwedzkiego premiera sprzed 20 lat, wskazując na ciemne siły, grupy interesów oraz zakulisowych graczy. To mroczny obraz współczesnego społeczeństwa. Jednak największa siła tej powieści tkwi w niezwykłej zdolności Perssona do łączenia dramaturgii i humoru z niezwykle wiarygodnym portretem współczesnych, zwykłych ludzi, którym przypadło w udziale rozwiązywanie najsłynniejszego zabójstwa XX wieku.
Data wydania: maj 2011

Jan-Erik Pettersson jest znanym szwedzkim dziennikarzem. Nietrudno zrozumieć motywy, którymi kierował się, pisząc obszerną biografię Stiega Larssona: oto Stieg Larsson, nieznany prawie dziennikarz, staje się nagle jednym z najgłośniejszym autorów współczesnych powieści kryminalnych. Jego trylogia Millennium niemal natychmiast została przetłumaczona na kilkadziesiąt języków i wydana w milionowych nakładach na całym świecie. Nazwisko Stieg Larsson zagościło na ustach literaturoznawców, krytyków literackich, ale przede wszystkim czytelników. Zainteresowanie trylogią zwiększył niewątpliwie fakt, iż autor zmarł nagle w 2004 roku w wieku pięćdziesięciu lat, nie doczekawszy oszałamiającego sukcesu swoich książek.

Pettersson próbuje opisać niezwykłe, barwne, pełne napięć i zwrotów życie Larssona. Jego dzieciństwo na surowej północy Szwecji, zaangażowanie polityczne widoczne już w nastoletnim wieku, a potem wyrażany wszelkimi możliwymi sposobami sprzeciw wobec ruchów faszystowskich, nazistowskich, różnych dyskryminacji i nierównemu traktowaniu kobiet. Pettersson ukazuje pełną zawiłości drogę Stiega Larssona jako dziennikarza, jego dalekie podróże, niezmordowaną walkę przeciwko prawicowym ekstremistycznym ruchom, oraz twardą, często niewdzięczną pracę w fundacji Expo.
Powieści o Mikaelu Blomkviście i Lisabeth Salander dopiero na tle życia autora stają się bardziej zrozumiałe, a ich treść bogatsza i pogłębiona. Oraz realna.